p147   Benedict critique an
         Holy Spirit

p87   Zundel like version

CONFESSION D'UN CARDINAL

DU MÊME AUTEUR

Les Masques de Dieu, éditions Anne Sigier, 1994.
Le Charpentier, éditions Anne Sigier, 1994.
Le Cri de Dieu, éditions Anne Sigier, 1996.
Le Risque de Dieu, éditions Anne Sigier, 1997.
Aux affaires de Mon Père, éditions Anne Sigier, 1999.
Lettre aux successeurs de Jean Paul II, Desclée de Brouwer, 2002.
Les Evangiles des parents, éditions Anne Sigier, 2004.

www.editions-jclattes.fr

Olivier Le Gendre

CONFESSION D'UN CARDINAL

JC Lattès
17, rue Jacob 75006 Paris

Pour l'éditeur, le principe est d'utiliser des papiers composés de fibres naturelles, renouvelables, recyclables et fabriquées à partir de bois issus de forêts qui adoptent un système d'aménagement durable.
En outre, l'éditeur attend de ses fournisseurs de papier qu'ils s'inscrivent dans une démarche de certification environnementale reconnue.

ISBN : 978-2-7096-2937-9

I

ROME, PRINTEMPS 2005

Mardi, Borgo Pio
Solidarnosc

— Et ce Mgr Mijlk qui dînait à une table voisine hier soir à L'Eau Vive ? Vous me disiez un peu mystérieusement qu'il aurait bien des choses à raconter... Lesquelles ?

Nous étions, mon interlocuteur et moi, assis à la terrasse du Ciao di Statuto, un café du Borgo Pio, tout proche du Vatican. Lui, cardinal de l'Église catholique, à l'aise dans sa tenue civile qui ne trahissait rien de son état. Moi, écrivain spécialisé dans les affaires religieuses.

C'était notre deuxième rencontre. Avant de nous quitter, la veille, nous avions décidé de nous retrouver dès le lendemain pour commencer nos entretiens. Il voulait aller vite pour ce livre qu'il me demandait d'écrire avec lui. Des rencontres d'une semaine, espacées d'un mois ou deux. Nous discuterions à bâtons rompus, enregistrant nos conversations. Après chaque session, je rédigerais un texte que je lui soumettrais. Puis nous nous reverrions pour une nouvelle session de travail de plusieurs jours.

J'étais arrivé la veille, en fin d'après-midi, juste à temps pour passer à l'hôtel déposer mon sac et mon ordinateur avant de filer au restaurant où il m'avait donné rendez-vous. Ma semaine étant libre, j'avais proposé de prolonger mon séjour. Je préférais brusquer le cours des choses et savoir vite à quoi m'en tenir. Nous avions déjà parlé longuement au point que le restaurant n'attendait plus que notre départ pour fermer. Cependant je n'étais pas encore sûr de m'engager dans ce projet. Je me méfiais des cardinaux en général et des livres de mémoire des dignitaires ecclésiastiques en particulier. Sans parler des livres écrits à deux voix. En l'occurrence, le projet cumulait les trois inconvénients. J'avais néanmoins décidé de jouer le jeu le temps de mieux connaître l'Éminence en question.

Une fois installés à notre terrasse de café, lui devant un Coca light et moi une menthe à l'eau, j'avais repris notre conversation là où nous l'avions interrompue le soir précédent. Le magnétophone numérique nous enregistrait.

— Ah oui, Mijlk, un homme étonnant ! me répondit-il. Il fut choisi par Jean Paul II comme agent de liaison avec Solidarnosc. Notre pape avait très vite pensé que ce nouveau syndicat indépendant du pouvoir communiste polonais pouvait être un atout important dans sa politique de libération de l'Europe centrale.

— Quelle année, Éminence ?

— Vers la fin des années 80. C'était en fin d'après-midi, juste avant un entretien avec le Saint-Père. J'avais croisé Casaroli[1] dans les couloirs du deuxième étage du palais apostolique, avant de monter au quatrième dans les appartements privés du pape.

— Le bureau du pape, ce sont les fenêtres en angle au dernier étage du grand bâtiment qui domine la place Saint-Pierre, à droite ?

— En effet. C'est là où il travaille et reçoit ses plus proches collaborateurs. Les audiences officielles ont lieu

---

1. Le cardinal Agostino Casaroli était à cette époque le secrétaire d'État, le « premier ministre », de Jean Paul II, après avoir été le « ministre des affaires étrangères » de Paul VI. Le secrétaire d'État est le « numéro deux » du Vatican, le « numéro un » étant le pape lui-même.

ailleurs, au troisième, à la Bibliothèque Privée, dont les rayonnages sont couverts de bibles en différentes langues. Casaroli, dont les bureaux sont au deuxième étage, fulminait, même si ça ne se voyait jamais beaucoup. Le nez était simplement un peu plus pincé, les lèvres encore plus minces. À ceux qui le connaissaient bien, ces deux signes révélaient que le secrétaire d'État n'était pas du tout content. J'étais un peu en avance. Je pris le temps de l'interroger sur ses soucis. Il me raconta dans son italien si précis et si sec les raisons de son agitation aussi extrême que bien camouflée.

— Excusez-moi de vous interrompre, Éminence, vous me parlez de personnages célèbres comme s'il s'agissait du voisin d'à côté. Vous croisez le cardinal secrétaire d'État dans un couloir du deuxième, avant d'aller frapper à la porte du pape au quatrième. C'est un peu surréaliste de vous suivre dans les coulisses d'un des endroits les plus secrets au monde.

— Ne vous troublez pas, me répondit-il. Un pape est toujours quelqu'un de très occupé, c'est vrai. De plus, Jean Paul II laissait remplir son carnet de rendez-vous plus que n'importe quel autre pape avant lui, parfois même au-delà de toute sagesse. Nous autres, les cardinaux de la curie, nous ne le voyions pas tous les jours, mais de là à faire de nos entretiens des événements considérables, il y a de la marge, comme on dit, je crois, chez vous.

— Revenons-en aux raisons du courroux du cardinal secrétaire d'État…

— Passant outre l'avis de son plus proche collaborateur, le pape avait décidé de mettre tout son poids dans la balance pour soutenir Solidarnosc. Casaroli avait tenté de dissuader le Saint-Père, lui faisant valoir que le pouvoir soviétique était encore trop puissant pour être défié frontalement. Il argumenta en soulignant que personne ne savait rien de cet électricien des chantiers navals nommé Walesa. Il se fit l'oiseau de mauvais augure en prédisant que ce tout jeune syndicat indépendant risquait de connaître le même destin que les mouvements de jeunes à Budapest en 1956 ou la révolte populaire de Prague dix ans plus tard. Les chars soviétiques entreraient dans le pays et materaient, au besoin dans le sang, les émeutiers. Bref, s'il se l'était permis, il aurait taxé le pape d'imprudence.

« Vous comprenez, mon bon ami, me dit ce jour-là Casaroli, ceci n'est pas raisonnable. Pensez que notre Saint-Père veut que j'envoie de l'argent de manière clandestine à ce Solidarnosc dont nous ne savons rien. Où voulez-vous que je le trouve cet argent, et comment le faire passer sans risque ? Tout cela manque de précaution, continua-t-il, la tête un peu baissée à son habitude, le regard passant au-dessus de ses lunettes cerclées. Je crains fort que nous n'allions vers de gros ennuis. Je le lui ai dit, bien sûr, mais croyez-vous qu'il m'entende ? Non, il m'écoute bien sûr, il m'écoute, mais je sais qu'il a déjà décidé. Dieu nous protège, mon bon ami, car nous entrons dans un jeu risqué, très risqué... »

— C'est habituel qu'un secrétaire d'État ne soit pas d'accord avec le pape, voire s'oppose à sa politique ? demandai-je, un peu surpris.

— Casaroli ne s'opposait pas. Il pensait seulement qu'il lui revenait de mettre en garde le pape. De plus, il avait une haute idée du bien-fondé de la politique qu'il avait menée à l'égard du Bloc de l'Est pendant plus d'une décennie : contacts secrets avec le gouvernement soviétique, refus de le condamner ouvertement en échange de quelques allègements dans la politique antireligieuse... Soudain, ce pape polonais déboulait dans le champ diplomatique et s'y ébrouait sans grande considération pour les usages !

— Casaroli obtempéra ?

— Bien sûr. Il devait trouver de l'argent et le faire

passer. Il en trouva auprès de Marcinkus [1], qui lui-même en trouva auprès de ses amis banquiers louches et auprès de l'Opus Dei. Et, surtout, il dénicha l'homme qui allait faire passer cet argent : Mijlk.

— Le Mijlk que nous avons vu hier ? Il ne donne pourtant pas l'impression d'être très formidable. On s'attendrait à quelqu'un de plus remarquable pour mener ce genre d'opération clandestine.

— Nous sommes l'Église catholique, me reprit-il gentiment. Nous ne cherchons pas à être formidables et nous ne recrutons pas nos collaborateurs après un casting d'acteurs de série B.

— J'entends bien, Éminence, dis-je en tentant de me rattraper. Vous conviendrez cependant que ce genre d'opérations qui consiste à faire passer de l'argent à un syndicat en lutte contre le pouvoir communiste ressemble à s'y méprendre à des actions de services secrets. Et vous me confirmez indirectement que l'Église possède un service secret, comme de nombreux auteurs l'ont prétendu depuis des décennies.

— Je ne vous confirme rien de ce genre, croyez-moi ! me répondit-il vivement. Nous n'avons pas de service de renseignements au sens habituel du terme. Il y a, bien sûr, des personnes, le plus souvent des prêtres, qui assurent des missions discrètes, secrètes, parfois dans une totale clandestinité, quoi de plus naturel !

» Il faut que vous compreniez une chose importante... Nous, je veux dire l'Église, avons été une puissance territoriale significative au moment où

---

1. Archevêque américain, responsable un temps des finances du Vatican, accusé par le gouvernement italien d'avoir été mêlé à deux faillites retentissantes, celle de l'Ambrosiano dont le président fut retrouvé pendu sous un pont de Londres en 1982, et celle de l'empire Sindona, du nom de son propriétaire retrouvé empoisonné dans sa cellule en Italie en 1986. Marcinkus resta cloîtré au Vatican de peur d'être interpellé par les autorités italiennes s'il en sortait. Un accord ultérieur lui permit de prendre sa retraite aux États-Unis où il mourut au début de l'année 2006.

l'Europe était le centre du monde. Même privés de territoires depuis plus de cent ans, nous sommes encore habités par les traces de ces périodes où nous disposions d'un pouvoir temporel fort. Nous exerçons indéniablement une influence sur la scène mondiale chaque fois que l'occasion se présente. C'est la raison pour laquelle nous entretenons des relations diplomatiques avec pratiquement tous les pays [1] de la terre. À cette présence officielle s'ajoutent parfois des actions officieuses et même clandestines.

» Réfléchissez, reprit-il après un moment de silence et une gorgée de son Coca. Nous sommes la seule puissance religieuse à avoir cette capacité. Seule l'Église catholique a des ambassades officielles dans presque tous les pays du monde. Elle est la seule également à disposer d'une autorité individuelle et centralisée en la personne du pape. Nous y sommes tellement habitués que nous perdons de vue combien exceptionnelle est cette position.

— D'accord, l'interrompis-je, acceptons ce portrait : une Église, puissance mondiale, à côté de nations qui sont de très grandes puissances politiques, économiques et militaires. À côté également de quelques entreprises multinationales immensément riches. Une Église, dont vous avez été l'un des dirigeants pendant près de vingt ans, qui se présente comme seule organisation religieuse internationale centralisée.

— Eh oui ! C'est une évidence qu'il n'est pas mauvais de rappeler si on veut comprendre ce que nous sommes. Pour ne pas évacuer votre question sur les services secrets, j'ajouterai une précision. Sans disposer d'un tel service, contrairement au mythe qui ferait de celui-ci l'un des meilleurs du monde à l'égal du Mossad israélien de la belle époque, il est évident que nous avons besoin d'informations sur ce qui se passe dans le monde

---

1. Les nonciatures, qui constituent à la fois une ambassade du Saint-Siège auprès des gouvernements et la représentation du pape auprès des Églises locales.

et que nous entretenons des contacts nous permettant d'influencer des décisions. Parfois aussi, comme dans le cas de Solidarnosc, nous menons des actions plus concrètes.

— Ce qui nous ramène à votre Mijlk...

— Pas mon Mijlk, si vous permettez. À la rigueur, tout au début, celui de Casaroli, et très vite ensuite, celui du pape, si vous voulez absolument utiliser cet adjectif possessif...

» Mijlk fit plusieurs voyages en Pologne, noua des contacts avec Walesa et son entourage, leur apporta cet argent, leur parla au nom de leur compatriote devenu pape. Sans risquer sa vie à chaque voyage, il frôla la prison plusieurs fois. Quand il rentrait de Pologne, souvent à l'improviste, le pape le recevait immédiatement, le plus souvent sans que Casaroli assiste à l'entretien, ce qui mettait notre pauvre secrétaire d'État dans une fureur rentrée extrême.

— Décidément, le cardinal Casaroli était souvent en colère, soulignai-je.

— Ce n'est un secret pour personne que la personnalité de Casaroli s'accordait difficilement à celle de Jean Paul II. Leurs tempéraments étaient bien différents, ajouta-t-il d'un ton songeur, bien différents assurément.

» Quoi qu'il en soit des relations entre le pape et son secrétaire d'État, il est indéniable que ce qui s'est dit lors des longs entretiens entre Jean Paul II et Mijlk, et ce qu'a fait Mijlk lui-même, a été de l'Histoire. De là est sortie la politique qui a conduit, avec d'autres facteurs, notamment économiques, à l'émancipation de la Pologne, et ensuite, par propagation, à l'effondrement du bloc soviétique.

— Votre ami Casaroli se trompait, Jean Paul II avait vu juste.

— Eh oui, Casaroli se trompait sur le plan général, même s'il anticipait avec justesse le risque que courait le pape à s'engager dans cette politique. Trop prisonnier de sa propre action, il ne se rendait pas compte que l'empire soviétique se délitait de l'intérieur. Il ne sut pas entrevoir qu'une autre politique était possible. Ce n'est pas pour rien qu'il est sage de ne pas maintenir trop longtemps aux mêmes postes les mêmes hommes. Ils sont généralement incapables de renouveler leurs analyses et leurs opinions. Seuls, leurs successeurs sont assez libres pour faire du neuf.

— Vous évoquiez le risque que courait le pape selon Casaroli.

— Notre secrétaire d'État connaissait suffisamment les Soviétiques pour redouter leurs réactions devant le soutien de Jean Paul II à ses compatriotes. Soyez sûr que si le Saint-Père n'avait pas apporté son concours quasi officiel et de l'argent, beaucoup d'argent, Solidarnosc n'aurait pas réussi à tenir. Sans un pape polonais à Rome, Solidarnosc se serait écroulé. Les Soviétiques en étaient persuadés et ils réagirent rapidement, c'est le moins qu'on puisse dire.

— Un moment, je vous prie. Vous avez dit tout à l'heure que Casaroli avait trouvé de l'argent auprès de Marcinkus et, je vous cite, auprès de ses amis banquiers louches, d'une part, et auprès de l'Opus Dei d'autre part. Il ne pouvait pas trouver l'argent dans les caisses du Vatican ?

— Je m'étonnais que vous n'ayez pas relevé ma prétendue confidence, tout à l'heure. Opus Dei, banquiers louches, cela aurait dû vous faire bondir.

— Bondir, non, Éminence, je connais trop les arcanes des finances du Vatican. Nos lecteurs en sont sans doute moins familiers. Ils doivent donc se poser cette question : pourquoi le pape a-t-il eu besoin d'aller chercher de l'argent dans des endroits louches pour venir en aide au nouveau syndicat libre de son pays natal ?

— Pourquoi ? Pour deux raisons simples. Première-ment, les finances du Vatican étaient au plus bas. Deuxiè-mement, il accepta la suggestion prudente de Casaroli :

ne pas désigner trop visiblement le Saint-Siège comme origine des fonds.

— Vous ne répondez qu'à une partie de la question, Éminence. Celle qui concerne le besoin d'aller chercher de l'argent ailleurs, mais pourquoi s'adresser à des banquiers louches ?

— Par ignorance. Nous ignorions les risques invraisemblables que Marcinkus...

— ... que l'on a surnommé ensuite le « banquier de Dieu », si je ne me trompe, interrompis-je.

— Oui, comme si Dieu avait besoin d'un banquier ! Nous ignorions, disais-je, les risques pris par Marcinkus pour essayer de combler les déficits de fonctionnement du Vatican. Il travaillait seul dans son coin, sans aucun contrôle sérieux. Il faut dire qu'il avait bénéficié des faveurs exceptionnelles du pape précédent, Paul VI, à qui il avait sauvé la vie. Au premier rang des imprudences de Marcinkus se trouvaient ses relations naïves avec des banquiers qui se révélèrent des escrocs en lien avec la mafia italienne.

— En d'autres termes, vous êtes en train de me dire calmement que, par des voies détournées, la mafia italienne a contribué à financer le syndicat Solidarnosc, et cela à l'initiative du pape polonais élu trois ans plus tôt. Vous rendez-vous compte de l'effet d'une telle révélation sur des millions de fidèles ?

— Révélation, je ne sais pas. Je crois que ceci est assez connu. Effet déplorable, j'en conviens. Et je m'en attriste, mais j'ai décidé de dire la vérité. Non pas pour provoquer le scandale, simplement par respect pour ceux qui nous liront. Rassurez-vous toutefois, il n'y aura pas beaucoup d'histoires de ce genre dans le récit que j'ai décidé de vous confier. D'une part, parce qu'elles sont extrêmement rares. D'autre part, parce que je n'en suis pas friand. Et puis, parce que ce que j'ai à vous dire me semble à la fois plus important et plus urgent.

Mardi, Borgo Pio
L'attentat

Nous nous étions tus un instant, le temps de renouveler nos consommations. Et le temps pour moi de digérer la franchise brutale de mon interlocuteur. Je me préparais depuis la veille à devoir le brusquer pour obtenir des confidences. Je m'attendais à ce qu'il enrobe les vérités les plus désagréables dans des périphrases prudentes et subtiles. Eh bien ! mes craintes se révélaient vaines. Certes, mon cardinal n'allait pas au-devant des questions, mais une fois celles-ci posées, il ne se dérobait pas. Je devais m'avouer que ce n'était pas courant dans le milieu de la haute administration ecclésiastique.

J'étais aussi soulagé. Les petites histoires sordides qui avaient défrayé la chronique des vaticanologues et excité les médias internationaux n'étaient pas trop de mon goût, en tout cas dans un livre auquel je devais contribuer. Je ne désirais pas qu'elles prennent trop de place. J'étais d'accord avec lui : quand on parle de l'Église, de la foi, et de la vie de plus d'un milliard de fidèles, il y a des sujets plus importants et plus urgents que les imprudences financières ou les liaisons dangereuses de fonctionnaires vaticanesques. L'affaire Solidarnosc était d'une tout autre dimension.

Je n'eus pas besoin de relancer mon interlocuteur une fois nos verres à nouveau remplis. Il reprit sa leçon d'Histoire dont je ne perdis pas une miette.

— Solidarnosc date de l'été 1980. Le 16 décembre de la même année, Jean Paul II, sur les conseils de Mijlk, et contre les mises en garde alarmées de Casaroli, écrivit une lettre à Brejnev. Encore numéro un officiel de l'Union soviétique, celui-ci était malade et incapable de décider ou de gouverner. Une lettre qui constituait, sous la douceur des termes diplomatiques, un avertissement proche de la menace. Ce genre de lettres que tout chef d'État n'aime pas recevoir, et encore moins quand elle est signée par le pape et écrite de sa propre main.

— Je connaissais cette lettre, Éminence, mais j'ignorais qu'elle était manuscrite.

— Elle était manuscrite, me confirma-t-il. C'était une forme de politesse de la part du pape. Une manière de lui donner un caractère plus intime, de montrer qu'elle ne serait pas rendue publique. Une lettre personnelle entre personnes de bonne volonté.

— Qu'écrivait le pape ? interrogeai-je.

— En résumé et de mémoire : « Je m'alarme des menaces que fait peser sur mon pays et sur l'Europe la tension qui règne en Pologne. Vous avez la capacité de dissiper les causes de cette tension. S'il vous plaît, faites-le avant qu'il ne soit trop tard. »

» La lettre fut lue et porta ses fruits : la Pologne ne fut pas envahie. En revanche, l'attentat contre le pape place Saint-Pierre survint le 13 mai 1981, cinq mois après la lettre.

— Vous pensez vraiment que cette lettre du pape à Brejnev a déclenché les préparatifs de l'attentat contre lui ?

— Une seule cause n'explique jamais totalement un tel événement. La lettre en elle-même n'aurait sans doute pas suffi, mais elle survint à un moment d'intenses manœuvres au sein de l'appareil soviétique. Comme la succession de Brejnev était ouverte depuis un moment, le terrain était propice à toutes les surenchères de la part des prétendants.

Quoi qu'il en soit, si on ne s'attendait pas à une action aussi violente et rapide contre le pape, nous étions quelques-uns à nous inquiéter. Casaroli, d'abord, qui connaissait mieux que quiconque les Soviétiques. Et puis, moi, contacté par l'ambassade de France qui me demanda de recevoir d'urgence deux envoyés de votre gouvernement.

— Pourquoi vous, Éminence ?

— Parce que votre pays craignait que Casaroli refuse cet entretien ou le remette à plus tard. Les informations que la France voulait nous communiquer étaient, selon les dires de mon contact à l'ambassade, extrêmement sensibles et urgentes. Vous savez comment cela se passe dans ces cas-là : les gouvernements préfèrent parfois des chemins détournés.

— Non, Éminence, je ne sais pas vraiment comment cela se passe. Je n'ai pas eu l'occasion d'être mêlé à ces manœuvres de haute politique, encore moins quand elles concernent un projet d'attentat contre un pape polonais. Continuons...

— Mon entretien avec les envoyés de vos services secrets eut lieu le 21 avril[1], soit trois semaines avant l'attentat. Mes visiteurs étaient dépêchés par le patron d'un de vos services, Alexandre de Marenches. Ils nous mettaient en garde contre une menace qui pesait sur la vie du pape. Marenches avait eu vent de cette rumeur qui circulait dans les milieux du renseignement.

— Vous saviez avant. Pourquoi n'avez-vous rien fait ?

— L'information était terriblement imprécise. Nous tentâmes d'en savoir plus. Par notre nonciature à Paris, nous essayâmes de mesurer la crédibilité des envoyés

---

1. 1981.

français. Tout était extrêmement confus. Nous savions Marenches proche de l'Église, en lien avec des groupes résolument traditionalistes. D'autres éléments nous poussaient à nous demander si ces rumeurs n'étaient pas une manipulation orchestrée par des éléments de la droite extrémiste italienne impliquée dans les faillites des banques italiennes et en contact très étroit avec la mafia.

— Joli monde, une fois de plus, Éminence... Vous m'aviez dit que nous n'aurions pas trop l'occasion de le côtoyer à nouveau. Je ne suis pas sûr que l'innocence naturelle du chrétien de paroisse se trouve à l'aise dans ces histoires pas très catholiques, si vous me permettez ce mauvais jeu de mots.

— Ne soyez pas naïf : les luttes de pouvoir sont toujours à l'œuvre, quoi que vous fassiez. Oui, une bonne part de la mafia italienne revendique son appartenance à la foi catholique, même si ses comportements sont incompatibles avec l'Évangile.

» Oui, une loge italienne de la franc-maçonnerie, la fameuse loge P2, a réussi à se servir de ses relations avec quelques prélats imprudents pour mener des opérations financières illégales. Effectivement, cette loge regroupait plusieurs centaines de hauts responsables politiques, économiques, militaires, policiers italiens qui préparaient un renversement de leur gouvernement, craignant une prise de pouvoir par les communistes. Oui, toujours, des agences gouvernementales américaines soutenaient cette loge, renouvelant une pratique de l'armée américaine qui s'était servie de la mafia à la fin de la Seconde Guerre mondiale dans son offensive contre l'armée allemande et ce qui restait des troupes fascistes. Oui, tout cela est vrai.

» Nous avions mesuré l'étendue du pouvoir de ces différentes organisations, ce qui nous avait enjoint à la prudence. Du coup, nous ne pouvions tenir pour avérées les informations en provenance de personnalités dont nous soupçonnions les connivences idéologiques.

— Laissons là ce que vous appelez ma naïveté,

Éminence, et revenons à la menace contre le pape. Le Vatican la connaissait mais ne savait ni d'où elle allait venir ni quand elle surviendrait. Et vous en étiez à vous interroger sur sa réalité, vous demandant si tout cela n'était pas le fruit d'un jeu complexe entre des groupes aux intérêts concurrents.

— Essayez de vous remettre dans le contexte de l'époque. Je vois arriver dans mon bureau deux personnages envoyés par le directeur d'un service de renseignements occidental. Je sais que le directeur de ce service joue un jeu d'influence non négligeable par ses accointances avec certains courants de l'Église. Je n'obtiens aucune précision, ce qui affaiblit la crédibilité de l'information. Je sais parfaitement que le jeu géopolitique mené par le Saint-Père est dangereux, ce qui confère à ladite information un parfum de vraisemblance. Je connais l'action diplomatique officielle. Je connais parfaitement la teneur de la lettre de pression adressée à Brejnev par le Saint-Père. Et je suis au courant des grandes lignes de l'important soutien financier apporté par l'intermédiaire de Mijlk au syndicat polonais, parfois avec le concours bienveillant des services de renseignements américains.

— Pardon, Éminence. Vous voulez dire que Mijlk collaborait avec la CIA ?

— D'abord je n'ai pas mentionné la CIA, et ensuite je n'ai pas dit qu'il collaborait. Mijlk ne collaborait pas. Il se servait de certains des contacts du gouvernement américain en Europe centrale pour entrer et sortir des pays communistes.

» Bref, je prévins Casaroli. Nous montâmes le soir même voir le pape. Celui-ci nous écouta, nous interrogea sur le crédit que l'on pouvait accorder à cette mise en garde. Il se montra sceptique et refusa en tout cas de se plier aux conseils de sécurité de Casaroli et du commandant des gardes suisses. On sait ce qu'il advint. Le Saint-Père passa à deux doigts de la mort, au sens propre de votre expression, puisqu'une balle lui brisa un doigt de la main, ce qui fit dévier légèrement le projectile.

» Dès qu'il commença à se rétablir, le pape voulut savoir. Il convoqua Mijlk et le chargea de faire la vérité sur les commanditaires de l'attentat. Qui avait actionné le Turc Ali Agça ?

— Qui, en effet ? Rien n'a jamais été dit officiellement de la part du Vatican.

— La réponse est claire. Celui qui gouvernait déjà en sous-main l'URSS, Andropov, à l'époque patron du KGB, n'apprécia ni la lettre du pape à Brejnev ni la menace que le Saint-Père représentait pour la solidité du bloc soviétique. Il délocalisa, comme vous dites, l'attentat à des sous-traitants, les Bulgares, qui le sous-traitèrent eux-mêmes à un activiste de droite turc, instable et manipulable, Ali Agça.

» Mijlk disposait de contacts. Il commença son enquête à Paris où il rencontra des représentants de vos services secrets. Il se rendit aussi en Turquie d'où était originaire Ali Agça. Il franchit plusieurs fois ce qui s'appelait encore le Rideau de Fer. Il se forgea une opinion malgré un contre-feu élaboré par le bloc soviétique qui tenta d'accréditer une autre version de l'attentat. Celle-ci, à laquelle Mijlk ne crut jamais, tentait de faire croire qu'il avait été commandité par la mafia italienne et la loge P2 pour punir le Vatican d'avoir laissé tomber ses banquiers lors des faillites crapuleuses auxquelles je faisais allusion tout à l'heure. Le tout, selon cette thèse, aurait été organisé en collaboration avec la CIA.

— Dieu, ou plutôt le Diable, aurait du mal à y retrouver ses petits, commentai-je.

— La haute politique, disiez-vous tout à l'heure, me répondit-il. Plutôt basse, non ? Bref, Mijlk fit son rapport au pape, en ma présence. C'était un soir de décembre vers 20 heures. Nous étions dans le bureau privé. Le Saint-Père était encore affaibli, malgré sa convalescence prolongée à Castel Gandolfo[1]. Il se contenta de demander :

— Alors ?

— Andropov. De manière détournée, répondit Mijlk.

— C'est-à-dire ? demanda le pape.

Mijlk reprit :

— Brejnev était incapable de prendre une telle décision. Andropov l'imposa au Politburo qui la fit endosser par Brejnev. La mission fut confiée aux services secrets de l'Armée Rouge, le GRU, ce qui permettait à Andropov de se protéger en cas d'échec puisqu'il est, lui, le patron du KGB, la police politique. Le GRU actionna les Bulgares pour la réalisation pratique. Ceux-ci eurent recours à leur mafia en lien avec la mafia turque qui dénicha Ali Agça dans un groupuscule nationaliste.

En même temps, le GRU fit intervenir les Allemands de l'Est pour mener une opération de camouflage et tenter de faire croire à la thèse d'une sombre manœuvre orchestrée par la loge P2 et la CIA.

Le pape interrogea une dernière fois :

— Quel degré de certitude ?

Mijlk répondit sans hésiter :

— Quasi certain.

Ce fut tout. Le pape nous ordonna le silence, nous nous tûmes durant de nombreuses années. Nous quittâmes le bureau, Mijlk et moi. Dziwisz[2] entra à ce moment-là.

— Quand le pape rencontre son assassin, en prison, il sait à quoi s'en tenir ?

— Bien sûr ! C'est en 1983 que le Saint-Père rend visite à Agça en prison. Nous savions depuis la fin 1981 d'où était venue la tentative d'assassinat.

---

1. Résidence d'été des papes, à quelques kilomètres de Rome.

2. Secrétaire particulier de Jean Paul II pendant tout son pontificat et pendant qu'il était archevêque de Cracovie. Une des premières décisions de Benoît XVI a été de faire de Stanislas Dziwisz le nouvel archevêque de cette ville de Pologne. Il fut créé cardinal en mars 2006.

» Cette visite du Saint-Père à son assassin dans sa prison romaine a beaucoup frappé les esprits. On a dit qu'Agça s'était confessé au pape et lui avait révélé à ce moment-là l'identité des commanditaires de l'attentat, ce qui est parfaitement ridicule. D'abord parce que le Saint-Père savait très bien à quoi s'en tenir. Ensuite, parce qu'Ali Agça ne le savait pas vraiment lui-même. Ce pauvre homme est un mythomane total qui n'aura cessé de lancer de prétendues nouvelles révélations pendant les vingt ans passés dans les prisons italiennes.

— Pourquoi le Vatican n'a-t-il jamais voulu accuser publiquement l'URSS de l'époque, ou au moins l'un de ses dirigeants, Andropov en l'occurrence ?

— Deux raisons à notre silence. La première, d'ordre diplomatique : il était inconcevable de porter officiellement une accusation aussi grave à l'encontre d'un pays, encore moins une grande puissance dont les moyens de nuire étaient si élevés. Le Saint-Père pensait d'abord à son pays : il ne voulait pas que la Pologne subisse les représailles d'une mise en cause directe de l'URSS. Dans les sphères internationales, les gouvernants préfèrent que leurs interlocuteurs sachent qu'ils sont au courant plutôt que d'étaler les secrets sur la place publique.

— Vous voulez dire que vous estimiez n'avoir rien à gagner en jetant l'opprobre sur un pays et ses gouvernants.

— Il nous suffisait d'indiquer discrètement mais clairement à Brejnev et à Andropov que nous connaissions la vérité, que nous renoncions à la rendre publique, tout en la gardant en réserve au cas où...

— Au cas où quoi, Éminence ?

— Au cas où l'URSS ferait peser une menace trop grande sur la Pologne. Nous avons averti l'Union soviétique par des voies détournées que nous n'hésiterions pas à révéler au monde sa responsabilité dans l'attentat contre le pape si elle s'engageait dans des actions militaires contre la Pologne. Cet avertissement a constitué une dissuasion efficace qui a contribué, je ne dis pas qui a suffi, mais qui a contribué à ce que le Politburo ne prenne pas la décision d'envahir la patrie du Saint-Père.

— Vous évoquiez une seconde raison au silence du Vatican, l'invitai-je à poursuivre.

— Jean Paul II développa une explication très personnelle à propos de cet attentat. Son mysticisme naturel, et sans doute, il faut le dire, le choc physique et psychologique qui frappe toute personne victime d'un attentat, le poussèrent à affirmer que le bras qui l'avait atteint n'était que l'instrument d'une intention de nature très différente.

— Nous l'avons déjà dit : un extrémiste de droite turc actionné par un gouvernement communiste.

— Non, non, pas le montage tortueux de l'attentat lui-même. Il savait, je vous l'ai dit, que la décision de l'attentat avait été prise par Andropov et que celui-ci avait été exécuté par Ali Agça. C'était acquis, indubitable. Non, le pape pensait à une autre dimension. Il en vint à croire que c'étaient les forces du mal à l'œuvre dans le monde qui avaient inspiré Andropov, et la Vierge de Fatima [1] qui l'avait protégé.

» Vous vous souvenez peut-être que le Saint-Père déclara très vite après l'attentat, Dziwisz l'a rapporté : « Une main a tiré, une autre main a fait dévier la balle. » Et vous savez peut-être aussi que ce 13 mai, jour de l'attentat place Saint-Pierre, était le jour anniversaire de la première apparition de Fatima.

— Que pensez-vous, vous-même, de ce recours au diable et à la Vierge pour expliquer un événement excep-

---

1. Trois enfants avaient déclaré avoir vu la Vierge en apparition à Fatima au Portugal en 1917. Celle-ci leur aurait confié trois « secrets », dont le dernier, révélé en 2005, faisait allusion aux persécutions des catholiques au XXe siècle et au meurtre d'un « homme en blanc ».

tionnel quand les conditions politiques de l'époque suffisent ?

— Je pense que Satan, le démon, le diable, quels que soient le nom et l'apparence que vous lui donnez, est à l'œuvre dans le monde. Je pense que Dieu est aussi à l'œuvre dans ce même monde. Je ne suis pas choqué par cette explication en tant que telle : il est vrai que Jean Paul II a échappé de très près à la mort.

» En revanche, j'ai souvent observé que les hommes et les femmes parvenus aux plus hautes responsabilités changent immanquablement leur regard sur eux-mêmes. Ils croient qu'ils sont, plus que tout autre être humain, dans la main des dieux, de Dieu en l'occurrence pour notre pape. Ils estiment que leur destin exceptionnel ne peut s'expliquer par la conjonction de causes strictement humaines. Ils cherchent en permanence à assurer, à fortifier, à exprimer ce lien particulier qui, pour les croyants, les rattache à un plan divin élaboré spécialement à leur propos, ou, pour les non-croyants, aux forces mystérieuses à l'œuvre dans l'univers. Ils sont des élus. Ils échappent aux contingences du hasard du monde qui frappe l'homme commun.

— Je vous sens dubitatif, Éminence.

— Pas dubitatif sur le lien entre Dieu et les hommes, davantage sur l'idée que ce lien serait réservé à l'élite d'entre eux, à ceux qui, en effet, connaissent un destin exceptionnel. Je crois que tous les fils et toutes les filles de Dieu, à travers le temps et l'espace, sont égaux devant son regard. Je ne crois pas que Dieu se dirait, si vous me permettez la familiarité de mon expression, se dirait : « Celui-là est important, il faut que Je le protège plus que les autres. »

» Et je crois de plus que tout homme ou toute femme qui dispose d'un grand pouvoir est vulnérable à la tentation de se croire à part, y compris dans sa relation à Dieu. Il me semble que peu échappent à cette tentation. Il m'a semblé que le Jean Paul II le Grand n'en a pas été indemne.

» Restons-en là avec cette vision mystique de notre pape précédent. Cette affaire dramatique possède quelques côtés anecdotiques rafraîchissants. Agça avait appris la raison avancée par le pape pour expliquer l'échec de l'assassinat. Il voulut savoir qui était cette Vierge de Fatima qui avait empêché que sa tentative réussisse. Ali Agça, musulman, n'avait jamais entendu parler de Fatima, et crut au début que cette Vierge de Fatima était une femme qui avait soigné le pape juste après l'attentat.

— La Vierge en infirmière portugaise ? C'est vrai que cela ne manque pas de piquant, l'interrompis-je.

— Le pauvre homme écrivit plusieurs fois au pape et aussi au cardinal Ratzinger pour en savoir plus sur cette femme responsable de son échec. Il adressa également une lettre ouverte au journal italien *La Repubblica* en 2005, au moment de la mort de Sœur Lucie, la dernière des enfants de Fatima à avoir assisté aux apparitions de la Vierge et qui mourut à près de quatre-vingt-huit ans. En fait, Agça était un pauvre homme égaré dans un jeu trop compliqué pour lui.

» Je fus chargé par le pape d'indiquer au gouvernement italien qu'il envisageait favorablement une grâce à l'égard du Turc. Celle-ci survint au tournant du siècle. Cela n'arrangea pas trop les affaires d'Agça car, expulsé d'Italie vers son pays d'origine, il fut incarcéré dans une prison turque pour une autre affaire d'assassinat.

» Comme j'avais été mêlé au dossier, je suivis le destin de ce pauvre homme qui tenta à plusieurs reprises de raviver son heure de gloire. Tout récemment encore, il invita Dan Brown à venir le visiter en prison en claironnant qu'il voulait écrire ses mémoires – voyez, ce mal ne touche pas que les cardinaux à la retraite ! – et qu'il voulait les rédiger avec l'aide de Brown qui y trouverait la suite naturelle de son *Da Vinci Code*.

— Quelle leçon tirez-vous de cette affaire que vous avez connue de près et qui, quand on y songe, est proprement incroyable ? Un romancier se serait permis une telle intrigue qu'il aurait été catalogué comme un joyeux plaisantin, un Dan Brown à la puissance dix, puisque vous évoquez celui-ci.

— Vous avez raison. Cette affaire, absolument dramatique, possède des aspects de roman de gare. Je pense d'ailleurs qu'elle va rapidement tomber dans l'oubli, dès lors que les protagonistes auront disparu. Et pourtant ! Le chef de la police secrète de la deuxième puissance militaire mondiale qui croit retarder l'effondrement de son empire en faisant assassiner le chef de la première puissance spirituelle mondiale, ce n'est pas si courant !

» Derrière cette affaire dramatique en effet, et surréaliste en même temps, se cache une réalité que je ne cesse de méditer. Notre Église, depuis des siècles et aujourd'hui encore, est une actrice de l'Histoire où elle occupe un des tout premiers rôles. Elle n'est pas seulement une institution qui organise un culte et fédère des croyants. Elle possède une composante politique forte au nom même des croyances religieuses qu'elle véhicule.

» Dans cette affaire, Jean Paul II s'est clairement placé en acteur de l'Histoire, s'opposant de toutes ses forces à la politique d'un pays qui apparaissait encore comme une des deux premières puissances mondiales. Cet exemple est particulièrement frappant par ses conséquences : l'effondrement du Mur, l'attentat, Gorbatchev... Plus tard, la réunification de l'Allemagne, l'élargissement de l'Europe...

La veille, le lundi, L'Eau Vive
Les doutes d'un cardinal

Nous nous étions rencontrés la veille pour la première fois. Je connaissais bien entendu son nom, je savais qu'il avait pris sa retraite, mais je n'en savais pas plus à son propos.

Il m'avait donné rendez-vous dans ce restaurant unique qu'est L'Eau Vive, derrière le Panthéon, à Rome. Je n'avais pas été étonné de son choix. Pendant des années, en dehors du Vatican lui-même, ce restaurant avait été l'endroit au monde où la densité de dignitaires ecclésiastiques au mètre carré était la plus forte. Ils aimaient s'y retrouver pour échanger les dernières nouvelles, commenter quelques rumeurs, parfois aussi pour y préparer des décisions d'importance. Ils y venaient vêtus simplement, ayant abandonné la soutane aux parements violets ou rouges de rigueur dans les bureaux du Vatican ou devant les caméras de télévision. Leurs croix pectorales d'évêque se glissaient discrètement dans une poche intérieure de veste.

Certains, peu nombreux à vrai dire, venaient en civil, prenant pour cette courte occasion un peu de distance à l'égard de leur fonction. Seul, l'anneau épiscopal à leur main droite renseignait sur leur statut. Ils se saluaient discrètement d'une table à l'autre, d'un coup d'œil le plus souvent, parfois d'un petit signe. Bien peu se déplaçaient pour serrer la main d'un convive à l'autre bout de la salle, respectant l'intimité relative que chacun était venu chercher ici.

La période faste de L'Eau Vive appartenait cependant au passé. Le lieu était devenu trop connu pour que les membres de la Curie y viennent encore volontiers. Ils ne s'y trouvaient plus à l'aise entre eux maintenant que de simples touristes s'y pressaient.

L'établissement est situé dans une vieille maison du centre historique de Rome, pas loin de l'église Saint-Louis-des-Français, entre le Panthéon et la Piazza Navona. Créé et tenu par une congrégation religieuse féminine, le restaurant offrait à sa belle époque une cuisine qui bénéficiait de la réputation enviable d'être française. Je constatai avec regret qu'elle avait perdu sa saveur sans que les additions, en revanche, aient été revues à la baisse. Les plats de notre repas avaient été d'une triste banalité en comparaison de ce qui était servi ici dix ans auparavant.

À l'époque, la salle bruissait de mille chuchotements et de discrets éclats de rire, tandis que des plats recherchés étaient servis aux tables. Aucun convive de ces années-là n'aurait imaginé se trouver dans une maison religieuse s'il n'en avait été averti. Ce qu'on y servait était assurément éloigné de ce qu'il est convenu d'appeler la cuisine de bonnes sœurs.

En revanche, le soir de notre première rencontre avec mon cardinal, je m'étais retrouvé avec une triste aile de poulet rôti, servie sous une sauce épaisse et figée, accompagnée de pommes de terre sautées un peu molles. Mon convive n'avait pas paru se préoccuper de la pauvreté de la cuisine. Il avait picoré dans son assiette sans prêter la moindre attention à son contenu.

Le restaurant occupe deux niveaux. Au rez-de-chaussée, l'espace, petit, est lambrissé de lattes de bois vernies. On pourrait se croire dans une taverne bavaroise ou un chalet alpin. Les religieuses y installent les séminaristes bruyants ou quelques groupes de pèlerins célébrant ici la fin de leur voyage. À l'étage, le décor change du tout au tout. On pénètre dans une salle qui en commande une autre. La hauteur de plafond est impressionnante, les murs sont chargés de moulures, et les plafonds sont peints de fresques où des angelots joufflus à la chair exagérément rose se contorsionnent dans des décors champêtres. Dans ces deux larges pièces sont attablés les convives plus sérieux. Un évêque africain y conviera des visiteurs de son pays natal. Un monsignore de la curie y sera invité par un journaliste désireux de décrypter une nomination récente et surprenante dans une section de la secrétairerie d'État[1].

Le service est assuré par des religieuses habillées en civil, appartenant à plusieurs nationalités. Certaines d'entre elles sont jeunes et poursuivent des études dans les différentes universités catholiques de Rome. Africaines, Asiatiques, Européennes, elles prennent votre commande et vous apportent les plats avec gentillesse et attention. À 22 heures, elles interrompent le service, le silence se fait, difficilement du côté des tables des nouveaux venus qui ignorent les habitudes de la maison. Les religieuses-serveuses distribuent de petits cartons, allument des bougies, et entonnent quelques cantiques. C'est le moment de la prière du soir, seul signe visible de l'appartenance religieuse de ce restaurant romain pas comme les autres.

— J'aime toujours cet endroit, même si j'y viens moins souvent que par le passé, me dit mon convive après la fin de la prière, une fois les bougies éteintes et les cartons de chants ramassés. Il est étrange et en même temps évocateur de ce que nous sommes. Les esprits cha-

---

1. La secrétairerie d'État est l'équivalent des bureaux d'un Premier ministre dans un pays. Le secrétaire d'État coordonne l'activité des différents secteurs de la curie au Vatican.

grins pourraient trouver anormal que des femmes consacrées à Dieu se dédient à la cuisine et au service dans un restaurant essentiellement fréquenté par des dignitaires masculins de l'Église.

— C'est ce que je me disais justement, Éminence. N'auraient-elles pas mieux à faire auprès des nécessiteux, dans une paroisse, dans un hôpital ?

— Peut-être. Les sœurs ici sont pour la plupart en formation universitaire avant de partir dans différents pays pour y remplir leur apostolat. Ces formations à Rome coûtent cher, très cher. Il leur faut des moyens importants pour les financer. D'où l'idée de ce restaurant : il leur procure des revenus appréciables.

— Est-il vrai que s'échangeaient ici des secrets d'Église importants, que s'y nouaient des alliances surprenantes ? Un certain nombre de romans écrits dans les années 70 faisaient de L'Eau Vive un lieu mythique de conciliabules, de formation d'alliances imprévisibles, voire de conspirations. Souvenez-vous : les scandales financiers sous Paul VI, les tractations après la mort subite de Jean Paul Ier.

— C'est justement cet aspect qui constitue le deuxième paradoxe de L'Eau Vive. Beaucoup de mes confrères y venaient pour discuter librement, tranquillement et plutôt confidentiellement. Et en même temps, leur désir de discrétion était ambigu car, pour qui sait les reconnaître, essentiellement leurs collègues de la curie et les quelques journalistes qui font bien leur travail, le fait d'être vu en compagnie d'un tel ou d'un tel constituait déjà une information en soi.

» Je me rappelle un soir, en 1996, où je dînais ici avec un confrère. Je vous raconterai sans doute un autre jour le sujet de nos discussions. À une table assez éloignée de la nôtre dînaient trois sous-secrétaires de trois dicastères [1] différents. Vous savez sûrement que chez

---

1. Nom générique pour désigner un « ministère » de la curie, l'administration

nous, ce sont les secrétaires et les sous-secrétaires qui font le travail. Nous autres, préfets ou présidents, nous orientons, animons, entretenons les relations avec les autres cardinaux et évêques appartenant aux congrégations dont nous avons la responsabilité.

— Et de quoi parlaient ces trois *monsignori* ?

— Je n'entendais pas leur conversation. Il y avait Carlo Solina du conseil pour l'interprétation des textes législatifs, votre compatriote Pierre Morel du conseil pour la famille et Rodrigo Andrade de la santé. Bien que mes activités fussent éloignées de ces domaines, il me parut évident que ces trois-là se sondaient pour voir si leurs patrons respectifs allaient trouver un accord sur un document que tout le monde attendait mais qui ne parvenait pas à être publié, faute de consensus. Étant un peu au courant des grands sujets en discussion à ce moment-là, je n'eus pas grand mal à en conclure que le lobby qui cherchait depuis des années à faire assouplir les règles interdisant la contraception n'avait pas perdu tout espoir de parvenir à ses fins et accentuait ses pressions.

» Venait d'être publié un livre interview de Ratzinger [1] dans lequel mon confrère laissait entendre que l'Église ne pouvait guère considérer comme un péché le recours à la contraception par des couples ayant déjà plusieurs enfants. Mon convive et moi, sans rien nous dire, en tirâmes la conclusion que le débat était relancé.

— Pardonnez-moi, vous vous trompiez apparemment : rien de neuf n'en est sorti…

— Apparemment, c'est vrai. Mais, êtes-vous sûr cependant que, derrière ce qui apparaît aux yeux du

centrale de l'Église catholique au Vatican. Ces dicastères peuvent être des « congrégations » ou des « conseils ». Une congrégation est dirigée par un Préfet, un conseil par un Président.

1. Allusion au livre écrit en collaboration avec le journaliste allemand Peter Seewald et traduit en français sous le titre *Le Sel de la Terre*, aux éditions Flammarion/Cerf. À cette époque, 1996, le cardinal Josef Ratzinger était préfet de la Congrégation pour la Doctrine de la Foi.

public, ne se cachent pas des événements, des réflexions, des remises en cause ? Qui peut jurer que rien ne se prépare ? Vous savez que nous n'aimons pas rendre publics nos travaux tant qu'ils n'ont pas abouti et n'ont pas reçu l'aval des organes concernés. Qui serait prêt à jurer que Ratzinger, devenu Benoît XVI, ne va pas donner à son opinion de l'époque la force d'une décision papale. Croyez-moi, il se pourrait que ce que ni Paul VI ni Jean Paul II n'ont fait soit réalisé par notre pape actuel.

— Vous voulez dire que ce nouveau pape réputé intransigeant pourrait changer la règle concernant la contraception...

— Sûrement pas un virage à cent quatre-vingts degrés, mais une ouverture vers les couples mariés ayant déjà des enfants, oui, j'en suis sûr.

— Il en aura fallu du temps, Éminence, pour que la hiérarchie de l'Église se rende compte combien sa position était incomprise par la majorité des catholiques pratiquants. Bon nombre des fidèles ont refusé de suivre leur Église dans cette interdiction sans nuance.

— Il en aura fallu du temps, comme vous dites. Nous sommes, au sein de l'Église, dans un temps très long. Il nous faut cinq ans, dix ans, parfois vingt, même si c'est plus exceptionnel, entre le moment où nous soulevons un sujet et celui où le fruit de nos réflexions et les décisions qui en découlent sont communiqués officiellement.

— Pendant que vous prenez votre temps pour vous mettre d'accord, pas mal de gens se trouvent confrontés à des situations douloureuses, pris entre les nécessités de la vie et une volonté de fidélité à l'enseignement de leur Église.

— C'est vrai, notre lenteur irrite. Elle constitue assurément aujourd'hui l'un de nos problèmes principaux alors que jadis elle était un atout déterminant. Dans les siècles passés, nous représentions la stabilité, le point d'ancrage qui ne bougeait pas et offrait au croyant les certitudes dont il avait besoin. Aujourd'hui, nous donnons l'impression d'être à la traîne d'un monde qui va très vite, qui nous a dépassés en profitant de notre lenteur, qui nous rejette puisque nous semblons ne pas pouvoir courir au même rythme. Je suis conscient que nous ne constituons plus ce point d'ancrage : il nous faudrait nous rapprocher du monde. Beaucoup d'entre nous craignent que, ce faisant, nous nous épuisions à vouloir le suivre.

— Bouger est toujours un risque, si vous me permettez, Éminence, mais ne pas bouger en est souvent un plus grand.

— Je sais aujourd'hui que vous avez raison, mais il m'a fallu du temps pour m'en rendre compte. Pendant assez longtemps, j'ai été de ces responsables de l'Église qui ne comprennent pas ce monde pressé. Avec eux, j'avais peur de nous engager dans une fuite en avant pour rester à sa hauteur, et de finir par perdre notre raison d'être, notre fidélité, notre foi peut-être.

— Vous avez changé d'avis ?

— J'ai changé d'avis. Sur ce point et sur pas mal d'autres. Peut-être un peu tard, à vrai dire. D'où mon désir de rattraper le temps perdu. D'où mon invitation ce soir. D'où aussi cette question que je vous pose maintenant : accepteriez-vous de m'aider à rédiger mes mémoires ?

— Vos mémoires ? lui demandai-je. Vous voulez écrire vos mémoires avec ma collaboration ?

— Oui, me répondit-il. C'est assez normal à mon âge, ne trouvez-vous pas ? Vous êtes encore trop jeune pour penser à rédiger les vôtres. Moi, j'ai peur d'être bientôt trop âgé pour avoir le temps de rédiger les miens. Je me sens vieillir plus vite depuis quelques mois, et je veux absolument me mettre au travail sans plus tarder. Je crains toutefois de ne pas être capable de mener la tâche seul. Je n'ai jamais été très doué devant une feuille de papier. J'ai besoin d'aide, j'ai pensé à vous.

L'idée de servir de porte-plume à quelqu'un, fût-il un cardinal de la Sainte Église catholique apostolique et romaine, ne m'était jamais venue à l'esprit. Et si, contournant mes défenses naturelles, elle s'était intro- duite subrepticement en moi, je l'aurais rejetée avec détermination autant d'instinct que par raison. À mes yeux, un livre d'entretiens est toujours un livre médiocre, et je préférais consacrer mon temps et mon énergie à mes propres livres. J'étais écrivain, pas journaliste, cette caté- gorie de personnes qui vivent dans l'immédiateté, qui courent aux trousses du monde et n'en saisissent que l'écume, et pour lesquels le plus grand bonheur est de décrocher une interview en forme de scoop.

— Je ne me vois guère dans le rôle d'écrivain public, Éminence. Je ne serais pas assez neutre. Les posi- tions que je défends dans mes livres risquent d'interférer avec ce que vous voulez dire vous-même. Vous auriez plus de chances de réussir un bon livre avec un journa- liste de métier. Je suis sûr que beaucoup seraient inté- ressés et même flattés par ce projet de mémoires, dis-je avec tout le tact nécessaire.

— J'ai lu vos livres avec beaucoup d'attention. Je connais vos positions. Elles ne me font pas peur, même si certaines me semblent relever d'une vue un peu idéa- liste, un peu naïve, négligeant les incontournables lour- deurs des organisations humaines. Peut-être ai-je eu tort d'employer le mot mémoires, qui possède en français, je crois, une signification particulière. Des souvenirs bout à bout, une certaine complaisance de l'auteur à l'égard de son action passée, la tentation de régler quelques comptes, n'est-ce pas ? Non, j'ai l'idée d'autre chose.

Mon cardinal se tut un moment. Hésitait-il à me confier son idée ? Avait-il du mal à la formuler ? Nous parlions en français, langue qu'il aimait visiblement mais qui lui demandait un certain effort. Il reprit :

— Non, pas des mémoires, ni des souvenirs, même si les souvenirs sont parfois utiles. Plutôt l'envie de mettre au jour la vérité de ce qui s'est passé, de dresser une sorte d'état des lieux. Faire le point avec quelqu'un.

— Faire le point sur quoi, Éminence ? l'interrogeai-je. Sur votre action, sur l'état de l'Église ?

— Vous savez : quand on exerce des responsabilités et que l'on est un peu en vue, le temps passe vite, très vite. Même si un homme d'Église prend le temps de la prière, même s'il est fidèle à des moments de retraite, il emporte avec lui dans ces moments de silence le bruit de ses tâches et le poids de ses hésitations. Sa foi ne le met pas à l'abri des interrogations et il se meut nécessairement dans l'incertitude. Il n'éprouve que très rarement la sensation reposante d'être à coup sûr dans le vrai.

— Vous avez des doutes sur votre action passée, Éminence ? lui demandai-je stupidement.

Il me répondit avec plus d'intelligence :

— Oui, j'ai des doutes. Vous n'en avez jamais, vous ?

— Pardon. Ma question était inutile. Oubliez-la, s'il vous plaît.

— Pas de problème, comme disent les jeunes de chez vous, me répondit-il, manifestant sa familiarité avec notre pays. Voyez-vous : je n'exerce plus aujourd'hui de responsabilités. Je n'ai plus quand je suis ici d'autres décisions à prendre que celles de savoir quel livre je vais acheter le lendemain à cette petite librairie derrière la Piazza Navona. N'ayant plus de décisions à prendre, j'ai le temps de jeter un regard sur mon action passée, sur mon attitude, mes attitudes à vrai dire. Sur les attitudes de l'Église des années passées aussi. Et je m'interroge : avons-nous fait ce qu'il fallait ? Et, j'ai des doutes, j'ai des doutes...

Mon cardinal, celui qui allait devenir « mon » cardinal au fur et à mesure de nos entretiens, se tut un instant. Je décidai de ne pas le relancer. J'avais l'intuition qu'il me fallait être aussi discret que possible. Il savait ce qu'il voulait dire. Je n'avais qu'à lui en donner les occasions.

— Vous me permettrez cette réflexion d'un vieux prêtre habitué jadis au confessionnal. Je ne crois pas que l'on puisse faire facilement la vérité, seul. Chacun a besoin d'un interlocuteur, bienveillant sans doute, capable aussi de porter la contradiction. Pourriez-vous jouer ce rôle ? proposa-t-il.

— Je pourrais peut-être, Éminence, mais je ne suis pas sûr d'être la personne la plus indiquée, lui répliquai-je.

— Vous savez, continua-t-il sans se soucier de répondre à mon objection, je vous l'ai dit, j'écris vraiment très mal. L'idée de me trouver devant une page blanche m'a toujours mis mal à l'aise. Je préfère dicter et corriger ensuite. Je travaillais ainsi alors que les textes que j'avais à écrire ne dépassaient pas la longueur d'un sermon. Alors, vous imaginez un livre, deux cents, trois cents pages !

Mon cardinal avait su adroitement piquer ma curiosité en me parlant de ses doutes. Les hauts dignitaires de l'Église offrent toujours un visage lisse, indemne de toute incertitude à tel point que parler avec eux devient embarrassant. J'avais écrit un jour un article à ce propos, qui m'avait valu quelques remarques vexées. En m'appuyant sur le *dubito ergo sum* de Descartes, j'invitai ces excellences et ces éminences à comprendre que ne pas douter et offrir l'impression de la plus grande certitude les éloignait de leurs contemporains. Je doute donc je suis, disait le philosophe que je paraphrasais en affirmant : « Vous semblez ne pas douter, donc vous ne pouvez pas être. »

J'avais reçu un mois auparavant, par l'intermédiaire de mon éditeur, un petit mot manuscrit sur un carton à l'en-tête d'un dicastère du Vatican (l'en-tête était barré d'un trait de stylo), dans un assez bon français. Il disait simplement : « Monsieur, j'ai lu en français et dans des traductions certains de vos livres. Je les ai appréciés.

Auriez-vous l'occasion de me rencontrer lors d'un de vos voyages à Rome ? Voici mon numéro de téléphone là-bas. À bientôt, j'espère. Bien cordialement. »

Recevoir une lettre d'une éminence, sans être un événement fréquent, avait cessé de m'émouvoir. Ce genre de courrier relève de la politesse formelle. Le service de presse de l'éditeur adresse un exemplaire de votre dernier livre revêtu de votre dédicace à un certain nombre de personnes dont il veut attirer l'attention bienveillante. Le destinataire vous accuse réception soit directement, soit par un collaborateur, ce qui est toujours le cas quand votre livre parvient jusqu'au pape. La missive formule quelques compliments qui n'engagent pas trop, souhaite au livre de « rejoindre un vaste public », remercie l'auteur pour « son engagement au service de l'Église », et finit par une formule du genre « bien à vous, dans le Christ », quand ce n'est pas l'expression latine consacrée « *In Christo* ».

Le mot de mon cardinal ne portait pas la mention « *In Christo* » qui, je ne sais pourquoi, m'exaspérait. Il demandait à me rencontrer, ce qui donnait à l'appréciation sobre de mes livres un certain caractère de sincérité. Car, bien sûr, tous ces mots de politesse que je recevais à la suite de la publication de mes livres débouchaient rarement sur une rencontre sans doute jugée compromettante.

Je m'étonnais un jour devant un évêque français de cette difficulté à pouvoir échanger des points de vue avec les responsables de l'Église. Il me fit cette réponse :

— Il y a plusieurs raisons à cela. La première est que nous avons été si souvent piégés dans le passé que nous sommes devenus prudents. Trop de contestataires, de journalistes ou d'écrivains en mal de notoriété se sont servis de simples conversations amicales, personnelles, impromptues, pour nous mettre en difficulté ou se faire de la publicité.

» La seconde est que nous sommes très liés par nos structures collectives. Nous avons du mal, hors les décisions quotidiennes à prendre dans nos diocèses, à exprimer un point de vue personnel, une conviction forte qui nous mettrait en porte à faux à l'égard de nos confrères.

Ce même évêque, connu pour échapper plus que la plupart de ses confrères à la langue de bois ecclésiastique, me fit un jour, parlant d'un de mes livres, un commentaire d'une précision délibérée tant il était ciselé dans sa forme.

— J'ai lu votre dernier livre, presque d'un seul coup. Il est bon, savez-vous, que certaines personnes dans l'Église soient en position de dire certaines choses.

Il me regarda un moment en silence, un très léger sourire aux lèvres.

À qui fréquente cet étrange milieu de la hiérarchie catholique, une déclaration de ce genre apparaît à la fois comme un agréable compliment et comme l'expression d'une faille dans le système de gouvernement de l'Église. Compliment : votre travail est utile, continuez... Faille : je suis d'accord avec beaucoup de ce que vous écrivez, mais, comme évêque, je ne peux pas me permettre de le dire, je n'ai pas la liberté que vous possédez. En d'autres termes, nous autres les responsables de l'Église, n'avons pas vraiment de liberté de parole. Nous nous interdisons ou l'on nous interdit de dire clairement ce que nous pensons sur certains sujets qui fâchent. Heureusement que d'autres, qui n'ont pas nos contraintes, peuvent aller au feu à notre place !

Cette ambiance et cette attitude donnaient trop d'arguments aux adversaires de l'Église qui la stigmatisaient pour ce qu'ils nommaient son hypocrisie.

— Voulez-vous un verre de grappa ? me demanda mon cardinal.

— Volontiers, répondis-je distraitement, alors que je ne bois ni alcool ni vin.

Nous restâmes silencieux un long moment, le temps

qu'une des sœurs africaines nous apporte un verre de ce marc de raisin. Je demandai à celle-ci :

— Vous êtes depuis longtemps à Rome ?

— Six mois maintenant, je suis arrivée en septembre dernier, me répondit-elle.

— Vous vous plaisez ici ?

— Oh oui ! Quand j'ai su que j'étais envoyée ici pour une licence de théologie, j'étais folle de joie. J'allais voir le pape, même malade. Je me disais : c'est à Rome qu'est le cœur de l'Église ! Dire que je vais y vivre trois années entières ! Et puis avec sa mort, la messe pour son enterrement, l'élection de notre nouveau pape, nous avons vécu des moments rares.

— Et le travail ici ?

— Drôle. Fatigant mais vraiment très amusant. Nous voyons beaucoup de gens, nous attrapons au vol certaines de leurs conversations. Le soir, à la fermeture, nous disons entre nous : tu sais, j'ai servi la table de monseigneur un tel, tiens, le cardinal un tel a encore commandé ses *spaghetti bolognese* préférés. C'est un peu comme si nous faisions partie de la famille. Excusez-moi, ajouta-t-elle soudain, on me demande à la table de Mgr Mijlk.

Et elle tourna le dos rapidement, faisant voler son boubou multicolore.

Ce fut à ce moment que la présence du prélat polonais fut signalée à mon hôte, ce qui lui donna l'occasion le lendemain d'évoquer devant moi les méandres de l'attentat contre le pape. Ce soir-là, mon cardinal, en se retournant à peine sur sa chaise tout en levant son verre dans ma direction, se contenta de me dire :

— Tiens, Mijlk est là. Je ne l'avais pas remarqué. C'est un homme étonnant. Vous connaissez son histoire, bien sûr ?

— Euh, non, je ne crois pas, lui répondis-je. Le devrais-je ?

— Sans doute pas en effet. Elle n'a guère de raisons

d'avoir été divulguée. Mijlk est un prêtre polonais. Une véritable légende dans le petit monde le plus discret du Vatican. Un proche, très proche du pape défunt. Ce prêtre déjà âgé à la deuxième table à votre droite, qui porte le col romain et parle avec ces trois jeunes prêtres. Mijlk aurait beaucoup à raconter s'il acceptait de le faire.

Ce fut ainsi que j'entendis pour la première fois parler de Mgr Mijlk. Mon cardinal ne m'en dit pas plus. Nous préférâmes discuter de son projet de livre. Mon interlocuteur sentait mes réticences, il semblait les comprendre. Il n'insista cependant nullement. Son attitude paisible et son désir de ne pas exercer de pression jouaient en sa faveur. Je lui proposai de faire un essai puis, au bout de deux ou trois entretiens, de décider si nous poursuivions.

Durant notre conversation la salle du restaurant s'était vidée. Mon cardinal s'en rendit compte, et dit :

— Il se fait tard, et je m'en voudrais de faire veiller les sœurs trop longtemps. Il est temps que nous partions.

Il fit signe à la sœur africaine, régla l'addition qu'elle lui présenta. Nous descendîmes l'escalier un peu raide, remerciâmes la supérieure de la communauté et sortîmes.

Nous nous saluâmes après avoir fixé un rendez-vous pour le lendemain. Il tourna vers la gauche pour rentrer à pied vers le Borgo Pio où il habitait, tandis que je prenais à droite pour revenir vers le Panthéon où était mon hôtel.

La nuit était belle. Il y avait encore beaucoup de passants dans les petites rues, les terrasses des cafés bruissaient de conversations. Bizarrement, je n'éprouvai pas d'excitation particulière. Ce n'est pourtant pas si fréquent qu'un cardinal accepte de livrer ses souvenirs. Quand certains d'entre eux l'envisagent, c'est la plupart du temps avec une extrême circonspection, sans s'autoriser la moindre révélation significative.

Je connaissais bon nombre de journalistes qui auraient fait des pieds et des mains pour être à ma place.

Je ne ressentais pourtant aucune fébrilité devant ce projet. Je n'eus aucun pressentiment. Je savais que ce livre pouvait avoir un certain succès, mais j'ignorais où il allait nous emporter, mon cardinal et moi.

Je m'endormis vite, fenêtre ouverte sur la Piazza della Rotonda, la masse sombre et triste du Panthéon invisible mais bien présente un peu en contrebas.

Mercredi, île de la Tibérine
La politique

— Je repensais à l'affaire de Solidarnosc hier soir, Éminence. À l'argent qui lui avait été transféré, aux interférences avec les banquiers escrocs qui gravitaient autour du Vatican, et à l'influence déterminante de l'action de Jean Paul II sur l'effondrement de l'empire soviétique. Et je me disais que, décidément, il n'y a pas de doute : l'Église fait de la haute politique, et parfois de la plus basse.

— Vous y revenez, donc cela vous gêne, me répondit-il. Eh bien, parlons-en encore un moment.

J'aimais l'endroit où nous nous trouvions en cette matinée romaine lumineuse. Nous avions pris place à l'Antico Caffe' dell'Isola situé auprès de l'hôpital Fatebenefratelli de l'île de la Tibérine. L'endroit a beau être bruyant, et pas très indiqué pour enregistrer un entretien, il reste pour moi un des lieux du centre de Rome les plus authentiques. Bien peu de touristes. Beaucoup de familles qui venaient se réconforter après une visite qu'on pouvait imaginer éprouvante auprès d'un proche hospitalisé. La vie normale, la vie tout court, éloignée des grandes manœuvres géopolitiques dont nous parlions, mon cardinal et moi, depuis la veille.

Il se trouve que je suis un assez bon connaisseur de l'histoire récente du Vatican. Je n'avais pas eu besoin de consulter ma documentation, d'ailleurs restée à Paris, pour me préparer à ce nouvel échange. Mon cardinal avait vu juste : j'avais toujours trouvé les positions politiques de l'Église catholique ambiguës. Sa prétention à exercer une influence de ce type me semblait soulever plus de difficultés qu'elle n'en résolvait. Pour une fois où je me trouvais en compagnie d'un des acteurs de cette politique, apparemment prêt à parler sans détour, je ne voulais pas rater l'occasion de me faire une idée plus complète de la façon dont les dirigeants catholiques vivaient ces ambiguïtés.

Mon cardinal commença ainsi sa deuxième leçon d'Histoire.

— Nous exerçons une influence politique. Partons des faits. Ils nous éclaireront mieux qu'une longue théorie. Considérez d'abord les Philippines : c'est l'Église catholique, menée par le cardinal Sin, qui en 1986 a jeté dehors le tyran Marcos et sa femme Imelda célèbre pour ses milliers de chaussures. Regardez les accords d'Helsinki dans les années 70 : c'est le cardinal Casaroli, dont nous avons déjà parlé, qui en fut l'un des artisans majeurs. Il contribua à imposer aux Soviétiques les principes de libre circulation en Europe, de liberté d'expression, de liberté religieuse. Sur ce socle de principes, les opposants soviétiques, comme Andreï Sakharov, ou les rédacteurs de la Charte 77, plate-forme de revendications en Tchécoslovaquie, bâtirent leurs actions qui ne furent pas sans influence sur l'émergence d'une alternative en Europe de l'Est. _demands_

— Je veux bien admettre la validité de ces exemples, tous les deux positifs. Il y en eut d'autres, plus douteux. Les relations de la hiérarchie espagnole avec Franco. Le manque de mise en cause de Pinochet au Chili par la nonciature de l'époque. Vous faites de la politique, pas toujours de la bonne, si vous me permettez cette franchise.

— Je vous la permets bien sûr même si je trouve qu'elle vient un peu tôt. Je voulais vous donner d'autres exemples avant que nous portions des jugements. Je n'écarte pas votre objection, je voudrais d'abord compléter le panorama de la question. Nous faisons de la politique, et en même temps nous nous en méfions comme de la peste au point d'interdire à notre clergé de s'y engager trop clairement.

— Vous pensez à la théologie de la libération ?

— Non, pas directement car, avec la théologie de la libération, nous nous trouvons encore dans le domaine religieux et non pas dans l'action politique pure. C'est l'action politique directe de nos prêtres que nous refusons alors que l'Église, comme institution, fait de la politique.

— En d'autres termes que je crois plus clairs, vous pourriez dire que dans l'Église la politique est réservée aux hauts responsables et interdite à la piétaille. *pedestrians*

— Piétaille ? Je ne crois pas connaître ce mot, me répondit-il.

— L'infanterie, les fantassins, par opposition aux généraux. La piétaille des prêtres à qui on demande de se taire pour laisser le champ libre à la haute politique élaborée dans les couloirs du Vatican et des nonciatures.

— D'accord pour la piétaille, me répondit-il sans se démonter. En fait, vous avez raison. Un des exemples que je voulais vous donner l'illustre parfaitement, poursuivit-il.

» J'ai été chargé il y a longtemps de réfléchir à ces problèmes avec une question concrète que nous posaient les évêques de certaines parties du monde : "Nos prêtres peuvent-ils briguer un mandat électoral ?" Un petit nombre soutenait que, dans certains lieux, les prêtres seraient seuls capables de résister à la corruption. D'autres se rangeaient derrière le droit canon qui stipule "qu'en aucun cas, les prêtres sont autorisés à assumer une charge dans les affaires publiques".

» Je me rappelle que, pour me faire une idée plus

concrète de la situation, j'avais tenu à recevoir les partisans des deux options. J'avais été très frappé par la réflexion d'un Indien, membre d'un conseil catholique d'une ville du Kerala. "Nous aimerions que des prêtres présentent leur candidature aux élections locales parce qu'ils aideraient la communauté à se développer", disait-il. L'Inde est un pays où les catholiques sont minoritaires et très souvent ostracisés, quand ils ne sont pas tout simplement persécutés. Il ajoutait : "Les prêtres, une fois élus, sauraient utiliser les fonds de développement à bon escient." Cette vision du prêtre, homme de confiance et d'intégrité, apte à assurer des missions d'intérêt public, était tout à l'honneur de l'Église, mais elle ne prévalut pas.

— Donc, le simple prêtre ne fait pas de politique, dis-je.

— Qu'appelez-vous simple prêtre ? me demandat-il avec un léger sourire. Y en aurait-il des simples et des compliqués ? Les évêques, les cardinaux seraient-ils de cette dernière catégorie ? Pardonnez-moi, je joue sur les mots. Prenez-le comme un hommage à votre belle langue qui en offre de si nombreuses occasions. Oui, nous demandons aux prêtres de ne pas avoir d'engagement politique. Nous sommes cependant une force politique.

— Un exemple encore ?

— Un parmi d'autres. J'accompagnais le Saint-Père lors de son voyage en Amérique centrale en 1983. Nous venions d'atterrir à Managua au Nicaragua. Le pays était sous la coupe d'un parti marxiste – les sandinistes – qui avait chassé un dictateur d'extrême droite nommé Somoza. Le pays était dirigé par Daniel Ortega. Quatre prêtres faisaient partie de son gouvernement dont un jésuite qui occupait le poste de ministre de la Culture et se nommait Ernesto Cardenal.

» Le Saint-Père descendit de l'avion et, selon son habitude, se baissa pour baiser le sol, puis fut salué par Ortega. Chacun prononça son discours, puis la suite se mit en route. Nous sentîmes à ce moment une gêne de la part du président nicaraguayen qui sembla vouloir passer sans s'arrêter devant son gouvernement en file à quelques mètres de là.

» Il dit au pape, celui-ci me le rapporta le soir même : "Nous ne sommes pas obligés de nous arrêter, nous pouvons passer directement." Le Saint-Père répondit qu'il souhaitait au contraire saluer chacun. Arrivé devant Ernesto Cardenal, le ministre jésuite, et comme celui-ci mettait un genou en terre en ôtant son béret pour baiser l'anneau papal, le Saint-Père le sermonna, agitant son index au-dessus de sa tête comme le ferait un instituteur avec un enfant récalcitrant. Il lui enjoignit de quitter le gouvernement, en lui disant qu'il devait se mettre en conformité avec les règles de l'Église. Si Cardenal ne répondit rien sur le moment, la suite montra qu'il ne se plia pas à l'injonction. Il fut réduit à l'état laïque et continua à faire partie du gouvernement jusqu'en 1988. Il démissionna quelques années plus tard du parti sandiniste, l'accusant de corruption.

» Le lendemain de notre arrivée à Managua fut sans doute un des jours les plus dramatiques de ma carrière. Le pape avait préparé un sermon musclé pour la messe à laquelle assistaient les dirigeants sandinistes. La sonorisation fonctionna parfaitement pendant la première partie de l'homélie tandis que le Saint-Père évoquait l'unité de l'Église. Elle se mit ensuite étrangement en panne au moment où le pape, qui avait préalablement envoyé le texte de son homélie aux autorités, déclara qu'une Église populaire séparée de l'Église officielle groupée autour des évêques était impossible.

» Seuls les plus proches de l'estrade entendirent les paroles du pape, tandis que les militants sandinistes couvraient sa voix par des cris. Le gouvernement craignait tellement la parole du pape qu'il décidait de la rendre inaudible, au risque de justifier les accusations de dicta-

target (handwritten)

ture portées contre lui et de se retrouver la cible des pays démocratiques.

» Durant cette messe restée célèbre dans la mémoire de ses participants, nous eûmes droit à une innovation liturgique qui ne manqua pas d'étonner le cérémoniaire de la maison pontificale, ce pauvre Piero Marini, tout nouveau à ce poste et pourtant ensuite réputé pour sa largesse de vue et son goût pour les rites propres aux cultures locales. Le chant de fin de messe fut remplacé de force par l'hymne sandiniste !

— Un peu comme si on chantait l'*Internationale* lors d'une célébration catholique en Chine ou au Vietnam, l'interrompis-je.

— Sauf que le pape ne s'est pas rendu en Chine ni au Vietnam, et que, s'il avait pu le faire, la courtoisie naturelle de ces pays les aurait préservés de telles manifestations.

» La tension était telle durant cette messe à Managua que nous étions nombreux à craindre des débordements de la part des fidèles. Ils étaient visiblement révoltés par l'attitude de leur gouvernement à l'égard du pape. Ils pouvaient basculer à tout moment dans la violence, saisissant l'occasion de régler leurs comptes avec un pouvoir qui ne cessait de se déconsidérer. Seul, l'étonnant charisme de l'homme public Jean Paul II maintint les foules dans un certain recueillement…

— Pas très recueilli, le recueillement, j'imagine, vu la situation, m'étonnai-je.

— Vous avez raison. L'atmosphère était électrique, parcourue de fureur et enveloppée du tintamarre due à la sonorisation sandiniste. Ce jour-là, nous ne sommes pas passés loin d'une émeute qui aurait opposé un peuple malheureux à un gouvernement dictatorial, avec le pape au milieu du champ d'affrontement.

— Cette messe constitue pour vous une illustration particulièrement forte du phénomène dont nous parlons :

l'Église comme actrice majeure de la politique ? lui demandai-je.

— J'ai été très impressionné par cet épisode que beaucoup ont oublié. J'ai rarement dans ma vie été exposé directement à de la vraie violence. Là-bas, elle m'atteignait et m'envahissait. Cela fait plus de vingt ans, j'en garde encore la sensation physique.

— Depuis toujours, l'Église influence l'Histoire. Vous me dites que Jean Paul II l'a fait de manière particulièrement visible et profonde, mais cela a existé depuis des siècles.

— Bien sûr, mais avec une différence fondamentale. Dans un monde occidental qui était totalement chrétien, où princes et évêques appartenaient aux mêmes familles, où la croyance collective était unanime, et où, enfin, la papauté disposait de vastes territoires, il était somme toute assez normal que l'Église soit un acteur déterminant de cette Histoire.

» Aujourd'hui, le monde ne se réduit pas à l'Occident, il est enfin devenu monde, si je puis dire. L'Église catholique ne rassemble que dix-sept pour cent des habitants de la planète. En Occident, elle perd décennie après décennie son influence morale et spirituelle. Et, bien entendu, elle a aujourd'hui abandonné toute revendica- *clair* tion territoriale significative. À cause de ces reculs et de ces faiblesses, il est assez étonnant que nous disposions encore d'une telle influence politique et que nous soyons toujours considérés comme des acteurs déterminants de l'Histoire.

— Vous voulez dire qu'il y a une sorte de décalage *différence* entre l'influence proprement religieuse de l'Église catholique, en diminution, et son influence politique, en hausse.

— Oui, cette influence sur l'Histoire constitue un atout formidable et en même temps une difficulté dont nous mesurons tous les jours le poids. L'atout, c'est évidemment de pouvoir tenter d'humaniser le monde, de nous opposer aux barbaries, de défendre la dignité de l'homme, quelle que soit sa religion, quel que soit son niveau social... La difficulté est que, pour mener ces actions qui influencent l'Histoire, nous fréquentons les puissants de la terre, nous acceptons de nous plier à certaines de leurs règles, nous renonçons à proclamer tout haut ce que nous jugeons être la vérité dans l'espoir que notre discrétion leur arrachera des concessions. Souvent, la cuiller que nous utilisons pour nourrir le diable est courte, trop courte, et nous finissons par nous compromettre.

— Pour souper avec le diable, Éminence, pas pour le nourrir...

— D'accord, pour souper avec le diable. Quand on fait de la politique on soupe obligatoirement avec le diable. Même si on ne le souhaite pas pour convive, il s'invite régulièrement à la table...

— Un peu comme Pie XII à l'égard du nazisme, remarquai-je.

— Décidément, cette affaire nous poursuit. Elle a été lancée après guerre avec la pièce autrichienne *Le Vicaire*, et a été relancée il y a quelques années. C'est une fadaise de prétendre que Pie XII, ce pape diplomate, était antisémite et indulgent à l'égard des nazis. Il était simplement diplomate, trop diplomate. Jamais il ne fut pasteur, comme l'est un aumônier de jeunes, un curé de paroisse ou un évêque de diocèse.

— Que voulez-vous dire ?

— Pie XII était un prototype. Le prototype du diplomate, formé à la diplomatie, ne fréquentant que des diplomates, pensant en diplomate. Il croyait que la diplomatie et l'action auprès des puissants sont à mener sans découragement et que toutes les possibilités doivent être explorées pour tenter de régler les problèmes. Il ne sut pas se montrer prophétique et condamner clairement et sans appel les crimes perpétrés par les nazis à l'égard des personnes handicapées, des juifs, des tsiganes, de peur des représailles à l'encontre des catholiques ou de persécutions renforcées à l'égard des populations en question.

— Vous dites, sans toutefois le formuler ainsi, que le pape a agi comme le chef d'une organisation internationale, tentant d'éviter le pire. Ce qui est assez différent, me semble-t-il, de ce qu'on peut attendre du successeur de Pierre, du représentant de Dieu sur la terre, comme on se plaît à le nommer.

— Ce que je dis est assez simple : nous sommes une puissance. Comme toutes les puissances, nous pesons le pour et le contre, nous ménageons nos interlocuteurs, nous acceptons les compromis, nous nous taisons, en attendant une meilleure occasion, en espérant qu'elle surviendra. Nous agissons comme une puissance, et en même temps nous sommes une Église fondée sur un Dieu né dans une grotte, crucifié à trente-trois ans, qu'on voulut faire roi et qui le refusa. Nous sommes une puissance et c'est la raison pour laquelle demeure si fort cet attrait étrange pour ce que nous sommes. Le pape, les cardinaux, le Vatican, tout cela. C'est étrange, vous ne trouvez pas ?

— Qu'est-ce qui est étrange, Éminence ?

— Vous avez en français un mot plus fort qu'attrait. Fascination, je crois. Il est plus adapté à ce que je ressens. J'ai beau savoir que notre Église traverse une crise profonde, qu'elle perd du terrain dans tous les pays où elle était forte et qu'elle en gagne très peu dans tous ceux où elle était faible. J'ai beau savoir que des pans entiers de ses convictions sont battus en brèche par ce que l'on appelle la pensée moderne, je suis toujours étonné de la fascination qu'exercent l'Église, Rome, la papauté sur l'imaginaire du monde.

» Je sais que Jean Paul II était spécialement doué pour entretenir cette fascination, je ne crois pas pour autant que celle-ci puisse être réduite à sa seule personne. Nous sommes intéressants, semble-t-il, en tant que tels. Pas toujours pour ce que nous professons, souvent pour nos faiblesses et nos fautes, fréquemment pour les intentions cachées, voire les scandales que l'on nous prête. À cause de ceci ou à cause de cela, nous ne cessons d'exercer une étrange fascination dont je ne saurais donner les vraies raisons. Prenez un sujet aussi peu intéressant que le mariage des prêtres...

— Comment cela, aussi peu intéressant ? l'interrompis-je.

Mercredi, île de la Tibérine
Des prêtres mariés

Pour le coup, je trouvai que mon interlocuteur y allait un peu fort. Prétendre que le mariage des prêtres n'intéresse personne ressortait de la provocation. Ce n'était pas le premier sujet qui lui donnait l'occasion de manifester son originalité. Je commençais à me dire que nos entretiens n'allaient pas manquer de piquant.

Mon cardinal me surprenait. Il ne cessait de me surprendre depuis notre première rencontre, deux jours auparavant. Ce cardinal n'était pas cardinal comme les autres. Il était beaucoup plus direct. Je me demandais comment il avait pu échapper à l'ambiance vaticane qui n'a jamais brillé par cette qualité. À force de me poser cette question, j'en étais venu à la déplacer. Je ne me demandais plus comment il y avait échappé mais quand il y avait échappé. Il me semblait en effet qu'un jour ou l'autre ce cardinal-là, mon cardinal, avait changé. À la suite de quel événement ? Pour quelle raison ? Je l'ignorais. J'imaginais que cette petite histoire-là méritait d'être connue, autant sans doute que les grandes histoires qu'il me racontait.

Il avait parfaitement perçu l'étonnement qu'avait fait naître sa remarque à l'emporte-pièce sur le mariage des prêtres. Il se reprit :

— Pardon, je vais un peu vite. Je voulais dire que le mariage des prêtres n'intéresse pas grand monde. La plupart des gens s'en moquent éperdument.

— Pourtant, on ne cesse d'en parler...

— Non, on ne cesse pas d'en parler, car ce « on » que vous employez ne désigne qu'un tout petit nombre de gens. Les protestants et les orthodoxes ont réglé le problème depuis longtemps, leurs pasteurs et leurs popes peuvent se marier. Pareil pour les anglicans qui ont même des femmes prêtres. Les musulmans, pour leur part, n'ont pas de prêtres. Les juifs ont des rabbins mariés. Les bouddhistes ont des moines qui n'envisagent surtout pas de convoler en justes noces. Votre « on » exclut déjà toutes ces confessions et toutes ces religions, plus les agnostiques, les athées, et autres catégories qui s'y rattachent. Restent les catholiques.

— Soit, vous le disiez, environ 17% de la population mondiale.

— Pas plus, en effet. Les catholiques de rite oriental [1] ont des prêtres mariés. Ceux d'Amérique latine ont tous les prêtres qu'il leur faut et la majorité d'entre eux seraient choqués sans doute du mariage des prêtres. Seuls les catholiques africains vivent douloureusement ce célibat du fait de leur culture qui veut que le statut de mari et de père donne une autorité reconnue. Restent les catholiques européens et nord-américains qui, en effet, en parlent sans cesse alors que toutes nos enquêtes démontrent qu'il n'y aurait pas plus de candidats au sacerdoce si on autorisait les prêtres à se marier...

— Comment cela ?

— Oui, il n'y aurait pas foule de candidats mariés pour devenir prêtres s'ils devaient être prêtres comme le sont les prêtres célibataires d'aujourd'hui.

---

1. Ce sont des catholiques qui reconnaissent l'autorité de Rome mais se distinguent par une liturgie d'inspiration byzantine, et, notamment, par un clergé qui peut être marié.

— Que voulez-vous dire ?

— Oh, rien de très original. Devenir prêtre quand on est marié avec une famille poserait de gigantesques problèmes pratiques dans les pays d'Europe. Il faudrait trouver des sources de financement considérables en vue de leur assurer les revenus suffisants pour élever sereinement leurs enfants. Surtout, il faudrait leur ménager des emplois du temps différents de ceux des prêtres célibataires totalement dévoués, vingt-quatre heures sur vingt-quatre, sept jours sur sept.

» Obligatoirement, pour des raisons pratiques, et ce sont souvent les plus décisives, un prêtre marié ne pourrait fonctionner comme un prêtre célibataire. Ce qui nous contraindrait à revoir en profondeur la nature du prêtre dont nous avons l'habitude depuis des siècles.

» Connaissez-vous une des raisons, je ne dis pas la seule, qui a contribué à interdire le mariage des prêtres il y a quelques centaines d'années ? ajouta-t-il après un moment de silence.

— Dites-la-moi, Éminence.

— Les prêtres à qui on avait donné des revenus, une petite terre, un toit pour s'occuper dignement de leur famille, avaient pris l'habitude de léguer ces quelques biens à leurs enfants. Ce qui fait qu'il fallait doter à nouveau le prêtre qui succédait à celui qui venait de mourir. Cela devenait une charge insupportable pour les fonds de l'Église.

— Éminence, vous avez dit il y a trois minutes quelque chose qui m'a surpris à propos des prêtres mariés. Vous avez dit que, pour des raisons pratiques, cela serait difficile, et vous avez ajouté que les raisons pratiques sont souvent les plus décisives. En d'autres termes, vous ne jugez pas que la position contre les prêtres mariés repose sur des arguments d'ordre théologique...

— Je ne vois pas en quoi cela vous surprend. Toute l'Église pense comme moi. Les évêques de rite oriental ne cessent de nous mettre en garde contre la difficulté financière que présente un clergé chargé de famille. Très peu de débats concernent les obstacles théologiques, comme vous dites. Non, croyez-moi : il n'y aura des prêtres mariés que quand on aura accepté l'idée que l'on peut être prêtre autrement qu'on l'est depuis des siècles.

— Vous, Éminence, souhaitez-vous que des hommes mariés puissent devenir prêtres ?

— Je crois que le problème est mal posé. Je crois que l'Église vit d'abord des sacrements et non pas d'une organisation pratique, aussi efficace qu'elle puisse être. Je crois qu'il faut séparer deux fonctions que nous avons unies dans la personne du prêtre, la fonction sacramentelle et la fonction d'organisation. C'est le prêtre qui a fait tourner l'Église depuis des siècles. Cela marchait à l'époque, surtout aux temps où devenir prêtre représentait un ascenseur social non négligeable et faisait la fierté des familles. Aujourd'hui, où les conditions sociales ont changé et là où elles ont changé, ce n'est peut-être plus la meilleure solution.

— Être prêtre est une vocation, pas le fruit d'ambitions sociales, l'interrompis-je.

— Vous aimez décidément faire l'âme pieuse et naïve, selon l'expression de mon directeur spirituel au séminaire. Bien sûr qu'être prêtre est une vocation, un appel intérieur ! Mais nous sommes une religion de l'incarnation ! Nous savons bien que nous sommes nés dans un temps et un espace particuliers. Notre vie spirituelle subit l'influence de nos conditions de vie et s'exprime concrètement dans ces conditions. Nier le poids sociologique est non seulement stupide mais aussi parfaitement nuisible : nous risquons de séparer alors le spirituel de la vie concrète, de le réserver à un domaine idéal où, par manque d'oxygène, il s'atrophie progressivement.

» Ainsi est-il clair que, pour beaucoup de jeunes hommes des siècles passés, la prêtrise offrait à la fois un chemin de réalisation spirituelle et une opportunité de progresser socialement et économiquement. Une possibilité d'un avenir meilleur, d'échapper à une condition précaire. Aujourd'hui, être prêtre entraîne des sacrifices sociaux et économiques lourds. Ne demeure plus que la dimension spirituelle.

— Vous dites finalement qu'il y a destruction des conditions d'exercice de la prêtrise et de l'équilibre qui prévalait depuis des siècles...

— C'est une évidence, mais ce n'est pas le problème principal. L'essentiel tient au fait qu'une Église, où les sacrements ne seraient plus célébrés de manière fréquente, disparaîtrait progressivement. Si donc, pour que dans certains lieux ces sacrements soient célébrés, il y a besoin d'en donner le pouvoir à des hommes mariés, je ne vois pas d'obstacle. À condition que l'on ne mélange pas tout. À condition que l'on n'attende pas de ces hommes mariés qu'ils se substituent aux prêtres que nous connaissons depuis des centaines d'années : la soutane, le presbytère, le patronage, la gestion des finances, les décisions de toutes sortes...

— Vos études l'ont montré : les candidats ne se présenteraient pas en masse si on changeait la règle du célibat ? lui demandai-je pour le pousser à aller plus loin dans ses explications.

— Les hommes mariés catholiques, à cause de cette image traditionnelle du prêtre, ne voient guère l'intérêt ou la possibilité de le devenir. Vous avez cependant raison, ce thème revient sans cesse à la une de l'actualité de la presse occidentale, avec, je vous l'accorde, celui de la contraception, de l'avortement, du préservatif... Nous autres, responsables de l'Église, commençons à trouver fatigante cette insistance à réduire le fait chrétien à ces quatre sujets, comme si nous n'avions pas d'autres défis à relever. Contraception, avortement, préservatif, mariage des prêtres, le refrain nous lasse. Et ce qui nous lasse encore plus, c'est que ces quatre sujets soient rassemblés dans un même lot...

— Un même lot, Éminence, que voulez-vous dire ?

— Oui, un même lot, insista-t-il. Dans le sens où on leur accorde la même importance, la même signification. Et un même lot aussi du fait que l'on voudrait nous contraindre à refuser ou à accepter les quatre en bloc. Or, je peux envisager des hommes mariés recevant le pouvoir de célébrer l'eucharistie, sans cautionner l'avortement, par exemple. Ce même lot, de plus, ne laisse guère d'espace médiatique à d'autres thèmes autrement essentiels. Ceux qui se crispent sur ces sujets, à l'intérieur comme à l'extérieur de l'Église, me semblent ne pas mesurer les enjeux religieux véritables d'aujourd'hui.

— Qui sont ? lui demandai-je un peu imprudemment.

— Écoutez, je préférerais ne pas aborder tout de suite ce sujet, trop vaste pour cette fin d'après-midi. Je n'ai pas conclu d'ailleurs sur cette caractéristique de l'Église qui ne cesse de m'étonner, vous disais-je.

— Laquelle, Éminence ?

— Je vous disais que notre Église fascine en tant qu'institution, par son décorum, le pouvoir qu'on lui prête, les richesses qu'on lui suppose, le fonctionnement caché que l'on suspecte, les cérémonies grandioses qu'elle organise. L'institution fascine, son message beaucoup moins. Ses croyances sont peu connues et jugées obsolètes par beaucoup. L'institution elle-même, en revanche, demeure contre vents et marées un objet d'attraction mondial, comme l'ont encore montré les obsèques il y a trois mois de ce pauvre Jean Paul II.

— Comment cela, pauvre Jean Paul II ? m'écriai-je, interloqué par cet adjectif que je ne m'attendais pas à voir accolé à cet homme présenté comme un géant.

— Qu'est-ce qui vous choque dans ce qualificatif ? me demanda-t-il, surpris à son tour. Nous sommes un certain nombre ici, à Rome, à avoir été profondément peinés et émus par les derniers mois de notre pape. Nous lui avons dit, rarement il est vrai tant ces choses sont dif-

ficiles à dire, qu'il avait le droit de vivre plus doucement, qu'il pouvait cesser de faire le pape et se reposer un
peu plus. Nous ne le poussions pas à démissionner. Il
pouvait très bien demeurer pape et vivre ses derniers
mois autrement, en réduisant encore ses activités qu'il
avait déjà fortement diminuées depuis des mois qui se
comptent plutôt en années.

— Beaucoup de personnes de la rue pensaient la
même chose que vous...

— Je crois. Elles ne voyaient pas la nécessité qu'il
se force à se tenir, tremblant, à la fenêtre de sa chambre
d'hôpital pour une bénédiction, ni qu'il tente sans succès
de prier l'angélus attendu par les pèlerins le dimanche.
Pauvre Jean Paul II dont le courage et la volonté ont été
mis en scène jusqu'au bout par quelques-uns qui agis-
saient au nom de la grandeur de la papauté sans doute,
mais faisaient peser sur un homme un poids injuste.

» Il pouvait cesser de faire le pape, lui qui l'avait fait
de manière étonnante dans les vingt-cinq années précédentes, sans pour cela renoncer à sa charge. Nous aurions
assuré le quotidien pour les mois qui lui restaient. Nous
savions tous que cela ne pouvait plus durer encore très
longtemps. Fallait-il qu'il se montre ainsi et jusqu'au
bout ? Je ne le crois pas.

» Vous m'interrompiez tandis que je vous disais à
quel point notre Église, comme institution, exerce de la
fascination sur nos contemporains malgré sa perte
d'influence grandissante. Oui, l'édifice attire l'attention,
le bâtiment porte beau, mais de moins en moins de personnes ont envie d'y pénétrer, et beaucoup se sont
empressés d'en sortir.

Il se tut un long moment. Je respectai son silence.
Puis, je finis par lui communiquer la pensée qui m'habitait depuis notre dîner à L'Eau Vive.

— Éminence, je vous avoue que je suis surpris.

— Par quoi, cher ami ?

— Par votre franchise. Je ne suis pas habitué à

entendre un responsable de l'Église parler avec autant de liberté.

— Avant de vous écrire pour vous proposer ce travail en commun, j'ai pris un engagement envers moi-même. Je me suis promis de ne pas vous faire perdre votre temps, et d'être cohérent avec mon projet, bref d'être aussi franc que possible. Je ne veux pas tomber dans le travers qui nous est si souvent opposé.

— Lequel, Éminence ? demandai-je, sans retenir l'insolence qui suivait. Il me semble qu'il n'y a pas qu'un travers. ~~Fautt~~

— Bien joué, me répondit-il sans s'offusquer. Le travers, l'un des travers, auquel je fais allusion est celui qui consiste pour nous autres, hommes d'Église, et l'Église elle-même en tant qu'institution, à être enclins et habiles à nous masquer la vérité, à ne pas vouloir la reconnaître, à la reléguer derrière l'écran de fumée de nos discours bien rodés.

— C'est justement ce que je voulais dire. J'ai une certaine expérience des prétendues confidences des dignitaires de l'Église. Je redoute leur propension à ne jamais parler clairement, à ménager la chèvre et le chou, à ne vouloir froisser ni contredire le moins du monde tel confrère, à redouter les effets retour de leurs déclarations forcément mal interprétées par une presse hostile. Vous avez vous-même évoqué l'écran de fumée… J'ai l'impression, agréable, que vous ne vous sentez pas contraint à une telle prudence.

— Tant que vous ne me demanderez pas de dévoiler des secrets entendus en confession ! À dire vrai, cela ne nous gênera pas tellement : je ne confesse plus beaucoup depuis longtemps.

— D'accord pour éviter les secrets du confessionnal, concédai-je sans trop de mal.

— Attendez, attendez, ne vous réjouissez pas trop vite. J'ai encore une ou deux réserves. Je ne vous dirai rien non plus que j'aurais juré de ne pas dire. Cela ne

o abhs *gossip malicious*

nous bloquera pas trop non plus car j'ai peu prononcé de serments de ce genre. Enfin, je ne cancanerai pas, on dit bien cela, n'est-ce pas, en français ? Je veux dire que je ne vous ferai pas de confidences sur tel ou tel petit travers d'une personnalité ou d'une autre s'il n'est déjà connu du public ou s'il n'a pas d'influence directe sur un événement que nous évoquerons.

» En revanche, je vous dirai comment j'ai vu les événements, ce qui s'est passé dans telle situation selon moi, ce qui n'était pas connu à l'époque. Je vous parlerai de l'Église plus que de moi... Cela vous semble-t-il acceptable ?

— Je suis honoré que vous ayez pensé à moi. Sachez, ajoutai-je, que j'aurais eu du mal à travailler avec certains de vos confrères. En particulier, j'aurais du mal à mettre mon nom sur un livre qui ressemblerait à un long discours de départ à la retraite si l'un d'eux m'avait sollicité pour un tel projet. J'ai eu trop d'occasions de constater combien la vérité est difficile à obtenir là-bas.

Et je désignai d'un vague geste la Cité du Vatican, de l'autre côté du Tibre, vers le nord, en poursuivant :

— Vous. Quand je dis vous, vous me comprenez, je veux dire la hiérarchie de l'Église dans son ensemble. Vous avez tellement pris l'habitude de croire que les chrétiens en particulier et le monde en général ne sont ni assez grands ni assez raisonnables pour être avertis des problèmes qui sont les vôtres, des événements malheureux qui surviennent. Vous avez, au cours des siècles, fini par constituer un monde tellement à part, tellement codé, tellement méfiant que le simple chrétien, et je ne parle pas de celui qui ne l'est pas, a du mal à éprouver une confiance instinctive à l'égard de l'institution.

— Vous croyez vraiment que notre image est si mauvaise ? me demanda-t-il.

— Oh, oui ! lui répondis-je sans hésitation. Il faut vraiment être très fidèle aujourd'hui pour continuer à se réclamer de l'Église.

— Vous exagérez, non ?

— Je ne crois pas, Éminence, je ne crois vraiment pas. Là n'était pas le sujet, cependant. L'intérêt d'un livre avec vous est justement dans le fait que ce Vatican constitue un monde à part, en charge de guider directement plus d'un milliard d'hommes, tout en influençant indirectement deux ou trois milliards de plus. Comprendre comment tout cela fonctionne, apprendre comment vous, les responsables de l'Église, voyez le monde où nous vivons, quels sont vos espoirs et vos regrets, vos craintes, vos résignations, entrer un peu dans ce secret si épais qu'il semble vous étouffer, cela ne manque pas d'intérêt.

Mon cardinal ne répondit rien. Il savait que ses confidences constituaient un événement en soi, même si son intention était un peu différente, je m'en étais rendu compte.

L'impression qu'il m'avait donnée se renforçait à chacune de ses paroles. Cet homme en face de moi, tout cardinal qu'il était, me semblait humble. J'ignorais s'il l'avait été toute sa vie, ou seulement au début, porté par l'idéal de son sacerdoce, puis moins peut-être au fur et à mesure qu'il montait les échelons de cette hiérarchie redoutable qui conduisait les plus doués, les plus chanceux, et parfois même aussi les plus saints, aux plus hautes responsabilités.

Peut-être avait-il perdu cette humilité au moment des honneurs et du pouvoir. En tout cas, il semblait l'avoir retrouvée, s'il l'avait jamais perdue, en quittant sa charge. Et il fallait pas mal d'humilité pour accepter de gaieté de cœur d'être écarté statutairement du dernier conclave au motif que l'on avait atteint l'âge de quatre-vingts ans, quelques mois auparavant. Comment l'avait-il vécue d'ailleurs cette mise à l'écart au mauvais moment ? Je me le demandais, et je décidai de lui poser la question le plus tôt possible.

Il avait en effet laissé échapper une confidence significative en signalant qu'il ne révélerait rien de ce qu'il aurait juré de taire. Je savais que les cardinaux jurent de ne rien divulguer du déroulement d'un conclave. Or, ce conclave récent m'intéressait, comme des millions de personnes. Je voulais absolument le pousser à m'en rapporter les éléments marquants. Je me demandai si j'y parviendrais, mais je résolus d'en savoir le plus possible. J'attendrais cependant que la confiance soit plus solidement installée.

Je réglai les consommations après que nous eûmes décidé de nous retrouver le lendemain soir pour le dîner. Mon cardinal avait des engagements pour la journée et n'aurait pas assez de temps pour un entretien un peu long avant le soir.

Nous traversâmes ensemble le Tibre pour atteindre la rive gauche du fleuve. Je hélai un taxi en maraude, et proposai à mon interlocuteur de le déposer chez lui. Nous ne dîmes pas grand-chose durant ce très court trajet.

Je décidai finalement d'abandonner le taxi devant le petit immeuble où mon cardinal habitait, préférant rentrer à pied à mon hôtel. Déambuler à Rome est enchanteur. Rien ne me pressait : je ne comptais pas retranscrire sur place les enregistrements de nos conversations. Je le ferais plus tard à Paris.

Jeudi, Antica Taverna
La préparation du conclave

L'acte majeur de la vie d'un cardinal est celui d'élire le pape : cent vingt hommes, parfois un peu moins, sont réunis alors pour cette circonstance exceptionnelle.

Jusqu'aux années 70, tout cardinal possédait ce droit d'élection. Paul VI le retira aux cardinaux atteignant l'âge de quatre-vingts ans la veille de l'entrée en conclave. Cette décision à laquelle beaucoup de cardinaux ne s'attendaient pas avait vexé nombre d'entre eux, d'autant plus qu'elle avait été annoncée dans un document connu par ses premiers mots latins *Ingravescentem Aetatem* qui peuvent se traduire de deux manières. La première, traduction littérale : *il y a une relation immédiate entre le poids de l'âge qui augmente et la capacité à assumer certaines tâches importantes.* La seconde, traduction en langage courant : *quand on est vieux, on n'est plus bon à grand-chose…*

Certains avaient jugé cette décision injuste car on acceptait que le pape continue à assurer sa mission au-delà de cet âge fatidique. Jean Paul II, épuisé de souffrance, avait été incapable, quoi qu'on ait prétendu, d'exercer pleinement sa responsabilité de gouvernement de l'Église pendant de nombreux mois avant de mourir à près de quatre-vingt-cinq ans.

Les cardinaux âgés prirent la décision de Paul VI comme une offense et une grave indélicatesse. Personne n'aime qu'on lui dise qu'il est trop vieux pour ceci, trop vieux pour cela... Beaucoup d'observateurs et d'hommes d'Église, qui connaissaient les scrupules maladifs de Paul VI, s'étonnèrent non pas tant de la décision mais de la manière dont elle était communiquée. Et aujourd'hui encore, régulièrement, le sujet est abordé et des pressions s'exercent pour que cette limite d'âge soit rapportée.

Comment mon cardinal avait-il vécu son incapacité à voter lors du précédent conclave ayant élu Benoît XVI ? Je me le demandai.

Pour le moment, nous en étions à choisir notre repas. Il hésitait entre des *crostini* et des *gamberetti radicchio*, puis entre une escalope milanaise et des *spaghetti alla vongole*. Je lui recommandai de choisir comme moi les *gamberetti*, lui faisant valoir que ces petites crevettes se mariaient agréablement avec le *radicchio*, variété de chicorée rouge, coupé en fines lamelles et assaisonné au citron. Puis, je lui imposai quasiment les *spaghetti*, lui assurant que les *vongole*, sorte de petits clams, étaient toujours très frais ici et que la sauce pimentée au basilic leur donnait le caractère qui leur manquait à l'état naturel.

J'étais un habitué de l'Antica Taverna, le restaurant où je l'avais convié pour ce quatrième entretien. Situé entre la Piazza Navona et le Tibre, il était à mi-distance de son logement et de mon hôtel, dans une petite rue que peu de touristes empruntent. Une terrasse chauffée en hiver, une salle aux tables en bois et aux nappes à carreaux rouges et blancs. Un plafond assez bas à poutres apparentes, et un recoin qui permettait les conversations plus personnelles.

Mon interlocuteur n'était jamais venu ici. Comme je m'en étonnai, il me répondit :

— Vous savez, pendant toutes ces années à Rome,

j'ai beaucoup travaillé d'abord, et j'ai dû ensuite répondre à de nombreuses invitations. Depuis celles de l'aristocratie et de la bourgeoisie romaines, jusqu'à celles des ambassades, en passant par les dîners plus frugaux dans les séminaires étrangers, les congrégations religieuses, les centres culturels. J'ai finalement peu fréquenté les restaurants romains et quand, par extraordinaire, on me conviait à l'un d'entre eux, c'était le plus souvent près du Vatican, sur l'autre rive, vers le Borgo Pio où nous étions avant-hier, ou alors à L'Eau Vive.

Je n'avais pas commandé de vin, sachant maintenant qu'il n'y toucherait que par politesse. Nos crevettes arrivèrent assez rapidement : larges assiettes où le rose des crevettes jurait nettement avec le violet de la chicorée. Sur le plan du goût, en revanche, le mariage était parfait.

— Parlez-moi du dernier conclave, voulez-vous, lui demandai-je.

Il sembla se crisper un peu mais se reprit si vite que je ne fus pas sûr de ne pas m'être trompé.

— Le conclave, oui, le conclave. Vous savez que je n'y ai pas participé puisque j'avais atteint l'âge fatidique. Je n'en suis pas un témoin oculaire.

— Comment avez-vous vécu cette période ?

— Vous n'ignorez pas, bien sûr, que les cardinaux de plus de quatre-vingts ans participent à toutes les réunions préparant le conclave et interviennent dans toutes les conversations visant à clarifier les choix qui se présentent. Ces réunions, que nous appelons congrégations, se tiennent tous les matins sous la présidence du cardinal doyen.

— En l'occurrence, le cardinal Ratzinger cette fois-ci, celui qui allait être élu pape quelques jours après.

— Josef Ratzinger, en effet, notre premier théologien, le préfet de la Congrégation pour la Doctrine de la Foi. Savez-vous comment nous appelons entre nous la Doctrine de la Foi, je veux dire la Congrégation pour la Doctrine de la Foi ?

— Non, je ne crois pas.

— Nous la nommons la Suprême, en souvenir de l'époque où elle se nommait la Suprême Congrégation du Saint-Office. Nous n'avons guère que deux dénominations qui utilisent cet adjectif « suprême » : cette congrégation du Saint-Office avant qu'elle ne soit renommée, et le Pontife Suprême pour parler du pape. Le cardinal Ratzinger a quitté la Suprême Congrégation pour devenir le Suprême Pontife.

— Destin tracé ?

— Non, minuscule étrangeté de l'Histoire, car c'est le premier préfet de la Suprême devenu pape... Revenons à cette période qui sépare le décès du pape et l'élection de son successeur. Les conversations par petits groupes se font le plus souvent dans les séminaires de Rome où résident les cardinaux du monde entier avant d'entrer au conclave. Il existe plusieurs institutions entretenues par certains pays pour permettre la formation de leurs prêtres à Rome. Ainsi, le Collège américain se trouve sur la colline du Janicule, tandis que votre séminaire français est derrière le Panthéon, pas très loin d'ici. Beaucoup de contacts se font aussi par téléphone.

— Cela doit beaucoup s'agiter durant cette période, non ? lui demandai-je.

— Comme vous dites avec élégance, oui, cela s'agite. Et c'est assez normal, ne trouvez-vous pas ? C'est une très grave décision que cette élection. Elle exige de la prudence.

» J'ai participé à toutes ces réunions, à beaucoup de ces discussions. Mes fonctions à la tête de mon dicastère m'avaient inévitablement permis de faire la connaissance d'un grand nombre de mes frères cardinaux et d'entretenir une correspondance suivie avec eux.

» Les cardinaux de la curie, c'est-à-dire ceux qui ont une fonction à Rome, sont beaucoup moins isolés que les nouveaux cardinaux en charge d'un diocèse. Même à la retraite, surtout si celle-ci est récente, nous servons de plaque tournante aux échanges, aux mises en contact. Nous avons à cœur de présenter les uns aux autres. Il faut savoir que, sur les cent quinze électeurs de ce conclave, un petit tiers seulement était vraiment connu des autres. Le fait même d'être privé du droit de vote nous permet, m'a permis en tout cas, de jouer un rôle plus actif, avec plus de liberté : nous n'étions craints de personne puisque nous n'étions plus éligibles.

— En droit, vous l'étiez puisqu'il suffit d'être mâle et baptisé pour être élu pape.

— Je constate que vous connaissez la règle. Tout homme baptisé peut être choisi pour pape, mais en pratique depuis longtemps le pape est choisi parmi les cardinaux. Et depuis la fameuse décision de Paul VI, parmi les cardinaux électeurs. Ce n'est pas une règle, plutôt une habitude qui pourrait être contrariée si les électeurs le décidaient.

— Que pensez-vous de cette règle de Paul VI ?

— Je la juge bonne mais incohérente avec d'autres règles. Pourquoi mettre la barre du droit à participer à l'élection à quatre-vingts ans et ne pas mettre la même limite à l'éligibilité ? Rien n'empêcherait de promulguer une règle empêchant l'élection d'un pape qui aurait atteint quatre-vingts ans. Il y a quelque chose de bizarre à penser qu'on n'est plus capable de choisir un pape quand on a atteint cet âge, mais qu'on pourrait soi-même le devenir… La logique prêche en faveur de l'inverse, ne trouvez-vous pas ? Bon, cela fait partie de ces incohérences de notre Église que vous avez vous-même soulignées dans vos livres.

— Cela aurait pu jouer un tour à Ratzinger.

— Oui, et sans doute en aurait-il été soulagé. Vous faites allusion à son âge : il a atteint soixante-dix-huit ans la veille de son entrée en conclave. Admettons que Jean Paul II ait vécu exactement deux ans de plus : que se serait-il passé ? Le cardinal Ratzinger n'aurait pas eu le droit d'entrer en conclave et n'aurait certainement pas été élu au nom de cette habitude non codifiée que nous évoquions à l'instant.

» À l'approche de son anniversaire, le collège des cardinaux aurait dû choisir un nouveau doyen, lequel aurait été chargé de l'animation des congrégations préparatoires au conclave, aurait présidé la messe de funérailles de Jean Paul II ainsi que celle d'entrée en conclave. Les projecteurs qui se sont portés sur Ratzinger pendant la vacance du siège [1] et ont fortement contribué à crédibiliser l'hypothèse de son élection auraient éclairé un autre. Beaucoup de choses en auraient été changées.

— Vous disiez qu'il aurait été soulagé de ne pas être choisi.

— Je le connais bien et je l'apprécie pour sa valeur et ses grandes qualités. Vraiment, sans langue de bois, comme vous dites. Je sais avec certitude qu'il y a quelques mois, il ne pensait pas être un candidat sérieux. Il savait qu'il allait servir de pôle de regroupement pour un certain nombre de cardinaux, à l'instar de mon ami Carlo Martini, l'ancien archevêque de Milan. Il se croyait trop âgé, trop marqué, diriez-vous. Il pensait que lui et Martini allaient, au bout d'un ou deux tours, être délaissés par les votes qui se porteraient vers un cardinal plus consensuel, moins emblématique.

» Nous pensions tous, et eux également, qu'une élection aux deux tiers des voix est forcément une élection de compromis. De plus, on savait Martini malade, de la même maladie de Parkinson que Jean Paul II, et qu'il n'accepterait pas la charge du pontificat si elle lui était confiée.

— Le cardinal Martini a le même âge que le cardinal Ratzinger. Vous dites qu'ils semblaient tous les deux trop âgés pour être élus, et trop marqués comme

---

1. On appelle « vacance du siège » la période qui s'étend entre la mort du pontife et le choix de son successeur.

représentants de tendances antagonistes. Et pourtant, l'un est élu et pas l'autre. Que s'est-il passé ?

— Un mot d'abord, si vous le voulez bien, sur ce que vous nommez ces « tendances antagonistes ».

— Vous avez vous-même parlé de pôle de regroupement, cela revient au même.   *p ne (election)*

— Justement, c'est là-dessus que je veux insister. Nous... Quand je dis « nous », je veux dire la hiérarchie de l'Église en général dont je suis solidaire même si je ne partage pas toujours son point de vue. En revanche, quand je dis « je », c'est mon opinion et seulement la mienne que j'exprime.

» Nous n'aimons pas laisser entendre que nous sommes divisés au sein de l'Église. Pas mal de journalistes bienveillants en poste à Rome se laissent prendre à cette apparence. Ils savent aussi qu'il leur faut en épouser et propager la fiction s'ils veulent continuer à bénéficier des confidences des membres de la curie ou des cardinaux en visite. Ils s'évertuent à faire de l'Église hiérarchique un corps homogène qui parle d'une même voix. Et ils tentent de brouiller les pistes en affirmant que l'on peut être conservateur sur le plan théologique et progressiste sur le plan du fonctionnement de l'institution, et inversement.

» Ceci, je le répète, est une fiction. Il est clair que nous n'avons pas tous les mêmes opinions, même si nous les exprimons ordinairement de façon si nuancée qu'elles s'enveloppent d'un voile qui les rend difficilement discernables aux oreilles des non-initiés.

— Des exemples ? demandai-je, pour le pousser dans ses retranchements.

— Trois, puisque vous me testez, me répondit-il, pas dupe de l'examen auquel je le soumettais.

» Le premier. Il y a quelques mois, Jean Paul II affirma à nouveau que le seul moyen pour lutter contre la propagation du sida était la fidélité dans le mariage et l'abstinence hors du mariage. Au même moment, Godfried Daneels, le cardinal de Bruxelles, présentait le préservatif comme un moyen à utiliser pour ceux qui ne pouvaient respecter ces règles de fidélité et d'abstinence. Plus étrange, à sa voix se joignait celle du cardinal suisse Georges Cottier, théologien particulier du pape, qui déclarait que le préservatif pouvait, dans certaines circonstances, être utilisé pour combattre la propagation du virus.

» Le deuxième, plus technique et théologique. Mon ami le cardinal Walter Kasper, président du Conseil pontifical pour l'unité des chrétiens, a entretenu avec Josef Ratzinger une discussion serrée et publique sur la légitimité des Églises locales par rapport à l'Église universelle. Kasper soutient que les Églises locales, rassemblées chacune autour de leur évêque, possèdent le caractère entier d'Église, tandis que Ratzinger affirme que l'Église est une réalité en soi qui existe avant son incarnation dans des lieux géographiques. Il donne pour exemple les premières communautés de Jérusalem ou d'Antioche, et soutient qu'elles ne sont que les expressions d'une réalité antérieure, hors du temps et de l'espace, une réalité légitime en elle-même avant d'être située dans un lieu.

— Un peu ésotérique votre exemple, l'interrompis-je.

— Derrière ce débat qui peut paraître, en effet, ésotérique, deux conceptions du fonctionnement de l'Église beaucoup plus terre à terre s'opposent. Celle de Kasper vise à reconnaître une certaine indépendance aux Églises locales et à renforcer la collégialité dans le gouvernement de l'Église universelle, tandis que celle de Ratzinger pousse à une sorte de mise en subordination des Églises locales à l'égard de Rome.

— Or, c'est Ratzinger qui a été élu pape…

— Oui, c'est Ratzinger qui a été élu pape.

— Vous auriez voté pour lui si vous aviez participé au conclave ?

— Attendez, vous allez trop vite. Et d'ailleurs, vous touchez à peine à votre plat, et vous ne me laissez pas savourer le mien !

Mon convive observa un moment de silence, le temps de finir son assiette, puis il reprit :

— Je vous avais promis un troisième exemple à l'appui de mon affirmation qu'il existe effectivement des tendances antagonistes chez nous. Voici ce troisième exemple, rapide, et après je répondrai à votre question indiscrète. Mon ami Carlo Martini pense qu'il serait bon de convoquer un nouveau concile pour régler certains problèmes et, aussi, pour redonner la parole aux évêques. Il juge en effet que ceux-ci n'ont pas tellement l'occasion de s'exprimer librement et avec voix décisionnaire [1]. Il estime que la curie possède trop de pouvoir. Josef Ratzinger, de son côté, a plusieurs fois affirmé son opposition à la tenue d'un tel concile, exprimant publiquement son opinion que le précédent n'était pas encore digéré. Il juge, en le disant moins ouvertement il est vrai, que l'Église a été incapable de maîtriser l'après-concile Vatican II, moment où se sont développées ce qu'il estime être toutes sortes de dérives.

— Or, c'est Ratzinger qui a été élu pape…

— Oui, c'est Ratzinger qui a été élu pape. Ce qui va vous permettre de reposer votre question.

— Je la repose en effet. Vous auriez voté pour lui si vous aviez participé au conclave ?

— Non, je n'aurais pas voté pour lui.

Un court silence s'installa. Mon cardinal ne cillait pas, semblait attendre. J'eus l'impression qu'il ne voulait pas en dire plus. Ou alors, l'arrivée de nos spaghettis le

---

1. Plus tard, lors d'une autre rencontre, mon cardinal me précisera que les synodes des évêques qui réunissent assez régulièrement un petit nombre d'entre eux constituent des réunions d'échange mais non de décision. Les débats réels y sont rares et largement contrôlés par la curie.

poussait à se taire. Ceux-ci déposés devant nous, je décidai de le relancer.

— Pourquoi ?

Il se mit à sourire, et je compris que ce que j'avais pris pour une réticence était une façon de me tester à mon tour.

— Je me demandais si vous alliez me pousser à aller plus loin ou si vous alliez en rester là par timidité, par, comment dit-on en français ? par pusillanisme ?

— Pusillanimité.

— La pusillanimité, c'est un manque de résolution, d'audace n'est-ce pas ?

— À peu près, mais laissons là la grammaire ou, plutôt, le dictionnaire. Je vous repose ma question : pourquoi n'auriez-vous pas voté pour lui ?

— Pour trois raisons principales. À cause de son âge. Parce qu'il est un théologien de métier. Parce qu'il est européen.

— Vous pouvez détailler un peu ?

— Son âge. J'y faisais allusion tout à l'heure : le pape est d'abord évêque de Rome. Un évêque doit donner sa démission à soixante-quinze ans. Il me semble incohérent et vaguement choquant d'élire un évêque de Rome de soixante-dix-huit ans. Je crois que les incohérences que nous tolérons ou entretenons depuis des années au sein de l'Église nous causent du tort et minent notre crédibilité. Un de nos problèmes, nous en parlerons peut-être un autre jour, est justement notre manque de crédibilité face au monde.

— Ce que vous appelez incohérence, c'est ce que j'appelle langue de bois ?

— C'est plus large que la langue de bois si j'interprète correctement le sens de cette expression. La langue de bois sert à masquer les incohérences. Elle vise, si vous me permettez d'utiliser cette autre expression qui m'a toujours ravi, elle vise à faire prendre des vessies pour des lanternes...

— Excusez-moi de dévier notre conversation. Où avez-vous appris le français ?

— À la Sorbonne, et aussi, vous l'avez deviné, dans les cafés qui l'environnent... Revenons aux incohérences si vous le voulez bien. Notre discours semble parfois contourné, peu clair, c'est votre langue de bois. Je remarque d'ailleurs que ce type de langage est associé fréquemment aux institutions disposant d'un corpus idéologique très fort, assurées de détenir la vérité, se recommandant soit d'un au-delà soit d'une idéologie globalisante. La langue de bois, dans ces institutions, sert à masquer les failles du système. Ce système qui se veut idéal, voire parfait. Notre Église, à n'en pas douter, présente des failles, non pas dans sa foi, mais dans son système. Nos incohérences révèlent ces failles.

— Bien, nous en reparlerons un autre jour. Vous disiez que vous n'auriez pas voté pour le cardinal Ratzinger pour trois raisons. La première était son âge. La deuxième ?

— Un moment encore, si vous le voulez bien, sur cet aspect de l'âge. Je vous disais tout à l'heure que l'élection du cardinal Ratzinger aurait été fort improbable si Jean Paul II avait vécu deux ans de plus exactement puisque Josef Ratzinger aurait atteint à ce moment-là ses quatre-vingts ans et n'aurait pas participé au conclave. Deux ans, c'est peu et beaucoup à la fois, vous disais-je.

» Imaginez maintenant que Jean Paul II soit mort un an plus tard, en avril 2006, ce qui, vu les soins qu'il recevait, était loin d'être invraisemblable. Josef Ratzinger aurait participé au conclave assurément, mais il aurait eu soixante-dix-neuf ans. Les cardinaux l'auraient-ils choisi, alors qu'il était si proche de l'âge fatidique ? Peut-être, mais peut-être pas.

» Les orientations décisives de l'Église, je l'ai souvent constaté, tiennent à très peu de choses. Pour le cardinal Ratzinger, un an de plus aurait pu faire la

différence : il n'aurait pas été choisi. Un autre aurait été
élu. Cet autre, appelons-le le cardinal X devenu le pape
Y, qui aurait été jugé digne de devenir pape à ce
moment-là, ne le deviendra sans doute jamais car, très
probablement, il sera devenu lui-même trop vieux au
moment où il faudra choisir un successeur à Benoît XVI.

— Je ne vois pas où vous voulez en venir avec ce
pape hypothétique, l'interrompis-je.

— Simplement à ceci : le temps est notre premier
maître. Si vous êtes en retard, vous manquez l'occasion,
ou le rendez-vous avec l'Histoire, et si vous êtes en
avance, le résultat est le même. Si vous êtes à l'heure, par
hasard, par calcul, par destin ou par providence, vous
changez de trajectoire. Le temps fait tout, et dans cette
élection l'âge a été un critère déterminant.
Connaissez-vous l'histoire du cardinal Gulbinowicz ? me
demanda-t-il alors.

— Non, lui répondis-je. Racontez-la-moi.

— Henryk Gulbinowicz est polonais, proche de
Jean Paul II. Il était jusqu'à ces dernières années archevêque de Wroclaw. Sa biographie officielle, apparaissant
dans l'Annuaire pontifical, indiquait qu'il était né en
1928, avait été ordonné prêtre en 1950, à l'âge de vingt-
deux ans. Consacré évêque en 1970, à l'âge de quarante-
deux ans, et fait cardinal en 1985 à l'âge de
cinquante-sept ans. En février de cette année, un de nos
services publie discrètement un communiqué précisant
que les renseignements figurant dans l'Annuaire ponti- *en fonction*
fical et dans toutes les biographies du cardinal Gulbinowicz sont erronés. Mon confrère polonais n'est pas né en
1928 mais en 1923. En 2005, il n'a pas soixante-seize ans
mais quatre-vingt-un !

— Il avait menti sur son âge ! Je n'arrive pas à y
croire, m'exclamai-je.

— Et vous faites bien car il n'y avait pas mensonge
de sa part. L'explication est plus simple et, pour moi,
assez poétique. Nous sommes en 1939, les Soviétiques,

suite au pacte signé avec Hitler, sont en train d'annexer la Lituanie où vit la famille d'Henryk d'origine polonaise. Le pays se révolte, les Soviétiques contre lesquels les Allemands se sont retournés, quittent la Lituanie pour y revenir en 1944. Cette année-là, Henryk est déjà séminariste. Les Soviétiques mènent la politique antireligieuse que l'on sait et enrôlent de force dans l'armée les séminaristes ou les envoient dans des camps de travail. Pour permettre à leur fils d'échapper à ce danger, les parents d'Henryk parviennent à falsifier ses papiers d'identité et à le rajeunir de cinq ans. D'un seul coup il n'a plus vingt-deux ans, mais dix-sept, trop jeune pour tomber sous le coup du couperet soviétique. Il restera toute sa vie avec un âge inférieur de cinq ans au réel, jusqu'au moment où il dépasse ses soixante-quinze ans officiels, c'est-à-dire ses quatre-vingts ans réels. Jean Paul II, chacun le sent, se dirige vers sa fin, un conclave se profile.

» Le cardinal Gulbinowicz est pris de scrupules. Tout le monde pense qu'il a bientôt soixante-seize ans, il pourrait participer au conclave. Lui sait qu'il est proche de quatre-vingt-un, dans l'incapacité légale de voter. Il s'en ouvre à certains proches, il en parle à son compatriote l'archevêque Stanislas Dziwisz, le secrétaire particulier de Jean Paul II.

» Notre petit monde s'agite, s'inquiète, redoute les propos malveillants que cette affaire risque de susciter, et aboutit à la bonne solution, la seule, en rendant publique l'histoire. Et en précisant que, bien entendu, l'âge réel du cardinal Gulbinowicz est rétabli, ce qui sous-entend, sans qu'il soit besoin de le souligner, que, de ce fait, le cardinal n'est plus électeur dans le cas d'un éventuel conclave.

— C'est anecdotique, une tempête dans un verre d'eau, non ?

— Anecdotique, assurément, mais très souvent les

anecdotes en disent plus que de longues dissertations. Elles sont les paraboles de notre époque.

» Supposez un instant que Gulbinowicz ait été un *papabile*[1] sérieux. Imaginez qu'il se soit trouvé, pour un certain nombre de raisons, dans la position du cardinal Pacelli en 1939. Ce secrétaire d'État de Pie XI était donné comme le successeur adoubé du pape, et il le devint en effet sous le nom de Pie XII. Mettez-vous dans cette perspective. Les cardinaux apprennent brutalement que leur candidat principal, celui qu'ils jugent être le seul capable de succéder à Jean Paul II, ce *papabile* par excellence, n'a pas soixante-seize ans mais quatre-vingt-un, et ne sera donc pas au conclave. Tous leurs plans s'effondrent soudain, entraînant leur désarroi... à moins qu'ils ne forcent l'habitude et n'élisent en dépit de tout cet homme plus âgé qu'ils ne le pensaient.

— Joli petit scandale en perspective, en effet, appréciai-je.

— Sans doute. Au-delà du scandale, la situation est en elle-même saisissante. Gulbinowicz est le même, avec la même santé, la même résistance, la même intelligence, la même mémoire, la même vigueur spirituelle, le même talent pour les contacts, la même chaleur humaine, la même vision de l'Église, le même sens des responsabilités qui étaient siens et siennes la veille au soir, et, patatras, d'un coup il n'a plus soixante-seize mais quatre-vingt-un ans. Le lendemain, a-t-il perdu toutes ses qualités qui faisaient de lui le pape idéal ? Assurément, non. Simplement, son histoire peu banale le fait basculer d'un seul coup du probable à l'improbable, du quasi certain au hautement douteux. Le temps s'est pour lui raccourci de façon exceptionnelle et brutale et l'a entraîné dans un tourbillon contre lequel ni lui ni personne ne pouvaient grand-chose.

---

1. Terme italien, dont le pluriel est *papabili*, qui désigne celui ou ceux crédité(s) d'une chance d'être élu(s) pape.

— Quel enseignement en tirez-vous ? demandai-je
à mon cardinal, sans masquer que je jugeai l'histoire du
cardinal polonais plutôt éloignée de notre sujet.

— Deux enseignements. Le premier que je vous
livre tout de suite, et le second que je remets à un peu
plus tard quand vous ne pourrez plus vous empêcher de
me demander comment s'est passé le conclave. Car vous
allez me le demander n'est-ce pas, vous brûlez à la fois
d'en savoir plus et en même temps vous m'attendez au
coin du tournant...

— Au tournant, Éminence, au tournant simplement..., le repris-je, pas mécontent que cette faute de
français me permette de ne pas répondre à sa question.
Car bien sûr toutes mes questions visaient un seul but :
qu'il me dise ce qui s'était passé au conclave.

— Vous m'attendez au tournant, mais le tournant
n'est pas encore là, vous devrez patienter encore un peu,
me dit-il, légèrement moqueur. Le premier enseignement
que je tire de l'histoire d'Henryk Gulbinowicz est que le
temps est le maître de tout. Pour chacun arrive le moment
où le temps, auquel il n'a pas prêté une attention particulière, se confond avec l'âge. Quand vous sentez que le
temps va vous manquer, c'est que vous commencez à
prendre de l'âge. Auparavant bien sûr, vous manquiez de
temps pour relire Dostoïevski, pour écouter pour la dix
millième fois le deuxième mouvement du concerto pour
piano de Rachmaninov, pour aller dîner avec votre
famille. Vous saviez cependant que vous alliez vous rattraper plus tard, que vous profiteriez d'une nouvelle
occasion. Arrive un moment où vous sentez vaguement
que ces occasions vont se raréfier, que vous n'aurez plus
le temps, justement, de vous rattraper.

» Pour Henryk, le temps s'est arrêté brutalement le
jour où il a rendu public son âge réel. Pour nous autres
cardinaux de plus de quatre-vingts ans, le temps s'est
arrêté au moment où Paul VI nous a exclus du conclave.
Josef Ratzinger, pour sa part, a connu l'expérience exac-

tement opposée. Il était dans la perspective d'une retraite méritée et, soudain, le 19 avril 2005, le temps a redémarré, l'âge a disparu en quelque sorte. De justesse, je vous le disais, à deux ans près, lui qui se préparait à troquer le temps contre l'âge, c'est le temps qui revient en force et gomme l'âge, et le propulse dans une nouvelle aventure.

— Vous voulez dire en fait que le temps est injuste, qu'il a traité différemment Henryk Gulbinowicz et Josef Ratzinger ?

— Injuste je ne crois pas, plutôt cruel, et cruel pour les deux. Je sais, il me l'a dit, que Henryk a souffert de ne pas être au conclave, comme nous avons tous souffert de ne pas y être. Pour moi, il s'en fallait de sept mois !

» Je sais aussi que Ratzinger a souffert de devenir Benoît XVI. Je sais, parce que cela se lisait dans ses yeux, qu'il a vu venir l'inéluctable pendant la vacance du siège, et qu'il en a tremblé. Je crois qu'il a forcé ses discours durant cette période pour que chacun comprenne bien quelles étaient ses convictions, qu'il soit clair pour tous ceux qui commençaient à se tourner vers lui qu'il marcherait dans une direction précise. Que si on voulait de lui, il fallait le prendre comme il était. Il voulait que ce soit clair, qu'il n'y ait pas d'erreur sur la personne. Clair, tout ce que Ratzinger a toujours voulu être, tout ce qu'il aime. Il voudrait tellement que le monde et les gens soient aussi clairs que claire est son intelligence... Mais, ce n'était pas notre propos.

» Le temps a été cruel envers mes deux frères cardinaux, pour l'un en lui ôtant l'avenir, pour l'autre en lui imposant un futur dont il pensait être à l'abri grâce à son âge.

Jeudi, colonnade du Bernin
L'état de l'Église

La température était étonnamment douce, rien ne laissait présager les grosses chaleurs qui allaient accabler Rome quelques semaines plus tard.

Nous avions quitté l'Antica Taverna après un repas léger. Nous marchions lentement dans les rues étroites, nous rangeant promptement contre les murs des maisons quand une petite voiture nous y forçait.

Nous arrivâmes au Tibre, annoncé par la rangée de grands platanes qui bordent la trouée où il coule, paresseux et assez sale, en contrebas. Le pont Victor Emmanuel II, brillamment illuminé, nous fit déboucher sur l'entrée de la Via della Conciliazione. Je préférais toujours cet itinéraire pour me rendre à Saint-Pierre, empruntant le moins possible le pont Saint-Ange qui traverse le fleuve en face du château du même nom, et force à remonter le quai vers la gauche en traversant un terrain plus ou moins vague que la municipalité ne parvient pas à aménager de façon attrayante.

La rue de la Conciliation a été percée sous les ordres de Mussolini après l'accord entre la papauté et le royaume d'Italie au début du XXe siècle. Ce traité du

Latran mettait fin à cinquante ans de bouderies entre
l'État italien et le Vatican.   *street lamp*

La voie est bordée de lourds réverbères, mussoli-
niens à vrai dire. Elle ouvre une perspective majestueuse
sur la place Saint-Pierre, son obélisque, et les degrés qui
montent jusqu'à l'entrée de la basilique. Je suis chaque
fois impressionné par cette perspective, même après
l'avoir contemplée si souvent. De nuit, elle prend un
aspect féerique, et il m'est arrivé d'attendre très tard que
les réverbères s'éteignent pour profiter de cette vision de
Saint-Pierre, masse endormie au bout de la rue.

Je me taisais, les yeux fixés sur la basilique qui se
découvrait au fur et à mesure que nous avancions, sur son
dôme orgueilleux, sur la triple colonnade qui enserre la
place.

Mon cardinal respectait mon silence.

Nous nous arrêtâmes sur la gauche de la place, et
nous assîmes sur les marches qui, à certains endroits,
soutiennent les colonnes, du fait de la déclivité de la
place. Nous étions tout près de l'entrée du palais de la
Congrégation pour la Doctrine de la Foi, le dicastère que
le cardinal Ratzinger avait longtemps dirigé.

Je repris notre conversation là où nous l'avions
laissée :

— Vous m'avez dit que vous aviez trois raisons
pour ne pas avoir voté pour Ratzinger. La deuxième,
m'avez-vous annoncé, est son métier de théologien.

— Une précision encore, si vous le voulez bien, sur
l'âge de Josef Ratzinger au moment où il entre en
conclave. J'aurais préféré que nous prenions une double
décision : ne pas choisir un pape trop âgé et limiter éven-
tuellement son mandat, si vraiment on avait peur que le
pape ne vive trop longtemps. Regardez les institutions et
les pays où l'on accède à la responsabilité suprême au-
delà de soixante-quinze ans. Ils ne sont pas nombreux et
ne présentent pas des exemples que l'on a très envie de
suivre : l'Arabie Saoudite, la Chine, l'Union soviétique

avant la chute du mur de Berlin. Cela ne me plaît pas que mon Église puisse être comparée à ces régimes.

— Une fois encore, vous êtes dur…

— Vous trouvez ? Je me reproche plutôt d'être un peu incohérent. D'un côté, j'ai souffert de n'être pas au conclave, et de l'autre je m'inquiète de notre âge avancé. D'un côté, ma sensibilité, de l'autre mon jugement. Il est difficile de réconcilier les deux, ne trouvez-vous pas ?

— Et que vous dit votre jugement à ce propos ?

— Je crois que nous donnons une image de vieux, loin du monde. Regardez-nous durant la messe pour le pape défunt ! Nous étions, ici, cent cinquante vieillards, richement habillés, adossés à la solidité de la façade de la basilique qui servait d'arrière-plan puissant à nos tenues cramoisies, dominant du haut des marches le monde qui nous filmait, les gens qui nous contemplaient.

» Quelle image offrions-nous ? Celle, je crains, d'hommes riches, lointains, vieux, fatigués, gros pour beaucoup, portant des lunettes. Regardez les chrétiens emblématiques que notre époque a choisi d'admirer, Mère Teresa, le Frère Roger, le Père Ceyrac. Ils ne sont ni gros, ni riches, ni fatigués, ni lointains. Non, décidément, cette manière dont nous nous montrons au monde flatte peut-être l'ego de certains d'entre nous, mais elle n'est pas bonne, elle ne correspond pas au message de l'Évangile.

— Le spectacle semblait convenir à beaucoup. Rarement un événement n'aura été autant regardé à la télévision que cette messe de funérailles.

— Oh, le spectacle était grandiose, bien réglé, beau à vrai dire. Est-ce cependant notre rôle, notre utilité, notre vocation d'offrir de beaux spectacles aux télévisions ?

» Nous avons mieux à faire, et très souvent d'ailleurs nous le faisons, ou plutôt d'autres chrétiens que nous, cardinaux, le font à notre place, et ceux-là ne sont pas très connus, ni richement habillés, ni vieux, encore moins resplendissants de satisfaction. Nous autres, cardinaux, nous gouvernons et nous prenons les atours des gouvernants. Ou, plus précisément, nous arborons des atours que plus aucun autre gouvernant n'oserait arborer de peur de perdre sa popularité, excepté peut-être la reine d'Angleterre le jour de son couronnement.

» Si vous saviez comme je suis heureux de n'avoir plus à gouverner et de pouvoir enfin commencer, à mon âge, à faire des choses utiles.

Je ne relevai pas cette confidence, me réservant d'y revenir un autre jour. Je le remis dans le fil de notre conversation :

— Donc, le cardinal Ratzinger est théologien. Cela semble vous ennuyer...

— D'une manière générale, je ne crois pas que le choix d'un pape doive se faire parmi les théologiens parce que je ne crois pas que l'Église doive être gouvernée par la théologie. Si on regarde les élections depuis la guerre, nous avons eu un pape diplomate (Pie XII), un pape diplomate avec une courte expérience d'archevêque résidentiel [1] (Jean XXIII), un pape fonctionnaire de la curie avec une courte expérience d'archevêque résidentiel (Paul VI), un archevêque résidentiel qui ne dura qu'un mois (Jean Paul Ier), puis un archevêque résidentiel (Jean Paul II).

» Aujourd'hui, nous avons un théologien, cardinal de la curie. C'est une nouveauté. Nouveau d'ailleurs était aussi le choix du cardinal Ratzinger il y a près de vingt-cinq ans comme préfet de la Congrégation pour la Doctrine de la Foi. Ses prédécesseurs n'étaient pas des théologiens. Les papes précédents leur avaient préféré des diplomates ou des membres de la curie.

— C'est tout de même une idée étrange de ne pas vouloir choisir les responsables de l'Église d'après leur

---

1. Un cardinal, un évêque et un archevêque résidentiels sont en charge d'un diocèse où ils résident, les autres sont soit « émérites », ce qui signifie à la retraite, soit de la curie, c'est-à-dire travaillant au Vatican.

première compétence. Je ne vois pas ce qu'il y a de choquant à ce qu'un théologien devienne le gardien de la foi d'une Église. Cela paraît même plutôt logique.

— Logique, oui, prudent peut-être pas. Un non-théologien, mais je vous rappelle que nous sommes tous diplômés de théologie et que nous avons passé notre vie à réfléchir sur Dieu, notre foi, la manière de la présenter au monde. Un non-théologien, disais-je, sera plus ouvert à l'égard des débats théologiques en cours ou à venir qu'un théologien professionnel qui se sera forcément construit un système bien à lui dans la première partie de sa carrière avant d'atteindre, à la cinquantaine, l'âge requis pour être en fonction à la tête de la Congrégation pour la Doctrine de la Foi.

» Ce non-théologien aura tendance à mettre des frontières plus fluides entre ce qui est théologiquement correct et ce qui ne l'est pas. N'étant pas engagé lui-même dans la recherche théologique, la théologie est toujours en recherche, il sera plus accueillant à celle des autres. Non, je ne suis pas sûr qu'il faille obligatoirement un théologien pour diriger la Doctrine de la Foi.

— Est-ce pour autant gênant qu'un théologien professionnel devienne pape ?

— De façon très résumée et très approximative, la théologie c'est le catéchisme. Un théologien, surtout quand il exerce la fonction qu'a exercée Josef Ratzinger de 1981 à 2005, a pour vocation de dire et d'expliquer le catéchisme. C'est d'autant plus vrai que Josef Ratzinger a été au sens propre du terme le maître d'œuvre de la rédaction du nouveau catéchisme de l'Église catholique, même si ceux qui tenaient la plume ou y travaillaient jour après jour étaient des hommes comme votre compatriote le cardinal Jean Honoré [1], ancien archevêque de Tours ou le cardinal Christoph Schönborn, dominicain et archevêque de Vienne.

---

1. Ami du pape élevé au cardinalat en 2001.

» Je ne crois pas que l'Église et le monde, surtout le monde, soient à une époque et dans une situation où ils aient d'abord besoin qu'on leur dise ou qu'on leur explique le catéchisme. Vous ne vous mettez pas à croire et vous ne vous mettez pas à commencer à convertir votre vie à cause du catéchisme, même si vous pouvez vous servir du catéchisme pour expliciter votre foi ensuite, après que...

Mon cardinal semblait hésiter.

— Après quoi ? le relançai-je.

— Après que vous avez effectué cette rencontre intime d'un autre que vous-même au plus profond de vous-même. Comprenez-moi...

Mon cardinal s'anima, se révélant sous un autre jour. Jusqu'à cet instant, il s'était montré plutôt réservé, prudent dans le choix de ses mots, dans la façon de répondre à mes questions. D'un coup, il sembla passer à la vitesse supérieure.

— Comprenez-moi... Je crois à tout ce que disent la théologie et le catéchisme, mais ce n'est pas à cause de la théologie et du catéchisme que je crois. Parfois, le catéchisme m'aide à croire et me soutient dans ma foi mais ce n'est pas lui qui me donne cette foi.

» Il n'y a pas de foi sans rencontre, vous comprenez. Il n'y a pas la foi à cause d'un système philosophique ou spirituel. Il y a foi parce qu'un jour, chacun à sa façon, découvre en lui quelque chose – devrais-je dire quelqu'un ? – qui semble y avoir toujours été bien qu'ignoré. Chaque croyant, à sa façon, fait cette découverte. Pour chacun, l'histoire est différente. Tous, néanmoins, sont capables de dire ce qui s'est passé en eux à ce moment-là, ou à plusieurs moments...

Il se tut un instant. Je le laissai à son silence qui fut de courte durée.

— Voyez-vous, ce que le monde attend, c'est de faire l'expérience d'une découverte de cet ordre. Souvenez-vous de ce film américain merveilleux intitulé

Rencontre du troisième type. Le contact sur une colline avec des extraterrestres devient une rencontre spirituelle impliquant un enfant, symbole de l'innocence. Le film eut un très grand succès car il parlait aux gens. Il réveillait en eux cette attente d'une autre chose qui saurait les combler. Ce dont le monde a besoin, ce n'est pas de catéchisme, mais qu'on lui donne l'occasion d'une rencontre, qu'on l'y invite avec le plus de respect possible, qu'on lui dise qu'il existe des réalités différentes de celle qu'il vit. Des réalités qui ne s'opposent pas à ses désirs les plus légitimes mais qui, au contraire, le rejoignent au plus intime de lui-même.

» Le catéchisme, la théologie, est incapable de provoquer ce mouvement dans l'âme du monde et dans celle des gens qui y habitent. Notre priorité n'est pas, me semble-t-il, de faire le catéchisme au monde mais de lui donner à voir qu'il existe en lui des contrées qu'il n'a pas explorées, qu'il a perdu, peut-être, l'habitude d'explorer, et que ces contrées sont celles où il est attendu...

— Donc, vous n'auriez pas voté pour un théologien. Vous auriez préféré un candidat avec quelle expérience ?

— Un cardinal résidentiel, connaissant de près la difficulté de la vie des gens, les questions qu'ils se posent, ayant partagé leurs souffrances. Et j'aurais aimé aussi que ce candidat ait aussi la vision d'un historien, à la rigueur d'un sociologue.

— Pourquoi ?

— Parce que notre problème majeur, notre priorité aujourd'hui, est de mieux comprendre le monde où nous vivons. Nous le comprenons mal, nous le voyons s'éloigner de nous depuis plusieurs décennies et, comme nous n'en identifions pas clairement les raisons, nous nous raccrochons à des jugements que je trouve sommaires.

— Comme ? lui demandai-je de préciser.

— Comme ce que vous avez entendu ici ou là. Le monde partirait à la dérive. Il serait atteint de cette maladie contagieuse qu'on appelle le relativisme. Il refuserait toute règle qu'il n'aurait pas créée lui-même...

— Vous pouvez être plus précis, Éminence, me semble-t-il. Ces jugements, nous les avons entendus dans la bouche du cardinal Ratzinger, n'est-ce pas ?

— Vous avez raison de me forcer à préciser, me répondit-il, bon joueur. Même si cela me pousse à des clartés dont nous n'avons pas l'habitude. Oui, nous avons entendu cela dans la bouche de notre pape, avant et après son élection. Oui, quand un théologien, et notre pape l'est, analyse le monde, il est obligatoirement conduit à le faire à travers deux filtres, celui de la vérité et celui de la liberté, et il pose deux questions.

» La première. Le monde accepte-t-il une vérité qui vient d'ailleurs, de Dieu, ou juge-t-il qu'il n'y a pas d'autre vérité que celle des scientifiques et celle de son expérience individuelle ? La seconde. Le monde accepte-t-il que sa liberté n'ait pas son origine en lui-même, et qu'elle ne soit pleine et entière que si elle se soumet à un ordre conçu au-delà de lui-même par une transcendance qui se nomme Dieu ?

» Un théologien jugera le monde à ces deux aunes, et aujourd'hui il conclura que le monde a pris des voies sans issue parce qu'il semble refuser une vérité qui existe avant lui et ne dépend pas de lui et qu'il semble ne pas supporter de soumettre sa liberté à un ordre divin.

— D'une certaine manière, le théologien n'a pas tort, ne trouvez-vous pas ? lui demandai-je.

— Bien sûr qu'il n'a pas tort. Il a même tout à fait raison. Son analyse est cependant dangereusement partielle, voire partiale, comme le dit admirablement votre langue, rapprochant dans l'orthographe et le son ces deux mots : tout ce qui est partiel est partial, non ? bᴉαsed

— Que dirait alors votre historien ou votre sociologue ?

— Il prendrait un autre point de vue. Il dirait que si le monde réagit ainsi depuis quelques décennies c'est parce qu'il a suivi une série d'évolutions qui se sont enchaînées les unes les autres de façon à ce point naturelle qu'on pourrait les croire inévitables.

— Quelles évolutions ?

— Il dirait que l'Église a su profiter entre les années 400 et 1500 d'une situation enviable. En dépit de ses défauts et d'un personnel ecclésiastique pendant de longues périodes médiocre, voire scandaleux, sa foi, sa pensée, ses alliances politiques lui ont permis d'être considérée comme la seule force organisatrice de la réalité sociale.

» C'est l'Église qui a établi les règles de la morale occidentale, a poussé et soutenu la culture, a, dans de nombreux cas, servi de référence à la politique. C'est ce que l'on a appelé la chrétienté, qui n'existe plus.

» L'Église ne s'est pas contentée d'être cette force d'organisation sociale. Elle a aussi modelé l'imaginaire des hommes durant toute cette période, en fournissant les explications capables de donner un sens à l'invisible qui habite chacun. L'Église a fourni un sens à une humanité qui en cherchait un. L'orage qui détruit les cultures, la maladie qui frappe, la perte d'un enfant, la souffrance, l'inégalité sociale, l'injustice, la violence des guerres, les famines, bref tout ce qui échappait à la maîtrise de l'homme servait de terreau au besoin de croire. Croire en une puissance bienveillante, en un ordre peut-être impénétrable à l'homme mais bien réel, en un au-delà d'où tout malheur serait absent.

— Que s'est-il passé ensuite ?

— Aux alentours de 1500, l'Église est empêtrée dans une série de solidarités et de connivences dont elle avait hérité des siècles passés.

— Solidarités ?

— En premier lieu, son explication des mécanismes de l'univers ne tient plus. Elle la défend envers et contre tout et déclare mauvais chrétiens et hérétiques ceux qui tentent de proposer d'autres explications et ont, de fait, raison. Elle perd sa crédibilité dans ce domaine.

» En deuxième lieu, elle a enfin trouvé une sorte d'équilibre avec les puissances temporelles qui sont toutes des monarchies. Rivales dans les faits et dans les intérêts territoriaux et financiers, l'Église et ces puissances sont en revanche totalement solidaires dans leurs formes respectives de gouvernement : le pouvoir est sacré, le pape et les rois sont les oints de Dieu. Le peuple, incapable de se gouverner, est confié à leur bienveillance. Les femmes n'ont ni âme ni existence civile. Les gens bien nés, seuls, peuvent participer à la conduite du monde. Comme le dit votre expression française avec un grand pouvoir évocateur, le sabre et le goupillon marchent ensemble.

Mon cardinal se tut un instant, semblant chercher un souvenir. Il reprit vite :

— Connaissez-vous la déclaration de Boniface VIII à propos des relations entre le pouvoir temporel et le pouvoir spirituel ? Je ne suis pas sûr de l'exactitude de la citation. Il disait à peu près ceci : « Il y a deux épées, l'une brandie par les prêtres, l'autre par les rois et les soldats, mais de par la volonté et l'autorisation du prêtre. »

— Autrement dit, commentai-je, il n'y a qu'un pouvoir spirituel et il y a en revanche deux pouvoirs temporels et l'un est subordonné à l'autre.

— Le goupillon commandait au sabre. C'est alors que l'aspiration des peuples à l'émancipation commence. L'Église ne la comprend pas, durcit ses alliances et renforce son soutien à l'égard des monarchies. Deuxième perte de crédibilité.

— Le tableau est plutôt noir.

— Oui, et sans doute un peu trop rapide. Il ne se réduit cependant pas à ces deux pertes de crédibilité que je viens d'évoquer. Au même moment, l'Église offre de sa hiérarchie une vue peu ragoûtante. Certains papes for-

stewing

niquent à qui mieux mieux. On vend largement les sacrements pour payer le train de vie des cours papales et épiscopales, leurs bâtiments et leurs milices.

— Les bâtiments comme cette basilique, n'est-ce pas ? l'interrompis-je, en désignant Saint-Pierre, au haut des marches.

— Eh oui ! Cette basilique a été en partie financée par la vente des indulgences. Passons... On ordonne prêtres des pauvres bougres incapables de dire leur messe à jeun. Les évêques sont nommés non pas pour leurs qualités humaines et spirituelles mais pour faire plaisir à leurs familles. Ils se contentent d'ailleurs de toucher les revenus de leurs évêchés en menant la belle vie près des cours princières.

— Décadence ?

— D'une certaine manière. En tout cas, les catholiques de base sont tellement écœurés que le terrain est mûr pour la révolte. Elle survient, c'est la Réforme luthérienne. L'Église qui disait la morale, comme elle disait la foi, perd sa crédibilité dans ce domaine. Troisième perte.

— Perte de crédibilité scientifique, politique, morale... Cela fait beaucoup.

— Cela va continuer comme cela pendant des décennies. L'Église ne va pas cesser de défendre un système dont des pans entiers ont perdu leur pertinence. Chaque fois qu'elle reconnaîtra une erreur passée, elle le fera du bout des lèvres et toujours avec tellement de retard que ces reconnaissances ne seront pas portées à son crédit mais perçues comme autant de défaites.

» La contre-réforme aura beau être lancée. Elle portera ses fruits mais ne parviendra pas à contrarier le mouvement de fond. La papauté finira par regarder la démocratie avec bienveillance mais elle le fera si tard que la vague de mécontentement à l'égard de l'Église ne pourra plus être endiguée.

— Tard, toujours trop tard, disiez-vous l'autre jour, dans un monde qui va vite, toujours plus vite.

— Du coup, tout, ou presque tout, ce qu'elle entre-
prendra rencontrera l'indifférence ou l'hostilité. Quand
elle commence à s'intéresser aux réalités de justice
sociale, sa pensée est balayée par les idéologies révolutionnaires puis par les théories marxistes. Trop tard
encore.   *suppr aside*

» L'historien soulignerait que de réalité organisatrice du monde occidental l'Église est devenue pour
beaucoup le symbole de ce qui opprime alors qu'elle
revendique un message de liberté, de ce qui est obscur
alors qu'elle se dit la lumière du monde, de ce qui est
hypocrisie alors qu'elle se dit la voie de la vérité, de ce
qui est dépassé alors qu'elle prétend porter les paroles de
la vie éternelle.

— Me permettez-vous une remarque ? l'interrompis-je, un peu effrayé de la précision de son
diagnostic.

— Bien sûr, me répondit-il, s'interrompant
immédiatement.

— Vous semblez dire, à moins que ce ne soit l'historien dont vous exposez la vision, vous semblez dire que
l'Église a multiplié les rendez-vous manqués.

— C'est une évidence pour tout historien, rétorqua-
t-il avec vivacité. Cet historien aura beau jeu de montrer
le durcissement des positions de l'Église. Son incapacité
à faire la différence entre l'essentiel et le secondaire,
entre le dépôt de la foi et les incertitudes de la culture, de
la morale et de la politique. Sa propension à vouloir tout
défendre comme si tout se tenait, et à ne rien concéder de
ses erreurs. Il mettra facilement en lumière quelques-unes
de ses attitudes indignes qui, comme chacun le sait, sont
plus visibles que la multitude des attitudes héroïques et
authentiques dont elle peut se prévaloir. Et il dira qu'à
cause de tout cela et de pas mal de choses encore l'Église
s'est laissé happer dans une spirale de déconsidération.

— Aurait-il raison cet historien hypothétique, selon

vous ? Ne verrait-il pas la situation passée et actuelle sous un angle particulièrement pessimiste ? Ne ferait-il pas porter à tort la responsabilité exclusivement sur l'Église, en négligeant les dérives du monde telles que votre théologien les soulignait ?

— Bien sûr qu'il n'aurait pas totalement raison, car sa vision serait elle aussi partielle, donc partiale. Ce que je trouve intéressant dans l'analyse de l'historien, c'est qu'elle souligne un facteur essentiel à mes yeux que le théologien ne perçoit pas : le monde n'a pas fini de régler ses comptes avec l'Église, cette part grise de l'Église que souligne l'historien.

— Part grise ?

— Le mouvement de fond qu'a connu le monde depuis la Renaissance est double. D'une part sa prise d'autonomie à l'égard de l'Église. D'autre part les tentatives de celle-ci, qui ont toutes finalement échoué, de s'opposer à cette prise d'autonomie. Je crois avec l'historien que les peuples entretiennent sans le savoir une mémoire collective. La mémoire collective accumule les souvenirs et les maintient vivants dans une zone grise mal identifiée, même quand la réalité qu'ils rappellent a cessé d'être.

» Eh bien, le monde – occidental surtout – n'a pas purgé sa mémoire des souvenirs d'une Église hiérarchique triomphante, riche, refusant la science, guerrière, attachée à ses biens, insouciante à l'égard des plus pauvres, régnant par les armes et par le confessionnal…

— La position de l'historien s'articule en deux points, tenté-je de résumer. Un, l'Église pâtit encore aujourd'hui d'actes du passé alors que son comportement a changé du tout au tout. Deux, comme elle a tardé à reconnaître ses errements, le monde moderne ne lui en fait pas crédit.

— De la même manière que beaucoup de peuples colonisés n'ont pas purgé de leur mémoire la venue des missionnaires dans les fourgons des colons et des militaires. Le monde n'a pas fini de régler ses comptes avec cette Église-là, qui, je le répète, n'est pas toute l'Église, mais qui en fit partie.

— Qu'est-ce que cela change en réalité ? En quoi un pape qui ferait cette analyse agirait autrement qu'un autre, par exemple un théologien ?

— Cela change tout, absolument tout. Car vous ne parlez pas au monde de la même façon si vous privilégiez l'analyse de l'historien ou celle du théologien.

» Si vous épousez la vision du théologien, vous êtes naturellement porté à dire au monde qu'il erre dans la mauvaise direction, qu'il a imposé une dictature, celle du relativisme. Vous lui dites que son refus de Dieu et de la transcendance le conduit à perdre jusqu'à son identité, son humanité. C'est ce qu'a répété le cardinal Ratzinger depuis des années, c'est ce qu'il a affirmé durant la vacance du siège, c'est ce qu'il a continué de dire, devenu Benoît XVI.

— Je le redis : il n'a pas totalement tort.

— Je vous ai déjà répondu sur ce point : non, il n'a pas totalement tort. Trop occupé par ce discours, il néglige cependant d'autres paroles qui ont besoin d'être dites par l'Église et ont besoin d'être entendues par le monde.

— Des paroles inspirées par l'analyse de l'historien ?

— Un pape qui privilégierait la vision de l'historien dirait au monde que notre foi ne répond pas à toutes les questions. Que l'autonomie de la pensée et de la conscience est inscrite dans la liberté donnée par Dieu au monde. Que l'Église n'a pas toujours su respecter cette liberté et cette autonomie. Qu'elle a été objet de scandales et qu'elle en subit aujourd'hui les conséquences…

» Je ne cesse de vivre depuis des mois avec cette phrase violente de Jésus rapportée par l'Évangile : "Malheur à l'homme par qui le scandale arrive !" Nous avons été la cause de scandales, et nous en sommes devenus malheureux, et le monde n'a pas fini de nous le faire payer. Nous pouvons peut-être tenter de raccourcir cette espèce de purgatoire dans lequel le monde nous a placés. Nous devons sans doute montrer au monde que nous avons changé.

— Comment ?

— Oh, un peu a déjà été fait, vous savez, par Jean Paul II quand il a entrepris ce que l'on appelle son œuvre de repentance [1] qui a culminé au moment du Jubilé de l'An 2000. Si vous saviez ce qu'il a fallu comme efforts d'un certain nombre d'entre nous pour empêcher que ce projet du pape soit vidé de tout contenu. Dès qu'il commença à faire part de son intention, ce fut une levée de boucliers de la part de collègues de la curie autant que d'archevêques résidentiels.

— Vous pouvez me citer des noms et leurs arguments ?

— Oh, ce n'est pas un secret. Le plus en vue dans son opposition et le plus déterminé était Giacomo Biffi, l'archevêque de Bologne de l'époque. Plus discrets étaient des membres de la secrétairerie d'État, y compris son chef, le cardinal Sodano. Il est vrai que Sodano est toujours très discret, même dans ses positions les plus affirmées et ses projets les plus personnels. Peut-être est-ce dû autant à sa personnalité qu'aux impératifs de sa fonction.

— Le cardinal Sodano a été nonce au Chili du temps de Pinochet ?

— Oui.

— Et ? tentai-je de le pousser dans des confidences qui ne vinrent pas.

— Et ? Rien. Cette époque était difficile, me

---

1. Mon cardinal fait ici allusion aux différentes demandes de pardon adressées par Jean Paul II, au peuple juif, aux femmes, aux victimes de l'Inquisition, et à bien d'autres encore.

répondit-il en me signifiant qu'il n'irait pas plus loin dans le commentaire.

Je savais que le cardinal Sodano était une des personnalités les plus controversées de la curie dont il était le chef. Beaucoup d'observateurs lui avaient reproché une indulgence trop flagrante à l'égard du régime du dictateur Pinochet. Beaucoup n'avaient pas compris qu'il fût nommé secrétaire d'État par Jean Paul II. Beaucoup avaient trouvé qu'il avait exercé sa responsabilité sans suffisamment tenir compte des instructions du pape qui l'avait nommé. Beaucoup, enfin, connaissaient le peu de confiance mutuelle qui existait entre lui et le cardinal Ratzinger, et s'attendaient à ce que celui-ci, devenu pape, le remplace dès que les délais de convenance le permettraient[1].

Je renonçai à avoir plus de précisions sur l'opinion de mon cardinal à l'endroit du cardinal secrétaire d'État. Ce qu'il m'avait dit constituait l'extrême limite au-delà de laquelle il estimait tomber dans les cancans qu'il détestait tant. Je préférai revenir aux réactions de la curie à l'égard du projet de repentance de Jean Paul II.

— Y avait-il d'autres opposants au désir du pape ? demandai-je à mon interlocuteur.

— Plus nuancé que Biffi était Ratzinger lui-même. Il craignait que cette initiative ne soit mal comprise par les fidèles. Les cardinaux africains, pour leur part, se sentaient mal à l'aise. Ils jugeaient que la plupart des causes devant donner lieu à demande de pardon étaient des his-

---

1. Ce remplacement, par le cardinal Bertone, ancien bras droit du cardinal Ratzinger à la Doctrine de la Foi, fut annoncé à l'été 2006 avec effet au 15 septembre suivant. Entre l'élection de Benoît XVI et ce remplacement, il s'écoula donc quinze mois, ce qui est relativement « rapide » pour une décision de cette importance au Vatican. Encore faut-il remarquer que cette décision fut facilitée par le fait que Sodano avait atteint l'âge de la retraite officielle à la curie depuis quatre ans. Au moment de son remplacement, il était à la veille de son soixante-dix-neuvième anniversaire.

toires d'Occidentaux auxquelles ils n'avaient pas grand-chose à voir.

» Nous leur rétorquions que la traite des noirs les concernait et que c'étaient de bons chrétiens qui avaient profité de l'esclavage. Ils nous répondaient que c'était la réalité mais que la vérité exigeait de souligner que les principaux organisateurs de la traite des noirs en Afrique étaient musulmans, et qu'il ne fallait pas donner l'impression que nous étions les seuls responsables de ces crimes. Nous leur répondions que, si nous attendions de chacun qu'il fasse le premier pas, rien ne se passerait. Nous essayions de les convaincre que si nous nous sentions en faute, il nous fallait le dire, sans nous cacher derrière notre petit doigt.

— Tous ces arguments, ceux des opposants et les vôtres, ne manquaient pas de valeur, me semble-t-il. On est très loin de débats intéressés ou médiocres.

— Bien sûr que ces débats méritaient d'avoir lieu. Au niveau où se prennent ce genre de décisions, je vous assure que trouver la juste voie n'est pas simple. Je vous confie aussi une conviction : la difficulté de trouver la voie juste peut conduire à l'immobilisme, à la peur des réactions, à ménager la chèvre et le chou, comme vous dites...

— Une expression de plus, Éminence ! Vous en avez beaucoup en collection ?

— Plein ma besace, me répondit-il avec malice.

— Comment avez-vous trouvé la voie juste ? lui demandai-je.

— Nous parvînmes à maintenir intacte l'idée principale du pape, même si nous dûmes consentir à gommer certains aspects de son premier projet. Même si nous dûmes envelopper tout cela dans d'extrêmes précautions qui, à mon avis, en atténuèrent la portée de manière dommageable.

— Cela se passe vraiment comme cela à la curie ?

Des groupes de pression se forment, s'opposent, tentent d'emporter la décision ?

— Cela se passe comme cela. En quoi cela vous étonne-t-il ? Ce n'est pas choquant : chacun est en droit d'avoir une opinion sur tel ou tel sujet, de l'exprimer et de tenter de la faire accepter par les autres. Les cardinaux, les secrétaires se sondent, s'interrogent, se groupent quand ils repèrent qu'ils partagent un même avis. Ils tentent de rallier les hésitants et essaient de se faire entendre par ceux qui ont le pouvoir de décision. Ils s'arrangent parfois pour retarder la décision en question, espérant qu'elle s'enlisera, ou mobilisent leurs efforts pour en accélérer le processus afin d'empêcher une opposition trop forte de se regrouper.

» Laissez-moi revenir un moment à cette vision de l'historien face à celle du théologien, et à ce qu'elle changerait si c'était elle qui prévalait.

— Volontiers, lui répondis-je. Je comprends que vous attachiez une particulière importance au fait qu'établir un diagnostic clair et aussi complet de l'état de l'Église est la condition de toute action future.

— C'est l'évidence. Et c'est justement parce que notre diagnostic n'est pas assez fondé depuis des décennies que nous perdons du terrain, et notamment en Occident. Je vous disais que, si on suivait la vision de l'historien, on accepterait de penser que le monde n'a pas fini de faire payer à l'Église ses erreurs, ses fautes, ses blocages du passé. Notre politique serait alors de tenter de raccourcir cette espèce de purgatoire dans lequel le monde nous a placés. La question est de savoir comment nous pouvons raccourcir ce temps de purgatoire.

» J'y ai longtemps réfléchi et je suis arrivé à la conclusion que nous devons cesser de donner à tout bout de champ des leçons au monde. Il faut que nous arrêtions d'apparaître comme les rabat-joie et les pères fouettards du monde.

» Nous avons beaucoup donné de leçons au monde dans le passé, et certaines d'entre elles se sont révélées soit fausses, soit trop entières, soit ambiguës, soit intéressées. Du coup, notre message fondamental ne parvient plus à se faire entendre. Ce message, celui qui est à la base de tout le reste, leçons comprises, c'est qu'il est un Dieu, et que ce Dieu aime le monde, et qu'Il l'a tant aimé qu'Il a envoyé son Fils, son Fils Unique, afin que quiconque croit en Lui ne se perde pas et ait la vie éternelle.

— Évangile de saint Jean...

— Oui, vous avez reconnu saint Jean[1]. Ce ne sont pas des leçons adressées au monde qui l'amèneront à croire en la vérité, la réalité et la validité de ce message. Aucune leçon de morale, aucune leçon de catéchisme, aucune leçon de théologie ne le permettra.

— Éminence, vous semblez dire que le monde a subi un traumatisme, un traumatisme religieux, dont l'Église est en partie responsable. Vous ajoutez qu'il ne parvient pas à s'en remettre car il ne sait pas le nommer. Et vous concluez en affirmant que tant que ce traumatisme ne sera pas surmonté, l'Église aura du mal à se faire entendre, à faire entendre son message.

— C'est en effet une autre manière de décrire ce qui se passe, et cela éclaire notre problème, je veux dire le problème de l'Église. Pour reprendre votre mot, tout se passe en effet comme s'il y avait eu un traumatisme de séparation entre le monde et l'Église après une longue, très longue, période de vie commune, de fusion même, que l'on a appelée la chrétienté.

» Petit à petit, la discorde s'est installée. Chacun, bien sûr, en rejette la responsabilité sur l'autre, et sans doute les erreurs, les indélicatesses, les petites trahisons, les manques de respect ont-ils été le lot des deux parties.

---

1. La citation est tirée de l'Évangile de saint Jean, au chapitre 3, verset 16.

» La fusion était telle que la séparation fut extrêmement douloureuse, traumatisante au sens propre du terme. Je crois que ce traumatisme n'a pas encore été mis au jour par les deux parties, le monde et l'Église. Je crois que s'adresser au monde dans la défiance, la méfiance, la condamnation, empêche de sortir de ce traumatisme. Je crois que l'impossibilité de surmonter ce traumatisme rend l'Église incapable de se faire entendre à nouveau de manière crédible. Je crois que nous devrions nous efforcer de nous adresser au monde de manière différente.

— Comment ?

— Plus humblement, avec plus de respect, plus pauvrement même. Sans renier ce que nous croyons mais sans faire la leçon, j'y reviens encore, sans donner des leçons perpétuelles. En nous approchant du monde comme on s'approche d'un grand souffrant. En acceptant de nous montrer souffrants nous-mêmes, et parfois faibles, et souvent infidèles, et perplexes aussi. Ce que nous sommes dans la réalité, ce que notre organisation, notre discours, nos manières d'être ne laissent pas percevoir.

— Beaucoup de cardinaux pensent comme vous, ou vous sentez-vous isolé ? lui demandai-je. Votre autocritique est assez radicale.

— Je vous répondrai plus tard en détail. Je ne crois pas le moment venu. Ne m'en veuillez pas, s'il vous plaît. Ce que je peux vous dire d'ores et déjà est que l'éventail des opinions, des analyses, des projets, chez mes frères cardinaux, est au moins aussi large que leur nombre. Chacun a développé son propre attirail de diagnostics. D'un côté, beaucoup de cardinaux sont inquiets de la situation de l'Église, et comme la peur est mauvaise conseillère, ils éprouvent des tentations de repli identitaire. Ceux-là auront tendance à suivre l'analyse du théologien qui me fut résumée récemment par un de vos

éminents compatriotes de cette façon : « Le monde
marche sur la tête, nous devons le lui dire et le lui redire
jusqu'à ce qu'il en prenne conscience. » Ces cardi-
naux-là sont sûrement majoritaires aujourd'hui, mais il
ne faudrait sans doute pas grand-chose pour qu'ils bascu-
lent dans une vision plus ouverte.

— Vous appartenez au camp minoritaire des cardinaux ? lui demandai-je.

— En quelque sorte, sinon qu'il est trompeur de
parler de camps aux frontières définies comme ceux qui
s'affrontent dans le parlement d'une république ou au
sein des partis qui entretiennent des courants rivaux.
Nous sommes entre cardinaux dans un monde aux frontières mouvantes. Il y a parmi nous des amis, de vrais
amis. Il y a des groupes qui se font et se défont selon les
sujets à traiter et les décisions à prendre. Il y a des cardinaux qui ont appris à se respecter pour avoir travaillé
ensemble. Il y a quelques solides inimitiés dues d'ailleurs
à des froissements d'amour-propre plus qu'à des différences d'opinions marquées.

» Il y a aussi des hommes très attachés à leur famille
spirituelle d'origine. Ainsi un cardinal de l'Opus Dei
comme Juan Luis Cipriani se distinguera sans effort d'un
cardinal jésuite comme Jorge Bergoglio [1]. Qui s'en étonnerait et s'en plaindrait ?

À mon avis, pas mal de gens s'en étonneraient justement, pensai-je. Pas mal de gens qui voudraient croire
que le plus haut niveau de l'Église est épargné par les
querelles et les divergences, qu'il est unanime derrière
son chef, le pape, absolument d'accord avec tout ce qui
se dit et se publie. L'unanimité de façade de la curie est
d'ailleurs un sujet de plaisanterie parmi les vaticano-

---

1. Le premier est archevêque de Lima au Pérou. Le second, archevêque de
Buenos Aires en Argentine, était cité parmi les cardinaux américains susceptibles
de recueillir des voix lors de l'élection du successeur de Jean Paul II.

logues qui connaissent les débats souvent âpres qui s'y déroulent, même s'ils s'en font rarement l'écho.

De temps en temps cependant, un événement parvient à percer la carapace de secret qui entoure le Vatican à l'image des murailles qui le délimitent. Ainsi l'assassinat du commandant des gardes suisses et de sa femme par un des membres de cette garde, lequel se suicida ensuite. Ou la publication par un groupe de *monsignori* de la curie, qui se donna le nom de *I Millenari*, d'un livre amer et agressif sur le fonctionnement de celle-ci. Un des membres du groupe fut identifié et sanctionné.

Ce goût du secret aboutit à ce que le moindre événement gênant prend des proportions exagérées quand il se faufile dans les failles de la chape de silence qui enveloppe le gouvernement de l'Église. Dans tout corps social, il est pourtant inévitable que des erreurs soient commises, que des indélicatesses surviennent, que des querelles éclatent. Vouloir faire croire, en dépit de toute raison, que tout est parfait dans le monde de la haute administration de l'Église entretient l'idée qu'il y survient beaucoup plus de turpitudes qu'en réalité. Admettre que des erreurs sont commises, que des divergences existent, que des comportements pas toujours les plus nobles surviennent, semble impossible à nombre de prélats. Le couvercle est sur le chaudron, il ne l'empêche pas de bouillir.

Je regardais la fenêtre éclairée du pape. Mon cardinal surprit mon regard et dit :

— Il travaille. Il ferait mieux d'aller dormir. Je me demande si son sommeil est le même depuis le premier soir de son élection. J'ai peur que non. Ma sympathie instinctive et ancienne pour l'homme se double d'une grande sollicitude depuis que le fardeau lui a été mis sur les épaules. Nous n'avons pas pour notre part à supporter de tels poids, nous pouvons aller nous coucher. Merci pour le dîner. J'aurais aimé connaître l'endroit plus tôt.

Joignant le geste à la parole, mon cardinal se leva avec mon aide : les marches étaient vraiment basses. Nous traversâmes la place dans sa largeur vers la Via Porta Angelica qui lui permettait de rejoindre rapidement son domicile. À mon habitude, après l'avoir salué, je décidai de rentrer à pied en traversant le Tibre et en empruntant le dédale des petites rues qui m'amèneraient au Panthéon.

Vendredi, jardins du Vatican
Choisir un pape

Peu de touristes ou de pèlerins à Rome, qui se ruent en masse à Saint-Pierre et aux musées du Vatican, savent qu'il est possible de visiter les jardins qu'ils contemplent du haut de la coupole de la basilique s'ils ont eu le courage de gravir les trois cent vingt marches qui permettent, après une première étape en ascenseur, d'accéder à la lanterne qui surplombe l'édifice. De fait, cette visite se fait sur réservation. Celle-ci doit être demandée plusieurs jours à l'avance, et peu de visiteurs en prennent la précaution.

Il va sans dire que mon cardinal bénéficiait de facilités particulières et que nous n'eûmes aucun mal à nous retrouver dans les jardins le lendemain, sans avoir eu besoin de faire la queue à un quelconque guichet.

Les jardins occupent une vaste étendue derrière la basilique. Ils sont entretenus avec soin et jouissent d'un calme enviable même s'ils accueillent un certain nombre de bâtiments à l'activité permanente. Le palais du gouvernorat, siège de l'administration du territoire. La gare où arrive l'approvisionnement. La reproduction de la grotte de Lourdes, lieu de prière et de cérémonies. La tour d'où furent diffusées les premières émissions de radio de l'Église. L'Académie pontificale, petit palais de la seconde partie du XVI⁰ siècle qui ne sert que pour quelques sessions plénières et est ouvert au public le reste du temps.

Cet édifice, nommé *La Casina*, surplombe une cour ovale ornée d'un bassin central. Des bancs de pierre courent tout au long des murets qui cernent cet espace tranquille. Selon l'heure de la journée, l'ombre se déplace et offre toujours un endroit où s'asseoir sans être en plein soleil. C'est là que nous nous installâmes. Les oiseaux s'en donnaient à cœur joie dans les branches des arbres de grande hauteur qui se dressent sur les pelouses environnantes. Je branchai mon magnétophone en espérant que leurs chants ne rendraient pas notre conversation trop difficile à retranscrire, et je posai ma première question de la journée.

— La troisième raison qui vous aurait poussé à ne pas voter pour Josef Ratzinger au conclave d'avril, m'avez-vous dit, tient à la nationalité. Vous pensez qu'un Européen ne fait pas l'affaire.

— Non, ce n'est pas ce que j'ai dit. Je pense que Josef Ratzinger « fera l'affaire » comme vous dites avec un peu d'irrespect. C'est un homme vraiment de grande valeur. Il l'a montré en différentes occasions et il le montrera encore. Il fera l'affaire, il en est parfaitement digne, mais il négligera sans doute certains domaines à mes yeux essentiels pour se consacrer à d'autres que je juge secondaires. Non, j'ai simplement dit que je n'aurais pas voté pour lui pour trois raisons.

» Les gens, vous en faites peut-être partie, n'ont pas conscience d'un facteur important dans l'élection d'un pape aujourd'hui. Il y a peu de risques, vraiment très peu de risques, que nous élisions quelqu'un qui ne soit pas de grande valeur. D'abord parce que, même s'il peut toujours se glisser quelques nouveaux cardinaux médiocres dans les promotions décidées par le pape en charge, ceux qui sont reconnus comme *papabili* par le collège des cardinaux, et ils sont beaucoup moins nombreux qu'on le pense, ont eu le temps de prouver leurs compétences, leur fidélité, leur intelligence, leur dévouement. Et, croyez-moi, il en faut...

— De quoi faut-il, Éminence, pour être pape ? Y a-t-il un profil type ?

— Non, pas un profil type. Quand je disais *il en faut*, je songeais au dévouement. Pape est un métier infernal, si vous me permettez cet adjectif incongru à ce propos...

— Pas si incongru, Éminence, si vous me permettez. Dante, dans son enfer, a placé un pape, me semble-t-il.

— Ce pauvre Nicolas III ! Mais ce n'est pas notre sujet. On a trop tendance à regarder l'élection du nouveau pape selon la grille de lecture des élections dans les pays démocratiques. Dans ce système, il faut être candidat, vouloir vraiment le poste. Il faut consentir à se trouver en perpétuelle campagne depuis les premiers mandats locaux jusqu'au mandat suprême. Un cardinal qui voudrait être pape m'apparaîtrait comme particulièrement inconscient et dangereux. Vraiment, comment pourrait-on vouloir devenir pape ? On ne mesure pas à l'extérieur des palais apostoliques ce que cela signifie de l'être. C'est le bagne à vie...

— Bagne doré, ne trouvez-vous pas ?

— J'en conviens, me répondit-il. Doré quant au confort de la vie quotidienne, avec une privation totale de liberté pour rançon. Toujours quelqu'un à votre porte. Toujours quelqu'un pour vous rappeler votre emploi du temps. Toujours cette concentration, le poids de l'Église et de ses malheurs. Le fardeau d'être le destinataire privilégié de la plupart des souffrances du monde. Cet espoir que vous suscitez, cette attente, ce respect qui tourne à l'idolâtrie. Vous n'êtes plus Pierre, Jacques ou Paul, vous devenez une fonction, la plus en vue dans le monde. Vous devenez le pape, et il n'y en a qu'un seul. Et pour que vous compreniez bien dès le début dans quoi vous êtes installé, on n'a rien trouvé mieux que de vous contraindre à changer de nom à peine votre élection acceptée. On vous enlève votre nom, on vous enlève votre vie surtout.

— Vous n'auriez pas voulu être pape, apparemment ? lui demandai-je avec amusement.

— Oh, non, alors. Il n'y avait d'ailleurs pas grand risque ! Regardez-moi ! Tout cardinal que je suis, et tout préfet de congrégation que j'étais, quand je commençais à trouver l'atmosphère du Vatican trop lourde, je m'éclipsais en vêtements discrets pour aller me promener Place d'Espagne, prendre une tasse de thé avec des amis au tea-room qui est au pied de l'escalier qui monte à votre Trinité des Monts et qui se nomme Babington. Je venais tranquillement à L'Eau Vive pour dîner avec des connaissances. Nous allions manger des *carcioffi alla giudia* [1] au restaurant Giggetto dans l'ancien ghetto.

» Un pape ne connaît plus ce simple plaisir d'exister. Non, vouloir être pape serait une folie absolue et apparaîtrait comme une provocation aux yeux du collège cardinalice qui refuserait dans sa large majorité de porter ses suffrages sur le candidat autoproclamé. Me permettez-vous une histoire à ce propos ? Vous l'appelleriez sans doute avec un peu de dédain une anecdote. Je vous rétorquerais qu'elles valent plus, ces anecdotes, que de longs discours.

— Allez-y, je ne saurais vous en empêcher, lui répondis-je avec une feinte résignation.

— Vouloir être pape, disais-je, et le manifester, vous barre la route vers la papauté. Le cardinal Siri brûlait d'envie de succéder à Paul VI pour, disait-il, « remettre de l'ordre dans l'Église ». Si l'italien avait possédé l'équivalent de votre mot français pétaudière, je suis sûr que Siri l'aurait employé pour désigner l'état de l'Église. Il passait beaucoup de temps, en privé et en

_____
1. Jeunes artichauts à l'huile grillés au four.

public, à exprimer toute l'exaspération qu'il ressentait devant les évolutions conciliaires et devant la manière de gouverner de Paul VI. Siri fut barré sans pitié par les cardinaux de bon sens, même ceux qui n'étaient pas loin de partager son jugement sur l'état de l'Église après le concile et sur la personnalité de Paul VI.

— Je vous vois sourire, Éminence, l'interrompis-je. Puis-je connaître la raison de cet amusement ?

— Je souriais ? C'était involontaire mais, à vrai dire, non sans raison. J'étais en train de me rappeler une scène à laquelle j'avais assisté et qui en dit long sur l'importance de la personnalité des papes et des cardinaux. Celle de Jean Paul II et celle du cardinal Siri, en l'occurrence.

— Racontez-moi, le pressai-je.

— Je faisais partie de la suite de Jean Paul II lors de sa visite au stade de Gênes où l'attendaient plus de cent mille jeunes. Une petite fille fut accompagnée sur l'estrade où elle souhaita la bienvenue au pape au nom de tous ses camarades. Jean Paul II, après le compliment, lui prit les mains et l'embrassa sur le front pour la remercier. La petite fille se tourna alors vers Siri qui, comme archevêque du lieu, était juste à côté du pape. Elle se rapprocha de lui en attente d'un autre baiser sur le front. Le cardinal, qui avait raté son élection au conclave précédent, plutôt que de consentir au même geste affectueux que celui du pape, tendit sa main à la petite fille pour lui faire embrasser son anneau cardinalice. L'enfant, déroutée, ne sut que faire. Un voile de tristesse effaça son sourire auparavant lumineux.

— Une papauté Siri n'aurait pas ressemblé à celle de Karol Wojtyla, commentai-je en me disant que l'Église l'avait échappé belle.

— Vous dites bien, me répondit mon cardinal. L'élection de Jean Paul II et ses vingt-sept ans de pontificat ont changé définitivement le style de la papauté.

» Pour en revenir au barrage élevé contre la candidature de Siri à la papauté, on peut dire que, dans le conclave qui vient de se terminer par l'élection de Benoît XVI, un autre cardinal a pâti d'une pareille mésaventure, sans en être le moins du monde responsable. Je veux parler du cardinal belge Godfried Danneels. Adepte du franc-parler, peu avare de ses contacts avec la presse, défendant des positions assez ouvertes que les observateurs qualifieraient de progressistes, Danneels multiplia les prises de position durant les derniers mois du pontificat, si bien que de nombreux organes de presse eurent vite fait de se croire autorisés à titrer : « Le cardinal Danneels se pose en candidat à la succession de Jean Paul II. » Danneels n'aurait de toute façon pas pu être élu, mais ces titres de presse, j'en suis persuadé, lui collèrent une étiquette de candidat qui lui ôta définitivement toute chance.

— Il voulait faire entendre la voix d'une autre orientation ?

— Je crois sincèrement qu'il n'était pas candidat. Il désirait peser sur les choix en poussant des idées de réforme. Il est à la fois trop lucide pour avoir été habité par une ambition personnelle, et trop fin pour l'avoir laissé transparaître si jamais il la nourrissait. Il s'est mis en avant en évoquant courageusement les sujets sensibles, et la presse a été trop heureuse d'en profiter. Il est possible aussi que quelqu'un se soit efforcé en sous-main de faire circuler le bruit que Danneels voulait être pape.

— Vous voulez dire qu'il y aurait eu une manœuvre comme on en voit en politique pour piéger une personnalité encombrante et lui barrer la route lors d'élections ? C'est un peu choquant, non ?

— C'est choquant, et cela fait partie de ces failles qui nous affaiblissent et nous décrédibilisent. Il y eut un précédent à cette histoire. Siri, toujours lui, la veille d'entrer au second conclave de 1978 [1], donna une longue

---

1. Rappelons qu'il y eut deux conclaves en 1978, l'un qui aboutit rapidement à

interview à un quotidien italien avec comme instruction de ne la publier qu'après l'entrée des cardinaux en conclave, afin que ceux-ci ne puissent pas la lire. Vous savez en effet que les journaux ne sont pas distribués au conclave, que la radio, la télévision et le téléphone sont interdits.

» Dans son texte, le cardinal sonnait une charge vigoureuse contre ce qu'il appelait les dérives ayant succédé au concile Vatican II et promettait d'y mettre bon ordre. On prêta au cardinal Benelli, chef de file de ce que nous appellerons par commodité les progressistes, l'influence occulte qui fit publier les propos de Siri à temps pour que tous les cardinaux en aient connaissance avant l'entrée en conclave, ceci afin d'effrayer les plus modérés d'entre eux qui auraient pu se laisser tenter par un vote en faveur de Siri.

» L'ironie de la situation est que, pendant que les chefs de file italiens se neutralisaient, c'est un Polonais qui prenait l'avantage. L'autre ironie est que, fort probablement, l'agenda comme on dit en anglais, c'est-à-dire le plan d'action de Siri avait quelque ressemblance avec celui, vingt-sept ans plus tard, du cardinal Ratzinger qui, lui, je vous l'ai dit, n'était absolument pas candidat.

— Arrêtez-vous un instant, s'il vous plaît, vous me donnez le vertige ! m'exclamai-je. Vous sautez à cloche-pied d'un pontificat à l'autre, vous enjambez vingt-cinq ans d'un coup comme de rien. Vous établissez des corrélations entre des personnes et des situations, pour mieux souligner immédiatement leurs différences. Que cherchez-vous à démontrer ?

— Rien de très spécial. Un souvenir en appelle un autre, une situation met en relief une autre situation, une réflexion en suscite une nouvelle qui la corrige et lui donne une autre perspective. C'est ainsi que se promène

---

l'élection de Jean Paul Ier (le cardinal Luciani) et un second, suite à la mort inattendue de ce dernier, ayant abouti à l'élection de Jean Paul II.

l'Histoire et c'est ainsi que nous nous promenons dans l'Histoire. Et puis, pardonnez-moi, ces anecdotes ont tout de même un sens qu'il n'est pas mauvais de déchiffrer.

— Lequel ?

— Si la pensée de Siri et celle de Ratzinger ont des points de ressemblance sur ce qui s'est passé après le concile, pourquoi l'un n'a-t-il pas été élu et pourquoi l'autre l'a-t-il été ? N'aurait-il pas été préférable, si vraiment ces dérives existent, ce dont je suis loin d'être convaincu, que Siri soit élu en 1978 pour se mettre sérieusement à les corriger, ce à quoi ne s'attela pas Jean Paul II, tant il avait été impliqué dans le déroulement du concile dont il fut l'un des artisans majeurs ?

» Et si ces dérives sont un fantasme de conservateurs inquiets, pourquoi Ratzinger a-t-il été élu, lui qui juge que, dans plusieurs domaines, le concile a été interprété abusivement ? Est-ce seulement parce que d'un côté Siri était candidat et maladroit, ce qui a irrité les électeurs, et que de l'autre Ratzinger n'était pas candidat, ce qui rassurait tout le monde, et qu'il est particulièrement agréable et sympathique ?

— Attendez encore, s'il vous plaît ! Je suis à nouveau pris de vertige. Qu'essayez-vous de me faire comprendre ?

— Simplement que la façon dont chemine et fonctionne l'Église est extrêmement complexe, délicate et mystérieuse.

» Reprenons, voulez-vous, une dernière fois cette histoire de Siri et de Ratzinger et de leurs opinions sur l'après-concile, puis passons à autre chose.

» Depuis dix ans, une affaire a créé une réelle ligne de séparation au sein de l'Église : le concile Vatican II [1] et la manière dont il a été mis en œuvre. Certains jugent que le concile est allé trop loin dans l'ouverture au monde et aux autres religions, dans l'installation de

---

1. Qui s'est tenu de 1962 à 1965.

liturgies plus en accord avec l'esprit du temps. Les mêmes, de plus, soulignent que la mise en œuvre des décisions prises a dépassé les intentions des pères conciliaires.

» À l'opposé, d'autres jugent que le concile a marqué une renaissance de l'Église qui s'était coupée du monde et aurait continué un irrémédiable déclin si elle n'avait pas consenti à cet effort de renouvellement, le fameux *aggiornamento* de Jean XXIII, le pape qui voulut ce concile.

— D'accord, deux camps qui entretiennent un jugement différent sur un événement, des décisions, des politiques. Ce n'est pas très original, si ? Où est le problème ?

— Le problème est dans le temps. Soyez encore un peu patient, si vous le voulez bien. J'accepte votre résumé de la situation, bien qu'un peu simplificateur : deux camps qui portent un jugement différent sur une situation et des politiques à mener. Deux camps, en plus ou moins grand désaccord. Pas n'importe quel désaccord comme vous allez le voir.

» Nous autres catholiques, nous pensons que ce que nous appelons l'Esprit saint est au travail au sein de notre Église, qu'Il la guide et l'inspire. Nous avons érigé l'infaillibilité du pape en dogme. Nous avons attribué aux conciles en union avec le pape une autorité suprême, plus forte que celle du pape. Nous croyons que l'Esprit saint conduit le choix des cardinaux quand ils élisent un nouveau pape... Si vous ajoutez cette notion à cette histoire de concile, vous vous trouvez face à un problème particulièrement ardu.

» Si le concile a mal fait son travail, si l'Esprit saint n'a pas réussi à s'y faire entendre, l'élection du cardinal Siri en 1978, quinze ans après, aurait permis d'apporter les corrections nécessaires. Puisque le cardinal Siri n'a pas été élu, les corrections proposées n'ont pas été réalisées. Ce qui laisse entendre, si on croit que l'Esprit saint était à l'œuvre au conclave de 1978, que ce jugement sur le concile est erroné.

— Dans votre logique de l'Esprit saint, vous dites : puisque Siri n'a pas été élu, c'est que le concile n'avait pas à être corrigé. Donc, tout va bien...

— Tout va bien, jusqu'au moment où les cardinaux, quarante ans après la fin du concile, aujourd'hui, installent sur le trône de Saint-Pierre un cardinal, Ratzinger, qui n'a jamais caché et ne cache pas qu'il estime que certaines interprétations du concile ont créé des dérives graves au sein de l'Église.

— Et alors ? On pourrait avancer l'hypothèse qu'il a fallu beaucoup de temps à l'Église pour se rendre compte de la situation. On pourrait aussi montrer qu'il fallait que la génération de ceux qui avaient fait le concile disparaisse pour qu'une autre génération, moins affectivement impliquée dans cet événement, arrive aux leviers de commande et entreprennent une réforme, ou des réformes.

— Vous avez raison, et c'est en effet ce qui s'est passé. Et cela ne mériterait même pas que l'on en discute si nous nous trouvions dans une société civile, dans des décisions politiques. Une élection présidentielle a lieu en France, tel candidat est élu, les autres ne le sont pas, ils devront attendre l'élection suivante puisque les électeurs n'ont pas voulu d'eux cette fois-là. Vous faites un référendum sur la constitution européenne, vous votez massivement « non », le texte est rejeté, la cause entendue. Circulez, il n'y a rien à voir, comme vous dites, je crois, dans votre langue si imagée.

— Éminence, vous me laissez entendre que dans l'Église, du moins sur ce genre de sujet, on ne peut pas se contenter d'un *circulez il n'y a rien à voir* expéditif.

— Exactement ! Car la différence avec l'Église, c'est ce fameux Esprit saint. Comme nous pensons qu'il conduit l'Église dans ses grandes décisions, nous sommes très gênés de devoir reconnaître les éventuelles contradictions qu'Il n'a su empêcher. Soit le concile a installé des dérives graves, mais alors que faisait l'Esprit saint pendant ces cinq années ? Et pourquoi ne s'est-Il pas manifesté pour – pardonnez-moi, cette nouvelle expression que j'aime tant – rattraper le coup, en permettant l'élection de Siri en 1978 ? Et puisque, de fait, Il n'a pas permis cette élection, pourquoi a-t-Il autorisé ou poussé celle de Ratzinger qui, avec beaucoup plus de subtilité que Siri et nettement plus de sagesse, partage cependant à distance une partie du diagnostic de celui-ci ? Pourquoi l'Esprit saint aurait-il si longtemps attendu ? Quel temps perdu !

— Votre problème, si je comprends le sens de votre longue digression, c'est le rapport entre l'Esprit saint et les décisions que l'Église prend, et dont elle affirme qu'elles sont toujours conduites par Lui, sans pouvoir empêcher que surgissent de sérieuses contradictions. En d'autres termes, vous soulignez la fragilité de l'édifice des décisions de l'Église.

— Exactement.

— Vous, Éminence, pour revenir à des choses plus concrètes, vous pensez quoi de ce concile Vatican II ? A-t-il été la cause ou pas de l'affaiblissement de l'Église dans les pays occidentaux ?

— Je prends votre question au pied de la lettre. Vous m'avez demandé « vous pensez quoi ? » Le problème n'est pas tant de penser quelque chose que d'accepter la réalité. Beaucoup trop de personnes et de membres de l'Église pensent trop à ce sujet sans accepter de se renseigner sur la réalité. Celle-ci est pourtant claire.

» Nous disposons de ce que l'on appelle des enquêtes de terrain pour des pays comme les États-Unis, la France, la Hollande, la Grande-Bretagne, l'Italie, l'Espagne, l'Allemagne. Elles indiquent que Vatican II et ses décisions ont été accueillis dans l'enthousiasme. Elles montrent également que la pratique religieuse s'est accrue dès l'ouverture du concile. En revanche, elles démontrent clairement, ce qui est très gênant pour nous, que cette pratique s'est effondrée après la publication par Paul VI de son encyclique *Humanae Vitae* qui renouvelait l'interdiction de la contraception.

— Vous en concluez qu'expliquer les difficultés de l'Église dans les pays occidentaux du fait de Vatican II et de ses suites est à la fois une erreur de méthode et un refus de la réalité...

— Absolument. Quand je constate que l'enjeu des trois conclaves depuis près de trente ans, nous en parlions il y a quelques minutes, s'est focalisé autour des prétendues dérives de Vatican II et que les clivages au sein de l'Église s'organisent autour de cette même ligne, je m'inquiète pour deux raisons. La première est que cela prouve que nous ne sommes pas capables d'admettre la réalité et que nous préférons nos opinions préconçues. La seconde est que nous affaiblissons l'œuvre de ce concile qui, je vous le rappelle, est la plus haute autorité de l'Église, par des querelles qui ne devraient pas exister puisque leurs motifs sont erronés.

— Pardonnez-moi, Éminence. Il me semble que vous ne poussez pas votre observation jusqu'au bout. Vous auriez pu ajouter que ceux qui prennent Vatican II pour cause de l'affaiblissement de l'Église préfèrent attaquer le concile plutôt que l'encyclique sur la contraception. Concile ou encyclique, ce sont tout de même des événements qui n'ont ni la même importance, ni la même autorité.

— Vous avez d'autant plus raison que cette fameuse encyclique possède une histoire très particulière. Le problème de la contraception devait être traité par le concile lui-même. Le pape retira le sujet de l'ordre du jour pour se le réserver. Il appointa une commission pour l'étudier. La majorité de la commission rendit des conclusions favorables à un élargissement du recours à la contraception. Plusieurs cardinaux de la curie firent le siège de Paul VI pour qu'il ne suive pas l'avis de la commission. Le pape s'inclina.

— Quels enseignements en tirez-vous ?

— Plusieurs. Le premier. Le pape ne faisait pas confiance au concile pour traiter le sujet. Soit parce qu'il craignait une mauvaise décision, soit parce qu'il redoutait de très graves affrontements. Le deuxième. En appointant une commission pour étudier à nouveau le problème, le pape envoyait un message à l'ensemble de l'Église qui signifiait : si nous étudions à nouveau le problème, c'est qu'il y a matière à faire évoluer la position traditionnelle de l'Église. D'où l'immense déception des fidèles quand ils virent l'interdiction renouvelée. Le troisième. Cette décision a marqué le signe visible de la prise d'autonomie de jugement des fidèles occidentaux à l'égard des décisions du magistère. Un grand nombre d'entre eux se sont dit que cette décision manquait particulièrement de fondement et ont élargi leur suspicion à l'égard de l'ensemble des décisions de la hiérarchie ecclésiale.

— Beaucoup de fidèles, Éminence ?

— Vraiment beaucoup. Nous savons que dans les pays mentionnés tout à l'heure environ 90 % des catholiques pratiquants estiment que l'interdiction de la contraception est une décision mauvaise et que 60 % ne s'y conforment pas.

— Vous jugez que l'interdiction de la contraception a eu plus d'influence sur la crise religieuse qui a frappé l'Église depuis trente ans que le concile Vatican II ?

— Je n'ai pas besoin de juger, comme vous dites, il me suffit de constater ce que plusieurs enquêtes de terrain nous enseignent, et d'accepter la réalité qu'elles nous décrivent. Ce que je juge en revanche, et avec tristesse et sévérité, c'est la fragilité de certaines de nos décisions. Cette fragilité, normale, habituelle, banale dans les affaires civiles, est lourde de conséquences dramatiques dans l'Église.

» Notre candidat malheureux de tout à l'heure à son élection présidentielle peut toujours se présenter la fois suivante, et l'emporter, un peu comme votre ancien président qui a dû échouer deux ou trois fois avant de parvenir à ses fins. Ou encore, on pourrait imaginer que dans une dizaine d'années on ressorte un projet de constitution européenne qui serait ratifiée dans l'allégresse générale. Personne ne s'en offusquerait. On dirait que le texte n'était pas au point la fois précédente, que les mentalités n'étaient pas prêtes. Bref, dans les affaires civiles, on peut resservir le plat, et tout le monde n'y voit que du feu.

— Deux de ces expressions que vous aimez tant dans la même phrase, décidément vous pratiquez le français avec jubilation, lui fis-je remarquer.

— Ne m'interrompez pas ou vous me direz encore que je ne suis pas clair…, plaisanta-t-il. Dans les affaires civiles, les contradictions dans les décisions sont monnaie courante et peu traumatisantes. Dans nos affaires d'Église, il en est tout autrement puisque nous les sacralisons par notre conviction que l'Esprit saint, c'est-à-dire l'Esprit de Dieu Lui-même, est à l'œuvre.

» Imaginez ce que signifiera pour nous de revenir officiellement sur cette interdiction de la contraception ! Il nous faudra à la fois ne pas attaquer frontalement la justesse d'une encyclique et trouver un biais pour justifier un changement de position.

— D'où le temps que vous prenez avant de bouger d'un pas. D'où les discussions récurrentes pour faire avancer le dossier, et les oppositions qui, à chaque fois, se conjuguent pour que rien ne bouge ?

— Nous sommes piégés par certaines décisions, mais surtout par le degré de sacralisation que nous leur attribuons. En invoquant l'action de l'Esprit saint, nous voulons fortifier les décisions qui sont prises, alors qu'en fait nous risquons de les fragiliser si, plus tard, apparaissent des contradictions. Or, elles apparaissent, indubitablement, comme l'exemple de cette histoire du concile le démontre, et comme l'illustrent d'autres affaires : le refus d'admettre que la Terre tourne autour du Soleil, le choix de certains papes corrompus, etc.

— D'accord pour les fragilités dues à ces contradictions... Vous me disiez que le problème était aussi dans le temps.

Vendredi, jardins du Vatican
Une autre manière de « faire le pape »

Plus mon interlocuteur avançait dans ses analyses et ses confidences, plus, je m'en rendis compte à ce moment-là, je perdais de ma naïveté. J'avais eu l'habitude de juger sans état d'âme et de façon plutôt entière ce que j'appelais les erreurs de l'Église. Je me rendais compte grâce à mon cardinal que la situation était beaucoup plus complexe que ce que j'imaginais. Tendances diverses et même opposées, difficulté à se mouvoir dans un monde changeant quand le passé, la Tradition, vous attache des boulets aux pieds. Surmédiatisation du pape et du Vatican. Différences de perception et de culture entre les cardinaux des différentes parties du monde. J'étais de plus en plus d'accord avec mon compagnon assis sur ce banc de la cour de l'Académie pontificale des sciences : le métier de pape était le plus difficile au monde !

Je lui reposai ma question à laquelle il n'avait pas répondu, dérangé par un groupe de touristes bruyants qui passait par là.

— Vous me disiez que le problème était aussi dans le temps.

— J'y viens. Lors de notre première rencontre, je vous disais que nous, l'Église, avions un problème avec la durée, que nous n'allions pas aussi vite que le monde qui, lui, s'est mis à aller très vite, que nous paraissions souvent à la traîne. Une des causes de ce phénomène est directement liée à cette fragilité due aux contradictions entre nos décisions. *pile up*

» À partir du moment où nous affirmons que nous sommes conduits par l'Esprit saint dans nos principales décisions, nous entassons celles-ci à travers le temps les unes sur les autres, toutes gardant le même caractère de certitude. Cet entassement se nomme la Tradition, qui est un des arguments majeurs de l'Église pour affirmer son autorité. Notons, sans nous y arrêter, que cette notion de Tradition n'existe pas chez nos frères protestants et que notre recours immodéré à elle leur pose de sérieux problèmes.

» La Tradition est un système, un édifice de décisions, construit dans le temps, qui mémorise, à travers ce temps, l'ensemble de ces décisions, inspirées, je le répète, par l'Esprit même de Dieu. La Tradition est belle et solide, disons-nous, puisque c'est l'Esprit qui l'a constituée.

» Tout va bien donc tant que tout va bien...

— Pardon, l'interrompis-je, surpris par cette tautologie.

— Je veux dire que tout va bien tant que le doute ne surgit pas sur les décisions entassées dans cette Tradition. En revanche, quand ce doute s'installe, il ne frappe pas seulement de plein fouet telle ou telle décision, telle ou telle partie de l'édifice (la Terre autour du Soleil, les Borgia, les décisions d'un concile ou d'une encyclique), il attaque la validité même du concept de Tradition, la certitude que l'Esprit saint est toujours entendu dans l'Église.

» Utilisons la comparaison de l'édifice jusqu'au bout. L'édifice c'est la Tradition, les décisions sont les pierres, le mortier est constitué par l'Esprit saint. Dans la société civile, quand une pierre se révèle défectueuse,

head on (whip)

vous la changez sans état d'âme. Dans l'Église, si trop de
pierres apparaissent au bout d'un certain temps comme
mauvaises, c'est le principe même de la construction qui
est entaché.

— C'est ce que redoutaient les cardinaux, comme
Biffi, auxquels vous faisiez allusion hier, quand ils tentaient de s'opposer aux demandes de pardon décidées par
Jean Paul II, lui dis-je, en l'interrompant, comprenant
enfin à quoi il voulait en venir.

— Exactement, leur raisonnement, pas faux d'un
point de vue politique ou psychologique, était le suivant.
Si nous commençons à reconnaître que nous nous
sommes trompés sur certains points présentés dans le
passé comme inspirés par l'Esprit, nous introduisons le
doute sur l'ensemble de nos décisions, de nos positions,
de nos croyances. Nous risquons d'ouvrir la Boîte de
Pandore et de ne plus pouvoir la refermer.

» Il est significatif que tous les documents officiels
de l'Église prennent la peine de citer un nombre incalculable de textes plus anciens. Il est particulièrement intéressant de lire une encyclique et d'y relever tous les
hommages du pape qui l'écrit à ses prédécesseurs qui
sont tous, selon le jargon, "d'illustre mémoire".
L'objectif de ces citations, qui alourdissent terriblement
les textes au point de les rendre encore plus rébarbatifs
qu'ils ne le seraient s'ils en étaient débarrassés, est de
dire au lecteur : "Nous ne faisons rien de neuf, nous
n'introduisons rien qui n'ait déjà été introduit, nous ne
nous écartons pas de la Tradition."

L'Église et ses responsables redoutent tellement de
traiter des sujets où il leur apparaît normal et judicieux de
contredire des positions anciennes, que, très souvent, ils
renoncent à le faire et laissent la question pendante.

— En d'autres termes, pour recourir à mon tour à
ces expressions familières que vous aimez tant, ils craignaient, ces cardinaux, que les cadavres qui se trouvaient

Cupboard

dans les placards de la Tradition sortent en masse et viennent hanter l'Église.

— Vous y allez un peu fort, mais en gros c'était là
leur crainte.

— Comment se sort-on d'une difficulté de ce
genre ?

— Il y a deux solutions, et nous retrouvons, pour les
expliquer, le début de cette partie de notre discussion.
Première solution, on fait un concile qui vise, sans toutefois utiliser cette expression, car nous savons en imaginer de plus nobles, à sortir les cadavres du placard
– c'était l'intention profonde de Jean XXIII avec son
aggiornamento – et on mène cette œuvre de demande de
pardon initialisée par Jean Paul II. Seconde solution, on
referme la porte sur les cadavres pour les empêcher de
sortir plus longtemps. On met en doute les effets béné-
fiques du concile. On réinstalle la Tradition dans ses
atours de pureté totale. Bref, excusez-moi de me répéter,
on déclare avec aplomb : circulez, il n'y a rien à voir.

— Et vous craignez, si je vous comprends bien,
Éminence, que ce soit la seconde solution qui soit en train
de s'imposer.

— À vrai dire, je le redoute, mais je n'en suis pas si
sûr. Je vous dirai pourquoi plus tard. En revanche, je suis
absolument certain que l'on ne peut pas comprendre ce
qui se passe dans l'Église aujourd'hui sans connaître ces
deux attitudes. Celle qui accepte que les erreurs soient
reconnues par souci d'honnêteté d'abord et par désir de
retrouver de la crédibilité ensuite. Et celle qui craint que
cette purification de la mémoire, comme elle a été
nommée, déstabilise encore plus une Église déjà
fragilisée.

» D'une certaine manière, oui, il y a deux grandes
tendances dans notre Église aujourd'hui, au-delà des clivages classiques sur les sujets secondaires. Il y a de fait
deux grands partis, n'ayons pas peur des mots. Celui qui
veut nettoyer le passé pour aller de l'avant, et celui qui

protège envers et contre tout ce passé par crainte qu'il nous explose au visage, et projette dans toutes les directions les pierres de l'édifice qui se nomme la Tradition et du bâtiment qui se nomme l'Église.

— Vous appartenez à quel parti, Éminence ? lui demandai-je.

— Devinez, me répondit-il avec un large sourire.

Mon cardinal commençait à me devenir sympathique. Son goût affirmé pour les expressions françaises familières cueillies durant sa période parisienne et, semble-t-il, mémorisées avec précaution, rendait parfois notre discussion un peu surréaliste. Nous évoquions des sujets plutôt ardus, en tout cas graves, qu'il résumait brutalement par une formule qui ne ferait pas très sérieux dans un colloque de spécialistes ou dans une réunion de cardinaux, pouvais-je imaginer.

Son recours à des histoires, apparemment éloignées du sujet, me perturbait un peu car je craignais que cette manière de penser ne nuise à la clarté de nos échanges. Ces petits travers, que je devais accepter, et le lecteur de ces mémoires avec moi, étaient finalement de peu d'importance face à la valeur que l'on pouvait accorder à un tel témoignage. Un cardinal, qui accepte de parler et pas seulement de mettre en scène son histoire personnelle, constitue une invitation à laquelle il était difficile de résister très longtemps.

— Vous voulez que je vous parle du conclave, n'est-ce pas ? me questionna-t-il alors, sans autre transition.

— Bien sûr, mais pas tout de suite, lui répondis-je, pas mécontent de le faire patienter à mon tour. Nous n'avons pas évoqué la troisième raison pour laquelle vous n'auriez pas voté pour le cardinal Ratzinger. Vous avez dit que vous auriez donné votre voix à un non-Européen.

— Assurément. Pour une raison simple qui ne devrait pas donner lieu à de longs développements, ce qui est aussi bien car il se fait tard. Les jardins vont bientôt fermer, les vigiles tournent autour de nous avec plus d'insistance, nous indiquant qu'il est temps de faire nos bagages.

— Plier bagage, Éminence, plier bagage, pas faire nos bagages. En revanche, on dit faire sa valise.

— Quel plaisir de parler avec vous ! Vous vous rendez compte de la chance qui m'est donnée de me faire corriger mon français par un écrivain. Je dois vous avouer que mes professeurs dans les cafés de Paris maniaient un langage peut-être un peu imagé.

— En effet, Éminence, je crois l'avoir remarqué. Vous savez, la langue c'est l'homme...

— Oh, comme c'est vrai. Cela me rappelle une histoire que l'on m'a racontée et qui illustre ce que vous venez de dire...

— Pourquoi pas un pape européen, Éminence ? Vous me disiez que répondre à cette question serait assez rapide.

— Comme vous voulez. Je vous obéis et me laisse conduire par vous. Pourquoi pas un pape européen ? Parce que je croyais le moment venu que le pape ne fasse plus le pape comme ils le faisaient depuis si longtemps. J'aime beaucoup cette expression « faire le pape », qui est due à Jean XXIII. Son style débonnaire choquait bon nombre de membres de la curie habitués au port majestueux de son prédécesseur Pie XII.

» Savez-vous que l'aristocrate Pie XII, à l'image de ses immédiats prédécesseurs, ne supportait aucun convive à sa table ? Savez-vous qu'il était un fervent adepte du téléphone qu'il utilisait sans retenue, et que la plupart de ses interlocuteurs, lorsqu'ils reconnaissaient sa voix, une fois le combiné décroché, mettaient un genou à terre par respect ? C'était il y a cinquante ans, hier pour ainsi dire. Le temps met si longtemps à passer et si vite à nous faire oublier.

— Excusez-moi, cette manière de s'agenouiller

quand le pape vous appelle au téléphone montre à l'envi
que nous, je veux dire l'Église, revenons de loin.

— Vous avez parfaitement raison. Je me souviens
que jeune *minutante* [1], j'avais alors une trentaine
d'années, je travaillais sous les ordres de Mgr Del Tron
au Secrétariat des Lettres Latines. Vous savez ce qu'était
le Secrétariat des Lettres Latines ?

— Non.

— Forcément, que je suis bête ! Cela fait si longtemps. Le courrier et les textes du Vatican de cette
époque étaient rédigés en latin. Il fallait des gens qui maî-
trisent cette langue morte pour assurer la traduction et la
relecture de tout ce qui était publié.

— Je comprends mieux maintenant votre goût pour
les langues, et les expressions propres à chacune d'elles.

— Vous avez sans doute raison. Je n'y avais pas
pensé auparavant. Bref, je travaillais un jour à la traduction d'une lettre de Jean XXIII à un chef d'État, je dois
avouer que je ne me souviens plus duquel, quand Giuseppe Del Tron, notre patron, revint tout ému d'une
audience avec le pape. Il nous raconta qu'entrant dans
son bureau il avait, comme il en avait l'habitude chaque
fois qu'il était convoqué par Pie XII, fait les trois génuflexions rituelles, avant de s'agenouiller devant la table
de travail du pape et attendre que celui-ci lui adresse la
parole. Jean XXIII lui dit alors :

— Monseigneur, que faites-vous à genoux ? Vous
n'êtes pas un petit écolier que l'instituteur aurait puni.
Venez, venez, et asseyez-vous en face de moi que nous
puissions travailler.

Giuseppe Del Tron répondit, totalement pris au
dépourvu :

— Mais, très Saint-Père, vous êtes le pape !

Et Jean XXIII de répondre :

— Je le sais, savez-vous, je le sais. Je n'ai pas

---

1. Un *minutante*, mot italien, désigne un fonctionnaire de rang inférieur de la
curie.

besoin que vous me le rappeliez. Je vous en prie, laissez tomber toutes ces cérémonies, car si vous restez à genoux je ne pourrais jamais vous parler comme je le souhaite.

» Eh bien, ce pauvre Mgr Tron n'en revenait pas, comme il n'en revint pas un peu plus tard quand les génuflexions traditionnelles furent réduites de trois à une seule, ce qui paraissait amplement suffisant aux yeux de ce pape, fils de paysan.

» Plus qu'une seule génuflexion quand on entrait chez le pape ! Vous rendez-vous compte de la révolution que cela représentait pour Mgr Tron ? Une seule paraîtrait à vos enfants comme une totale incongruité, ne pensez-vous pas ? Comme vous le dites, nous revenons de loin.

— Nous avons mis du temps.

— Encore l'objectivité me force-t-elle à noter que d'autres ont mis plus longtemps que nous. Un de mes amis me racontait avoir lu que le nouveau roi d'Arabie Saoudite (il est monté sur le trône à quatre-vingt-deux ans !) a décidé que ses sujets ne lui baiseraient dorénavant plus les mains, expliquant sa décision en déclarant : « C'est un geste que toute âme libre refuse, c'est contraire à l'islam qui prévoit que l'on ne s'abaisse que devant Dieu. » Eh bien, nous, nous avons continué à nous abaisser longtemps devant le pape, au prétexte que nous le nommons vicaire du Christ sur la terre.

— Que disions-nous avant de faire la connaissance du Secrétaire aux Lettres Latines à genoux devant Jean XXIII ? lui demandai-je pour le ramener au sujet.

— J'évoquais, je crois, l'hypothèse selon laquelle un pape non européen aurait fait le pape d'une manière différente de celle dont nous avons l'habitude depuis des siècles. Et je vous disais que cette expression « faire le pape » était due à Jean XXIII qui, sous ses apparences de bon vivant adepte de la bonne chère, possédait une intelligence acérée.

» C'est à son secrétaire Capovilla qu'il déclara un jour : "Ils n'aiment pas la façon dont je fais le pape", à moins qu'il n'ait dit, Capovilla n'était pas toujours fiable quand il nous racontait certains de ses entretiens avec Jean XXIII : "Ils veulent me contraindre à faire le pape à leur manière." Les "ils", c'était bien entendu les membres de la curie.

» Pour répondre directement à votre question, je dirai que, depuis des siècles, la manière dont les papes ont fait le pape est italienne. L'élection de Jean Paul II a marqué la rupture avec cette façon de faire, en introduisant la version polonaise. Malgré la forte personnalité de cette variante, il s'agit toujours d'une manière de faire européenne.

— C'est quoi faire le pape à la manière européenne ? demandai-je, un peu inquiet du flou de ce concept.

— C'est faire des lois sans arrêt, c'est tenter de contraindre la vie dans le cadre des textes, c'est centraliser à outrance par crainte des dérives – toujours cette crainte des dérives qui nous paralyse. C'est se comporter en monarque, bienveillant dans le meilleur des cas, autoritaire dans le pire. Bref, c'est être romain avant toute chose, et redonner vie dans les temps modernes au système d'un empire qui, à force de dépendre d'une seule tête, s'est effondré par sa périphérie. C'est sacraliser à outrance l'autorité, imposer aux émotions et à leurs expressions le carcan du liturgiquement correct, brider la spontanéité car elle serait dangereuse. Bref, c'est vouloir maîtriser, maîtriser encore, maîtriser toujours, et contrôler en permanence...

— Et encore ? demandai-je, me doutant qu'il faudrait peu pour le pousser à continuer dans cette voie.

— C'est ne pas savoir faire confiance, c'est craindre de ne pas bien faire. Et c'est aussi imposer un mode de pensée particulier qui vient des Grecs, passe par votre Descartes, prend une petite teinte de Marx, bien malgré nous à vrai dire, se nimbe d'un soupçon de Freud, encore plus malgré nous. Cela aboutit à constituer cette romanité que l'on enseigne à l'Académie pontificale qui forme nos nonces et que l'on pratique avec délectation à la curie avec un regard amusé pour tous ces évêques du reste du monde qui n'ont décidément aucune chance d'acquérir cette touche particulière.

» C'était d'ailleurs l'opinion de la curie sur Jean XXIII et, plus tard, sur Jean Paul Ier. Le premier tranchait tellement par son style avec son prédécesseur, l'aristocratique Pie XII, que la curie ne fut pas loin du dédain à son égard. Le second, lui aussi archevêque de Venise avant d'être élu pape, eut à souffrir de la distance hautaine que lui témoigna le secrétaire d'État de l'époque, votre compatriote le cardinal Villot. Il avait suffi à celui-ci de jeter un coup d'œil sur un recueil de Lettres[1] écrites par Albino Luciani à des personnages de l'Histoire, y compris imaginaires comme Pinocchio, et d'avoir entendu le pape déclarer que Dieu était aussi une mère pour les hommes, pour qu'il l'ait rangé sans autre forme de procès dans la catégorie non plus cette fois des paysans, mais des montagnards plutôt frustes.

— Les cardinaux ont élu un Européen, du centre de l'Europe, puisque Benoît XVI est allemand.

— Là encore, ils m'ont donné tort. En fait, j'ai su très vite que mon option ne l'emporterait pas. Deux éléments y ont contribué. Le premier fut une déclaration de mon ami Francis Arinze, le cardinal à la tête de la congrégation pour les Sacrements et le Culte Divin, de nationalité nigériane, et présent dans la liste très courte des *papabili* dans les mois précédant le conclave. Peu de jours avant l'ouverture du conclave, il fit cette déclaration qui en dit long sur l'état d'esprit de mes frères cardinaux. Je le cite : « Je ne crois pas que les cardinaux

---

1. Alors à Venise, le cardinal Luciani avait publié un livre intitulé *Illustrissimi*, qui regroupait des chroniques familières.

européens soient déjà disposés à accepter un cardinal d'origine africaine.» Les cardinaux européens dépassaient au conclave la majorité des électeurs. En rendant publique son opinion, Francis Arinze fermait la porte à un pape africain.

— Le second événement ?

— Tout simplement que les Africains ne voulaient pas d'un Américain du Sud, que les Américains du Sud ne voulaient pas d'un Africain, et qu'il n'était pas question de choisir le pape dans la superpuissance mondiale, les États-Unis d'Amérique. Un pape européen présentait le moindre risque. Il correspondait bien à la définition du plus petit commun dénominateur. Je crois que ce n'est que partie remise : le dynamisme de l'Église a quitté l'Occident. Le prochain conclave devra en tenir compte.

» Arrêtons-nous là. Il nous faut vraiment quitter les jardins. Nous continuerons demain si vous le voulez bien. Je me sens d'ailleurs un peu las. Je n'imaginais pas que nos conversations seraient aussi prenantes et, finalement, aussi fatigantes.

En effet, mon cardinal avait les traits plus tirés qu'à notre arrivée. Je sentais moi aussi la fatigue provoquée par l'attention soutenue rendue nécessaire par nos échanges. La forme de pensée de mon interlocuteur me forçait à une vigilance de tous les instants. Il me fallait le laisser libre de suivre ses associations de souvenirs. Il me fallait aussi le ramener souvent à un élément qu'il avait soulevé puis abandonné, conduit par une autre idée.

Nous sortîmes par l'Arc des Cloches, sur le côté gauche de la façade de la basilique. Nous nous séparâmes au pied de l'obélisque. Il partit à gauche vers le Borgo Pio.

Le temps était beau, la température agréable. Je décidai de tenter ma chance. Je remontai les marches qui conduisent du niveau bas de la place Saint-Pierre à l'entrée de la basilique. Il n'y avait pas de barrières ce jour-là pour délimiter des zones où se massent fidèles et touristes les jours de cérémonies. L'estrade d'où officiait généralement le pape dans ces circonstances était démontée, si bien que les degrés qui montaient en pente douce étaient libres. Je m'assis tout en haut et attendis patiemment.

Ce que j'espérais survint une demi-heure plus tard, et ce fut un spectacle enchanteur. Des nuées de martinets apparurent au bout de la Via della Conciliazione vers le Tibre. Ils remontèrent en rangs serrés jusqu'au-dessus de l'obélisque pour se séparer en différentes escadrilles vers la gauche et vers la droite, planant au-dessus des terrasses qui surmontent les colonnades du Bernin, passant entre les statues et les gargouilles qui bordent ces terrasses.

À vrai dire, je n'étais pas sûr que ce soient des martinets, mais mon ignorance en matière d'oiseaux ne m'empêchait pas de profiter du spectacle qui, sans être rare, ne survenait pas chaque soir.

Le ballet des petits volatiles dura près d'une heure et je ne m'en lassai pas. Le soleil commençait à baisser, le ciel toujours bleu, plus pâle, accueillait quelques nuages légers qui s'habillaient de rose clair avant de devenir plus sombres au fur et à mesure que l'obscurité s'installait. Les martinets, si martinets il y avait, multipliaient les figures aériennes dans le ciel, se groupant et se séparant, toujours en bandes d'une bonne centaine. L'atmosphère était si pure qu'il était possible de distinguer chacun des oiseaux, queue et ailes se dessinant nettement. Leurs mouvements, parfaitement coordonnés, les conduisaient d'un endroit à l'autre de la place, les faisaient repartir en survolant les immeubles massifs de la Via della Conciliazione. Ils se regroupaient sans doute au-dessus du Tibre, ou plus loin encore, il m'était difficile de le voir. Et ils revenaient en vol gracieux, dessinant d'amples sinusoïdes horizontales, pour toujours se séparer au-dessus de l'obélisque.

J'étais fasciné comme toujours par cette sorte de

meeting aérien dénué de tout bruit. Il faisait partie de ces moments rares qui me permettaient de croire à une certaine harmonie du monde.

Les oiseaux firent un dernier passage en vagues successives, puis disparurent. Pour où ? Je l'ignorais. J'attendis encore un peu au cas où ils tenteraient une nouvelle et dernière figure, mais en vain. Je me levai, descendis doucement les marches, empruntai comme la veille la Via della Conciliazione, traversai le pont et me dirigeai vers mon hôtel.

Samedi, appartement du cardinal
Le conclave de 2005

— Vous saviez donc, avant l'entrée en conclave, que le nouveau pape ne serait pas un Africain ou un Américain, ou un Asiatique.

Ma remarque avait pour but de lui rappeler la fin de la conversation de la veille. Elle fut la première de ce dernier entretien à Rome. Il me fallait revenir à Paris où d'autres obligations m'attendaient. Peu de temps nous restait. La fatigue visible de mon cardinal la veille au soir dans les jardins du Vatican nous avait contraints à arrêter notre conversation au moment que j'attendais depuis le début de la semaine. Celui où il me parlerait du déroulement du conclave.

Mon cardinal n'avait pas voulu sortir de chez lui. Il m'avait demandé de le retrouver dans le petit appartement mis à sa disposition près du Borgo Pio depuis son entrée en fonction à la tête de sa congrégation. On le lui avait laissé après sa retraite officielle. Il n'y vivait que peu de temps chaque année comme je l'appris plus tard lorsqu'il commença à me parler de ses nouvelles occupations.

Nous étions dans son bureau, de chaque côté de sa table de travail. La pièce n'avait rien d'imposant.

Quelques photos sur les rayonnages devant les livres. Un fauteuil de bureau moderne à roulette. Une tablette avec son ordinateur portable. Seule, la table de travail était remarquable : un long plateau étroit de bois sombre ciré, sur des pieds droits. Sans doute une table de réfectoire monastique récupérée.

Nous avions chacun une tasse à portée de main. Il m'avait proposé du thé. J'avais accepté. Il avait rempli une bouilloire. J'avais choisi des feuilles de thé fumé dans une boîte de chez Babington. Nous étions prêts à évoquer le conclave.

— Nous savions tous que le nouveau pape ne serait ni un Asiatique, ni un Africain, ni un Américain. Et nous savions d'autres choses encore…

— Excusez-moi de vous interrompre, Éminence. Êtes-vous en train de me dire, sans me le dire clairement, qu'avant le conclave vous saviez déjà qui allait être élu ?

— En effet, je le savais, nous étions nombreux à le savoir. Et c'est même pour cela que j'attendais avec sérénité la question qui devait, à vos yeux, établir ma sincérité et mon engagement à vous dire la vérité dans nos entretiens. Cette question à laquelle il m'est si facile de répondre : « Qu'est-ce qui s'est passé au conclave ? »

— Oui, Éminence, que s'est-il passé au conclave ?

— La réponse est simple et tient en un seul mot : « Rien. » Il ne s'est rien passé au conclave, et cela m'arrange bigrement en ce qui concerne notre entretien et notre livre. Comme vous le savez, les cardinaux électeurs prêtent serment de ne rien révéler du déroulement du conclave sous peine d'excommunication. J'ai beau, n'ayant pas été électeur, ce qui m'a beaucoup attristé, je dois vous l'avouer, j'ai beau ne pas avoir prêté ce serment, j'aurais été profondément gêné de devoir vous rapporter les confidences reçues de certains de mes amis électeurs. Vous savez peut-être que beaucoup de cardinaux, pour panser les plaies d'amour-propre de leurs frères trop âgés pour les avoir accompagnés au conclave, se laissent aller à quelques confidences à leur endroit une fois l'élection terminée.

» Il ne s'est rien passé de notable, de nouveau, de passionnant au conclave, car tout s'est passé avant. Et, là, j'y étais, et pour cette période d'avant-conclave, il n'y a pas de serment. D'où ma parfaite décontraction à vous voir venir avec, pardonnez à la fois cette nouvelle expression et mon ironie amicale, avec vos gros sabots.

L'expression était en bon français, je n'avais pas le recours de la corriger pour essayer de reprendre le dessus dans cette joute verbale. Je me tus. Il avait marqué un point, il le savait et s'en amusait avec gentillesse.

— D'accord, dis-je. Alors que s'est-il passé avant le conclave ?

— C'est pendant la période qui a séparé le décès de Jean Paul II et l'entrée en conclave que tout a basculé. J'ai été le témoin intéressé et un peu perplexe d'un processus assez passionnant, celui qui pousse un nombre relativement important d'hommes, représentant un nombre considérable de nations, unis par une même foi, à s'accorder bon gré mal gré sur le choix de celui qui doit les diriger, eux et l'Église tout entière – c'est-à-dire tout de même plus d'un milliard d'hommes – pendant les années suivantes.

— Quel processus, Éminence ?

— La peur, cher ami, la crainte, l'inquiétude, quel que soit le mot que vous pouvez employer, plus ou moins fort, pour désigner ce qui a fait tout basculer.

— Racontez, s'il vous plaît.

— Le point de départ est assez simple, on l'a oublié. Cela faisait des mois et des mois que, nous, les cardinaux, nous nous attendions au décès de Jean Paul II. Forcément, nous nous préparions à entrer en conclave. Nous avions beau botter en touche – c'est ce que vous diriez en français, je pense – quand nous étions interrogés sur la succession et refuser de l'évoquer, nous ne cessions d'y penser, d'y penser encore, et de nous demander lesquels d'entre nous pouvaient être choisis.

» La seule interrogation était celle de savoir si le pape aurait le temps avant sa mort de créer de nouveaux cardinaux, ce qui aurait élargi le champ des candidats. Le dernier consistoire [1] en 2003 avait porté le nombre des cardinaux électeurs au-delà du seuil normal qui est, je vous le rappelle, de cent vingt. Certains, comme moi, se rapprochaient de leurs quatre-vingts ans, d'autres mourraient. Très logiquement, il y aurait de la place pour de nouveaux cardinaux vers la fin de l'année 2005.

» Ce consistoire n'eut pas lieu, même si nous savions que des membres de l'entourage direct du pape auraient aimé que celui-ci ait la force de le tenir. Plus nous voyions la santé du Saint-Père se dégrader, plus nous étions assurés que le nouveau pape serait choisi parmi les cardinaux du moment, sans qu'une nouvelle promotion vienne en renforcer le nombre.

— Vous vous prépariez, voulus-je souligner. Vous vous prépariez dans la discrétion, mais vous vous prépariez.

— Bien sûr. Inévitablement. Pendant toute cette période, en gros de deux ans et demi, de manière formelle ou de manière informelle, nous menions une réflexion assez rationnelle sur les besoins de l'Église, sur les défis qui se posaient à elle, sur les personnalités qui semblaient les plus capables de faire face à ces défis. Nous nous interrogions sur l'âge, et nous pensions à une très large majorité qu'il nous fallait un pape ni trop jeune ni trop âgé : soixante-dix ans nous paraissant la moyenne haute.

» Nous évoquions la possibilité d'un pape d'Amérique latine aux racines européennes. Et nous pensions au cardinal Bergoglio dont je vous ai parlé l'autre jour et

---

1. Le consistoire est une réunion publique des cardinaux au cours de laquelle le pape crée de nouveaux cardinaux ou annonce des canonisations.

dont l'ascendance est italienne. Ou au cardinal Hummes de São Paulo qui est d'ascendance allemande. L'avantage de ces deux cardinaux était que leur origine et leur culture permettaient une sorte de transition entre l'Europe et l'Amérique latine. Contrairement à ce que l'on a dit, les noms des cardinaux Maradiaga et Cipriani [1], si opposés l'un à l'autre dans le style et les options, n'étaient pas tellement cités : trop jeunes et trop marqués !

» Nous ne croyions pas en général aux chances d'un cardinal africain. Restait un retour aux Italiens. Le cardinal Tettamanzi, archevêque de Milan, était considéré par certains, qu'il me pardonne, comme manquant *scope* d'envergure intellectuelle. Scola, de Venise, nous sem- *célibre* blait un peu jeune. Je vous ai dit que la maladie de Carlo Martini le mettait hors course. Nous pensions que nous avions besoin d'un pontificat assez court qui servirait à assimiler l'héritage de Jean Paul II : vingt-sept ans, c'est beaucoup d'initiatives et de décisions, surtout quand ce sont vingt-sept ans d'un tel pape !

— Vous ne citez aucun cardinal de la curie dans votre liste des *papabili*.

— Non, nous pensions qu'aucun de nous ne réussirait à réunir assez de suffrages. Nous jugions que les cardinaux des diocèses, représentant trois quarts du collège des électeurs, manifesteraient leur désir d'un pape ayant une expérience importante de pasteur. Nous pensions alors, si ce devait être un Italien, au cardinal Antonelli, de Florence, peu connu de la presse, doué d'un véritable charisme et d'un équilibre de pensée assez rare.

— En général, l'idée des cardinaux tournait autour de trois ou quatre noms, si je comprends bien.

— Guère plus. Les plus hardis d'entre nous écha-

---

1. Le premier, le cardinal Maradiaga, est archevêque de Tegucigalpa au Honduras, réputé pour son ouverture. Le second, Juan Luis Cipriani, est archevêque de Lima au Pérou, membre de l'Opus Dei.

faudaient même le déroulement du conclave. Deux ou trois tours de vote focalisés d'un côté autour du cardinal Ratzinger, et de l'autre autour du cardinal Martini. Puis, la constatation que ni l'un ni l'autre ne seraient capables d'atteindre rapidement les deux tiers des voix, et donc le report vers un cardinal moins typé. Je pensais, personnellement, très fort à Ennio Antonelli, dont l'âge, soixante-huit ans, convenait, dont la réputation pastorale était enviable, qui avait de très bonnes relations avec nous autres à la curie sans faire partie de notre sérail, solide théologiquement, et en même temps favorable à un engagement plus marqué de l'Église dans le domaine social.

— Le cardinal Ratzinger était dans les *papabili* ?

— À ce moment-là, non. Nous le voyions plutôt comme un fédérateur de majorité, ce que les Anglo-Saxons appellent un *king-maker*, un faiseur de rois. Sans doute étions-nous trop influencés par le déroulement du conclave de 1978 qui avait abouti à l'élection du cardinal Wojtyla et dont le déroulement avait été un modèle du genre. Regroupement dans les trois premiers tours autour de personnalités emblématiques. Siri comme représentant de la tendance prônant une sorte de restauration. Benelli, ancien bras droit de Paul VI, devenu archevêque de Florence et fait cardinal dans le but de lui donner une chance de lui succéder, comme représentant de la tendance voulant poursuivre et amplifier les perspectives du concile. L'un comme l'autre s'étaient rendus désagréables à beaucoup, pour des raisons d'ailleurs différentes. Siri pour son manque de finesse et, je vous l'ai raconté, sa posture de candidat déclaré. Benelli pour son autorité cassante quand il travaillait à la curie. Une fois que les camps furent marqués et que les deux personnalités qui les incarnaient eurent démontré leur incapacité à recueillir les deux tiers des voix, les cardinaux d'alors ne s'entêtèrent pas et cherchèrent un équilibre dans la personne du cardinal polonais.

— Visiblement, le scénario de 2005 n'a pas suivi celui de 1978.

— Non. D'une part, Carlo Martini, âgé et malade, et d'une certaine façon marqué. De l'autre, Josef Ratzinger, âgé pareillement, membre de la curie, et marqué lui aussi. D'ailleurs, je vous l'ai dit, ni l'un ni l'autre ne pensaient pouvoir être élus. Martini avait dit à certains d'entre nous que sa maladie rendait l'éventualité impossible. Ratzinger avait commencé à organiser le déménagement de sa bibliothèque vers sa Bavière natale. Il avait déjà donné trois fois sa démission au Saint-Père, ce qui est normal puisqu'il avait dépassé l'âge de la retraite des évêques. Il espérait que le nouveau pape élu lui donnerait rapidement son quitus.

— Quand vous vous reportez aux mois précédant le décès de Jean Paul II, vous prévoyez un conclave assez classique. Vous voyez quelques noms susceptibles d'être retenus et vous en éliminez d'autres assez facilement. Quelque chose a rendu votre prévision erronée.

— J'ai cru pourtant à mon scénario assez longtemps. Pour vous donner une illustration de la manière dont je construisais mon raisonnement, j'évoquerai l'intervention de Ratzinger aux cérémonies de Vendredi saint à Rome. Nous sommes le 25 mars, Jean Paul II est dans l'incapacité de participer aux cérémonies. Il mourra le samedi 2 avril, huit jours plus tard. Le cardinal Ratzinger le remplace pour le Chemin de Croix. Et, soudain, au cours de son homélie, je sursaute violemment quand je l'entends dire : « Seigneur, souvent ton Église nous paraît comme une barque en train de sombrer, une barque qui fait eau de toutes parts. » Puis, nouvelle secousse : « Les habits et le visage tellement sales de ton Église nous plongent dans le désarroi. Mais c'est nous qui l'avons salie… Mais c'est nous qui te trahissons chaque fois, malgré toutes nos grandes paroles et nos grands gestes ! »

» Le ton tranchait du tout au tout avec les précautions d'usage dans une cérémonie publique. Il était extraordinairement offensif de la part d'un dirigeant de l'Église, presque agressif, d'une brutalité jamais vue. En tout cas, il n'était pas celui d'un candidat voulant rassembler près de quatre-vingts voix.

— Vous en avez tiré une conclusion claire ?

— Je me suis dit que Josef Ratzinger, décidément, n'était pas candidat et qu'il s'installait dans une posture de témoin, de rassembleur d'une tendance du Sacré Collège, pour peser dans l'élection au profit d'un autre. Et je me demandais, pardonnez encore une fois cette expression des cafés de votre Quartier latin, je me demandais : « Pour qui roule-t-il, qui a-t-il en vue ? » J'y vis la confirmation du scénario que nous étions nombreux à envisager, celui que je viens d'évoquer, le scénario de 1978.

— Qu'est-ce qui va vous faire changer d'avis ?

— La messe de funérailles qu'il présida et à laquelle, avec tous les cardinaux présents à Rome, je participai. Souvenez-vous du spectacle. Nous tous en ligne en haut des marches. L'autel, le cercueil avec les pages d'un Évangile posé sur celui-ci qui volent au vent. Ce parterre de chefs d'État. Et là, je sens physiquement monter l'inquiétude et même l'angoisse parmi mes frères cardinaux, comme s'ils découvraient soudain à ce moment combien il allait être difficile de remplacer cet homme venu de Pologne dont la vie avait déplacé de si grandes foules et dont la mort avait fait accourir tant d'hommes et de femmes qui gouvernent le monde !

— Vous sentez vraiment l'inquiétude qui monte ?

— Oh, oui, et j'en aurai confirmation très vite après la cérémonie quand nous parlerons avec certains des cardinaux. Cela sera palpable dès le lendemain, lors de la congrégation [1], une fois les chefs d'État revenus chez eux.

---

1. Rappel : le terme congrégation a trois significations. La première : il désigne les ministères du Vatican. La deuxième : il désigne les réunions des cardinaux, y compris ceux âgés de plus de quatre-vingts ans, pendant la vacance du siège,

— Cette présence de tant de chefs d'État constituait une démonstration de puissance exceptionnelle de la part de l'Église. On n'imagine guère une autre religion capable de réunir autant de responsables politiques pour la mort de son dirigeant, observai-je.

— Démonstration de puissance en effet. Voyages en masse des anonymes, aussi, venus se recueillir trois secondes sur la dépouille du pape décédé. Nous savions bien que le Saint-Père était une personnalité comme on n'en voit guère. Soudain nous prenions conscience, du moins un grand nombre d'entre nous semblait prendre conscience, que succéder à ce pape-là ne serait pas une mince affaire.

— Vous vous êtes repris en paraissant vous exclure de ceux qui prenaient conscience de ce phénomène, pourtant assez évident pour la plupart des observateurs.

— Je n'ai pas été impressionné par cette démonstration de puissance, car je ne crois pas que la meilleure image que l'Église peut donner d'elle-même soit sa capacité à ranger en ordre alphabétique dans une tribune un grand nombre de chefs d'État et de gouvernement, désireux de rendre hommage au pape. Ce qui m'intéresse ici, c'est la réaction de mes confrères. D'un seul coup, ils sont passés de la recherche rationnelle du meilleur candidat qui puisse conduire l'Église à travers les obstacles qu'elle rencontre aujourd'hui, à une autre question beaucoup plus simple, voire simpliste : « Qui est capable de tenir après un tel pape ? » Je dis bien « tenir », dans le sens de « tenir bon », « ne pas se sentir écrasé par la tâche », « inspirer un respect assez fort ».

» C'est ce jour-là, durant la messe, que tout est balayé : les analyses subtiles, les pondérations de critères, le choix d'une nationalité, la question de l'âge, le pro-

---

avant l'entrée en conclave. Ici, mon cardinal fait allusion à cette deuxième signification. La troisième : il désigne un ordre religieux créé après les grands ordres du Moyen Âge.

blème de l'expérience pastorale sur le terrain. Tout disparaît d'un seul coup au profit de la réponse à cette seule question : qui a les épaules assez solides et suffisamment d'autorité pour succéder à ce géant que nous sommes en train de mettre en terre ?

— Et la réponse à cette question, c'est : le cardinal Ratzinger.

— Immédiatement et sans le moindre doute pour un grand nombre de cardinaux. Je ne dis pas tous, loin de là, mais suffisamment d'entre eux pour que se dessine immédiatement la possibilité d'une majorité. Surtout que deux facteurs, moins importants, se conjuguent pour faire de Josef Ratzinger le plus en vue des candidats.

— Lesquels ?

— Le premier. Nous sommes conscients que nous sommes divisés sur de nombreux sujets qui concernent l'Église. L'influence de l'Europe, en diminuant, laisse surgir d'autres visions du fonctionnement de l'Église. Le modèle européen de gouvernement a de plus en plus de mal à s'imposer. Du coup, apparaissent un grand nombre de particularismes qui, jusque-là, n'avaient pas l'occasion de s'exprimer ou n'osaient pas le faire. La personnalité de Jean Paul II, le respect qu'il inspirait étaient si forts que ses larges épaules parvenaient à masquer un état de l'Église beaucoup plus problématique que ne le laissait percevoir le succès de ses meetings populaires. Derrière l'autorité reconnue de Jean Paul II se cachaient depuis plusieurs années des divisions dont nous prenons conscience lors de nos entretiens.

» Le second. Le cardinal Ratzinger était connu de tous, le plus connu de tous les cardinaux. Un homme qui savait les recevoir, capable de les appeler par leur nom, ce que le Saint-Père ne parvenait pas à faire. Il a bénéficié d'une sorte de prime accordée spontanément au plus connu. Aucun autre cardinal, *papabile* sérieux, ne bénéficiait d'un tel atout.

— Êtes-vous en train de me dire que le cardinal

Ratzinger était un candidat par raccroc ? Il aurait été élu selon vous parce qu'il aurait été le plus connu, le plus sérieux peut-être ?

— Je ne dirais pas candidat par raccroc. Plutôt candidat par défaut. Personne d'autre, soudain, ne fut plus crédité de la possibilité d'être pape. Comme s'il n'y avait plus eu soudain d'autres candidats envisageables ! L'inquiétude des cardinaux était tellement forte qu'ils se rallièrent à celui qu'ils connaissaient le mieux, quels que fussent les inconvénients de sa candidature.

— Vous ne partagez pas cette opinion, à l'évidence. Vous pensez que d'autres candidats étaient possibles, peut-être même souhaitables.

— Je me disais que l'irrationnel avait envahi le processus d'élection. Et je me disais aussi que mes frères cardinaux s'apprêtaient à jouer un très mauvais tour au préfet de la Congrégation pour la Doctrine de la Foi.

— Comment cela, un mauvais tour ? interrogeai-je.

— Un mauvais tour évident. Que dites-vous à un pape que vous allez élire et qui a déjà atteint l'âge de soixante-dix-huit ans ?

— Euh, je ne sais pas… Que lui ont-ils dit ?

— Vous ne me comprenez pas. Ils ne lui ont rien dit de façon explicite, mais ils lui ont fait passer un message très clair.

— Lequel ?

— Tout simplement qu'ils le choisissaient en ayant conscience que sa papauté ne durerait pas très long-temps, vu son âge. Ce qui signifie qu'ils ne lui demandaient pas de mener de vastes opérations, de conduire de grands projets, simplement d'assurer la continuité, le temps de calmer leurs angoisses, le temps qu'ils sachent un peu mieux où ils en étaient, ce qu'ils désiraient vraiment.

— Vous n'allez tout de même pas prétendre que le cardinal Ratzinger a été choisi comme un bouche-trou, m'exclamai-je. J'imagine mal un cardinal penser ou parler ainsi.

— Et vous avez raison, me répondit-il avec autant de vivacité que j'en avais mis dans ma réaction. Je ne pense pas du tout qu'il a été choisi comme bouche-trou. Il est d'une envergure supérieure à ce rôle. Non, je dis seulement qu'à un moment mes frères cardinaux, la majorité d'entre eux, n'ont plus su à quel saint se vouer, vers quel candidat se tourner.

— L'option Ratzinger à ce moment-là se répand comme une traînée de poudre parmi vous et apparaît irrésistible.

— Exactement. Mes frères cardinaux électeurs vont passer par-dessus tous les inconvénients que peut posséder notre préfet de la Congrégation pour la Doctrine de la Foi et que j'ai déjà évoqués. Son âge, son manque d'expérience pastorale, sa nationalité, sa spécialité, son appartenance à la curie, sa réputation d'inflexibilité... Pour moi, les jeux sont faits. Je m'attends à un conclave court, il le sera.

— Vous m'avez dit que des récits de son déroulement ont transpiré et qu'ils donnent un bon reflet de ce qui s'est exactement passé.

— Au premier scrutin, le 18 avril dans la soirée, Josef Ratzinger obtint quarante-cinq ou quarante-sept voix, selon les témoignages. Arrivaient derrière lui Carlo Martini et Jorge Bergoglio avec une dizaine de voix chacun. Après, c'était une dissémination des voix, notamment sur des Italiens. Dissémination qui fit voler en éclats la crédibilité des listes de *papabili* publiées dans la presse les mois et semaine précédents : Daneels, Dias [1], Scola, Arinze, Maradiaga n'ont jamais été des candidats de poids.

» L'enseignement du premier tour du lundi soir était lumineux et double. D'abord, les progressistes (donnons-

---

1. Archevêque de Bombay.

leur ce nom pour faire simple) savaient que Martini était dans l'incapacité d'accepter une éventuelle élection au trône de Saint-Pierre et décidaient de ne pas voter pour lui pour éviter un vote inutile, ce qui expliquait son petit nombre de suffrages. Ensuite, Ratzinger était le seul à bénéficier du soutien d'un groupe organisé.

— Premier tour, donc.

— Après ce premier tour, un observateur naïf et entêté pouvait encore croire que les quarante-cinq voix pour Josef Ratzinger étaient simplement l'expression d'un rassemblement idéologique. Le lendemain, une telle erreur n'était plus possible, notre futur pape recueillait soixante-cinq voix. Carlo Martini n'était plus dans la course. En revanche, le cardinal Bergoglio, de Buenos Aires, faisait une percée significative avec trente-cinq votes. Ce point est à garder en mémoire pour le futur, au cas où le pontificat de Benoît XVI ne durerait pas long-temps. En effet, Jose Mario Bergoglio n'a que soixante-huit ans. Les voix qu'il recueillit dans ce deuxième tour révélaient que beaucoup de ceux qui avaient voté pour Carlo Martini le considéraient comme partageant les vues de ce dernier et à même d'incarner une sorte de relève de ce courant de pensée au sein de l'Église.

— Au deuxième tour, calculai-je, le cardinal Ratzinger possédait déjà près de deux fois plus de voix que son plus proche concurrent.

— Exactement. Du coup, chacun pensait que le troisième tour allait suffire. Contrairement à ce pronostic, Ratzinger manqua l'élection de cinq voix, à soixante-douze. Bergoglio en obtint 40.

» Il est très important de comprendre ces chiffres car l'arithmétique pouvait bloquer l'élection de Ratzinger. En effet, si les quarante voix de Bergoglio s'étaient main-tenues dans les tours suivants, Ratzinger n'aurait pas pu obtenir la majorité des deux tiers requise pendant les trente-trois premiers tours de scrutin[1]. Le conclave n'aurait certainement pas attendu tout ce temps et aurait cherché un autre candidat de compromis qui n'aurait pas été non plus Bergoglio, comme elle avait cherché Karol Wojtyla après la constatation du blocage entre Siri et Benelli en 1978. Le conclave ne vit personne susceptible de représenter une troisième voie. Les cardinaux qui avaient apporté leur suffrage à Bergoglio se rendirent à l'évidence : une quinzaine d'entre eux votèrent pour le cardinal allemand au premier tour de l'après-midi. Ratzinger devint Benoît XVI.

— Vous êtes déçu ?

— Je vais vous répondre franchement. Je ne suis pas déçu par l'homme Benoît XVI, je suis déçu par mes frères cardinaux. Je m'explique. Benoît XVI est un homme exceptionnel sur le plan humain, ce n'est pas toujours connu, sur les plans intellectuel et spirituel, c'est une évidence. Il est absolument digne à mes yeux d'être notre pape. Je ne partage pas toutes ses vues sur l'Église et ses priorités, c'est une seconde évidence. Nous sommes un certain nombre à l'intérieur de l'Église à ne pas partager ses analyses, et c'est heureux. Les nôtres sont-elles plus justes que les siennes ? Je le crois, bien sûr, mais rien ne l'assure. On se trouve là au niveau des opinions, et une différence de vue n'entache pas la qualité respective des hommes.

» En revanche, je crois que les cardinaux ne l'ont pas choisi pour les meilleures raisons et qu'ils se sont laissé conduire par des arguments irrationnels, nourris de craintes excessives, trop impressionnés par les réactions du monde au décès de Jean Paul II. Je dois le dire : ils ont

---

1. Mon cardinal fait allusion à la nouvelle règle électorale du conclave instituée par Jean Paul II qui stipule que l'élection est obtenue par les deux tiers des suffrages, et que si ces deux tiers ne sont pas obtenus, elle passe à la majorité simple plus une voix au trente-troisième tour, soit après une dizaine de jours de conclave. Cette règle a été abolie par Benoît XVI en juin 2007.

eu peur du vide, et ils se sont tournés vers celui dont ils pensaient qu'il était le plus à même de le supporter.

— Vous parlez des motivations des cardinaux. Vous n'évoquez par l'Esprit saint. Ne serait-ce pas lui qui aurait inspiré le vote ?

— Nous revenons à ce que nous disions l'autre jour. Je voudrais vous citer un court texte qui répond mieux que je ne pourrais le faire à votre question. Le voici : « Je ne dirais pas que c'est le Saint-Esprit qui choisit le pape. Je dirais que l'Esprit ne prend pas le contrôle de l'affaire mais que, comme un bon éducateur qu'il est, il nous laisse beaucoup de liberté sans nous abandonner entièrement. La seule assurance qu'il nous donne est qu'il n'est pas possible que tout soit détruit. » L'auteur de cette phrase juste et prudente est Benoît XVI, du temps où il n'était pas encore pape.

— Cela veut-il dire que toutes vos décisions sont entachées d'incertitude ?

— Je ne vais pas répéter ce que nous disions, mais en gros c'est cela. À part ces rares décisions où le pape engage formellement son infaillibilité, oui, nous essayons de nous laisser conduire par le Saint-Esprit, mais nous ne sommes jamais assurés d'y parvenir. Nos décisions sont nos décisions, et si nous acceptons d'être lucides, nous savons qu'elles sont parfois prises au nom d'arguments humains, très humains, trop humains...

» Il y a une incertitude non négligeable qui nous accompagne dans notre mission de conduire l'Église. Nous ne l'avouons pratiquement jamais, nous tentons même trop souvent de revêtir nos décisions et nos choix du manteau sacré de la certitude qui nous serait donnée d'En-Haut, mais cette commodité que nous nous autorisons n'est pas toujours revêtue du sceau de la vérité assurée.

» En revanche, ce dont nous sommes sûrs, c'est qu'à travers nos errances connues ou inconnues, nos insuffisances masquées ou crûment révélées, malgré elles, sur la longue durée, Dieu prend soin de son Église et sait, patiemment, la rappeler à l'ordre.

— Vous êtes déçu, Éminence...

— Je viens de vous répondre. Vous m'avez déjà posé la question.

— C'était en effet une question tout à l'heure, cela n'en est plus une maintenant. C'est une constatation : vous êtes déçu, visiblement déçu.

— Que voulez-vous dire ?

— Rien d'autre que cela. Quand en début de semaine vous m'avez proposé d'écrire ce livre avec vous, vous m'avez dit que vous ne cherchiez pas seulement un porte-plume, pour reprendre mon expression, mais un interlocuteur qui vous aide à faire la vérité sur votre action et l'état de l'Église. J'use de ce droit que vous m'avez généreusement octroyé en disant tout haut ce que je crois que vous pensez tout bas. Vous pensez que l'élection de Benoît XVI est une erreur dans l'état actuel du monde et de l'Église.

— Qu'est-ce qui vous permet d'affirmer cela ?

— Une intuition, rien de plus.

Mon cardinal ne répondit rien. Je ne parvenais pas à déterminer s'il était contrarié ou s'il pesait avec soin sa réponse. Il reprit la parole au bout d'un long moment.

— D'accord. Allons-y puisque vous m'y poussez. Oui, je suis déçu. Et oui encore, cette déception a pesé lourd dans ma décision de commencer ce livre avec vous. Je suis déçu. Surtout, j'ai peur.

— Peur de quoi, Éminence ? demandai-je doucement.

— Peur que nous n'ayons perdu une chance historique de prendre à bras-le-corps le problème qui est le nôtre. Peur que l'élection de cet homme bon et savant qu'est Benoît XVI serve à retarder les décisions inévitables qui ont été trop longtemps repoussées. Peur que ce choix du statu quo n'aboutisse à ce que le monde s'éloigne encore un peu plus de nous, ce qui ne serait pas trop grave, mais aussi de Dieu, ce qui ne peut que chagriner le prêtre que je suis.

— Benoît XVI sera un pape du statu quo ? demandai-je, en reprenant son expression.

— Du statu quo et de la remise en ordre. Du statu quo dans le sens où il sera dans l'impossibilité de renouveler notre manière d'être au monde. De la remise en ordre dans le sens où il va entreprendre de corriger ce qu'il appelle les à-peu-près de son prédécesseur.

— Les à-peu-près de Jean Paul II, Éminence ? Qu'est-ce à dire ?

— La vigueur physique de Jean Paul II, sa nature généreuse, son habileté de grand communicant le poussaient à aller vers les foules, à les mobiliser, à les électriser. Pour le reste, il laissait faire ses collaborateurs, dont Sodano, le cardinal secrétaire d'État. Le cardinal Ratzinger s'inquiétait de cela. Pendant que le pape battait l'estrade, comme disaient certains membres de la curie, celle-ci avait les mains libres pour mener la politique qu'elle souhaitait. Les décisions étaient souvent approximatives, les faveurs à tel ou tel groupe d'influence exagérées, les déclarations contradictoires. C'était du moins le jugement de Ratzinger avant son élection. On peut être assuré qu'il va remettre de l'ordre.

— Ce n'est pas si mal, non ?

— En effet, ce n'est pas si mal, mais c'est secondaire face aux défis qui se pressent à notre porte.

— Et ces défis-là, pensez-vous, il ne les traitera pas ?

— Il ne les traitera pas parce qu'ils n'entrent pas dans le cadre de son système de pensée. Nous autres, cardinaux, avons eu de nombreuses discussions dans le passé sur ces sujets. Chaque fois, malgré sa bonne volonté et son intelligence, notre préfet de la Suprême concluait que le monde avait tort s'il pensait vraiment cela, et que nous devions le lui dire. La vérité avant tout, la vérité avant tout, pensait-il.

— Et vous n'êtes pas d'accord ?

— Bien sûr que je suis d'accord ! Cependant, à un homme qui se noie on ne commence pas par rappeler le Principe d'Archimède !

— Pardon ? lui demandai-je, interloqué.

— Oui, le Principe d'Archimède. Il est bon de l'apprendre à l'école, mais au noyé, il est préférable de présenter une bouée.

— Vous auriez fait quoi, vous, Éminence ?

— Comment cela ?

— Vous auriez fait quoi si vous aviez été élu pape ? Quelle bouée auriez-vous lancée ?

Mon cardinal se tut, visiblement fatigué. Ses occupations de la journée l'avaient sans doute privé de la sieste romaine qui autorise les longues soirées. Je ressentais moi-même la fatigue de l'après-midi. Je respectai son silence.

— Pas ce soir, si vous le voulez bien. Il est trop tôt pour parler de cela. Nous avons encore du chemin à parcourir avant de pouvoir évoquer des solutions alternatives. Et je suis fatigué. Ne m'en voulez pas, s'il vous plaît.

J'éteignis mon magnétophone. Nous finîmes nos tasses. Nous décidâmes du jour et du lieu de notre prochaine rencontre, trois mois plus tard. Il me raccompagna à la porte, me souhaita bon vol. Nous nous quittâmes comme deux vieux amis.

La lumière sur la place Saint-Pierre était saisissante de douceur. Involontairement, je jetai un regard vers les fenêtres du bureau du pape. Benoît XVI après Jean Paul II. Deux personnalités différentes qui avaient su travailler ensemble. Bien mieux que n'y étaient parvenus le même Jean Paul II et ses deux secrétaires d'État. Casaroli d'abord. Sodano ensuite. Et je me dis que, si mon cardinal avait sans doute identifié la motivation, la crainte du vide en l'occurrence, des électeurs au conclave, il omettait peut-être une raison de poids de leur choix : la confiance qui existait entre le pape précédent et son théologien en chef.

Creusant mon idée, je pensai que les cardinaux savaient Jean Paul II irremplaçable. Ils avaient choisi celui qui l'avait accompagné le plus longtemps durant son pontificat. Ils ne voulaient pas d'un inventeur, d'un innovateur. Ils souhaitaient seulement reprendre souffle un moment. Un court moment, peut-être, si on suivait l'explication de mon cardinal quant à l'âge de Benoît XVI.

Un court moment, ce n'est pas si sûr, même si on disait que la cardinal Ratzinger avait eu au moins deux alertes de santé sérieuses. Non, ce n'était pas si sûr. En revanche, il était indubitable que, si les cardinaux avaient voulu un pape avec un programme ambitieux et chargé, ils l'auraient choisi plus jeune.

Mon cardinal, finalement, avait raison, me disais-je en jetant un dernier coup d'œil aux appartements du nouveau pape. En choisissant cet homme de soixante-dix-huit ans, les cardinaux avaient envoyé un message au monde, et en même temps à l'Église et à eux-mêmes. Et, quelle que soit la délicatesse que l'on mettait à l'énoncer, il revenait à ceci : que nous vous ayons choisi malgré votre âge, ou que nous vous ayons choisi précisément pour votre âge, nous attendons de vous la stabilité.

Mon cardinal ajoutait un pronostic : cette stabilité risquait d'affaiblir encore l'Église.

Je ne m'attardai pas sur la place Saint-Pierre. Il me fallait rentrer rapidement à l'hôtel, prendre mon sac de voyage, et me rendre à Fiumincino pour attraper mon avion.

II

AVIGNON, ÉTÉ 2005

Samedi, maison familiale
Une papauté très politique

— Cela ne manque pas de sel que vous m'ayez
donné rendez-vous ici, ne trouvez-vous pas ? me
demanda mon cardinal qui venait de s'installer pour
quelques jours dans notre maison familiale. Rome il y a
trois mois, Avignon cette semaine. Nous sommes
conduits par les lieux à parler avant tout des papes. Et
pourtant, l'Église, ce n'est pas que les papes...
Savez-vous que sept pontifes vécurent près de
soixante-dix ans dans cette ville qui n'était pas française
alors ? Je n'étais jamais venu en Avignon. J'espère que
nous aurons le temps de visiter le Palais.

— N'ayez crainte, Éminence, vous n'y couperez
pas. Qui séjourne chez nous plus d'une journée ne peut se
soustraire à cette visite, ni à celle du Petit Palais sur la
même esplanade. D'ailleurs, si vous regardez avec attention dans le lointain, vous parviendrez à distinguer une
statue dorée qui brille dans la légère brume de chaleur
là-bas. C'est Notre-Dame des Doms, installée en haut de
la cathédrale. Juste à droite, vous avez le palais des
Papes, et juste à gauche le Petit Palais.

J'étais allé chercher mon cardinal en fin de matinée
à l'aéroport de Marseille. Nous étions à la fin du mois

d'août. Notre maison de vacances s'était vidée, enfants, parents et amis s'éparpillant pour reprendre le cours normal de leurs activités. J'étais resté seul pour recevoir mon visiteur.

— Savez-vous que le dernier pape à avoir résidé en Italie avant la parenthèse d'Avignon avait pris le nom de Benoît ? Il fut le onzième du nom, sept siècles avant notre pape Ratzinger qui, comme chacun sait, est le seizième. Non, sans doute ne connaissez-vous pas l'histoire de ce Benoît, sinon vous n'auriez pas osé me présenter ce plat de figues cueillies, j'imagine, ce matin à mon intention. Il est vrai que ces figues de votre jardin sont blanches, alors que celles de Benoît XI étaient noires, l'espèce la plus répandue en Italie.

— Les figues de Benoît XI, Éminence ?

— Ce pape, qui s'opposa à votre roi Philippe le Bel, avait la faiblesse d'aimer trop les figues. Ses ennemis le savaient. L'histoire illustre à la perfection ce qu'étaient les rapports entre l'Église et les princes à l'époque, et surtout l'indocilité française à l'égard de la papauté.

Éminence, je comprends que ce séjour français vous pousse à évoquer la longue histoire des différends entre la France et les papes, et que la localisation de ma maison en Avignon ravive une mémoire jamais en repos, mais où voulez-vous en venir ? Nous étions partis de ces simples figues cueillies ce matin depuis l'arbre que vous voyez près de ce petit bâtiment qui était jadis une porcherie.

— Benoît XI avait la tête politique, ce qui n'était pas original pour les papes de cette époque choisis le plus souvent pour cette qualité. Il s'opposa à votre roi Philippe le Bel qui avait envoyé quelques années plus tôt un de ses fidèles tenter de se saisir du pape Boniface pour le lui amener pieds et poings liés et le juger pour hérésie.

— Un roi qui accuse un pape d'hérésie, c'est assez pittoresque en effet.

— Nogaret, l'âme damnée de Philippe le Bel, ne

parvint pas à se saisir du pape mais le frappa violemment au visage de son gantelet métallique. Boniface en fut tout retourné et mourut quelques semaines plus tard. Benoît XI, le successeur, voulut venger l'affront et excommunia Nogaret. Le roi Philippe s'exaspéra, suscita des révoltes à Rome pour déstabiliser ce pape qui s'en prenait à son chancelier. Benoît XI dut s'enfuir pour se réfugier à Pérouse. Lors d'un dîner, on lui présenta un compotier de figues, fruits dont il raffolait. Il en mangea beaucoup, tomba malade, et mourut quelques jours après. On ne put jamais établir de manière certaine l'assassinat. La plupart des historiens pensent qu'il fut commandité par Nogaret. Benoît XI fut béatifié. Cette gifle d'un puissant à un pape et l'assassinat de son successeur marquèrent le début de la décadence politique de la papauté.

— Nous parlions à Rome de la tentative d'assassinat perpétrée sur la personne de Jean Paul II. Vous évoquez l'assassinat probable, et réussi celui-ci, de Benoît XI. Êtes-vous vraiment sûr que nous ne sommes pas revenus à ces époques troublées ?

— Toute époque semble troublée. Je me garderai cependant d'attacher à ces deux assassinats, réussi pour l'un, sans succès pour l'autre, une importance trop forte. Il y a l'arbre et il y a la forêt. L'assassinat d'un pape est un événement, comme dirait un journaliste, alors que celui d'un enfant en Asie n'en est pas un. Il y eut en effet un certain nombre de papes à être assassinés, à commencer par les immédiats successeurs de Pierre dont un sur deux connut le martyre. La mémoire est injuste qui privilégie les papes et oublie tous ceux qui moururent pour leur foi. Jamais ceux-ci ne manquèrent dans l'Histoire de l'Église. Certains prétendent même que ce sont eux qui tinrent cette Église en vie envers et contre tout.

— Notre cours d'Histoire est-il terminé, Éminence ? demandai-je, un peu inquiet à l'idée que notre conversation se transforme en une succession d'anecdotes érudites.

— Ne vous méprenez pas, me répondit-il aussitôt, cette histoire avait pour seul objectif d'illustrer un phénomène constant dans l'Histoire de l'Église : quand celle-ci s'égare hors des chemins de sa vocation véritable, elle y gagne un temps des avantages considérables mais prend des risques qu'elle paie très cher plus tard. Philippe le Bel ne pouvait supporter que les papes l'empêchent de taxer les propriétés ecclésiastiques françaises alors qu'il avait un besoin pressant d'argent pour financer sa guerre contre l'Angleterre. Le pape devenait un gêneur, il fallait le soumettre. Savez-vous quand la papauté est devenue une puissance territoriale ?

— Non, répondis-je sans trop de honte.

— Au moment de la donation de Pépin. Pépin le Bref, le père de Charlemagne, visait la couronne des Francs laissée en déshérence par les Mérovingiens. En 751, il devint roi des Francs et en 754 obtint d'être sacré par le pape Étienne II, ce qui lui conférait la légitimité dont sa sorte de coup d'État le privait.

» En échange de cette reconnaissance sous forme de bénédiction, il leva une armée contre les Lombards qui menaçaient Rome et offrit au pape de vastes territoires selon un acte connu sous le nom de donation de Pépin. Et, surtout, il justifia cette donation en s'appuyant sur un soi-disant précédent : une autre donation qu'on disait avoir été accordée par l'empereur Constantin au pape Sylvestre au IVᵉ siècle. Or, celle-ci n'avait jamais existé et était un faux forgé en toute hâte pour l'occasion, uniquement pour justifier la donation de Pépin. Cette donation orienta la nature de la papauté pour les onze siècles qui suivirent. Elle devint une puissance territoriale et militaire dans le concert des nations.

— C'était le début de la fin, estimai-je astucieux de commenter.

Ce en quoi j'eus tort, comme me le démontra la remarque de mon interlocuteur :

— Non, le début du commencement, au contraire.

Le commencement d'une Église, puissance européenne. Les États pontificaux, avec Rome comme centre politique, connurent heurs et malheurs, durent consentir à des frontières variables dans le temps, mais furent toujours considérés comme une réalité incontestable du paysage européen.

» Étienne et ses successeurs s'attachèrent de plus en plus à leurs territoires et à leurs richesses au point parfois de les faire passer avant leur mission spirituelle, ne suivant guère l'instruction du Christ : rendez à César ce qui est à César[1].

— En fait, Éminence, lui dis-je pour tenter de clarifier son point de vue, vous avancez l'hypothèse selon laquelle, derrière la perte d'influence religieuse de l'Église dans les temps actuels, se cacherait une faute originelle dont elle se serait rendue coupable. Faute originelle constituée par son entrée dans le concert des puissances temporelles, son pacte avec César, ou du moins avec ce que ce terme signifie : la puissance, la guerre, la richesse... Vous affirmez du coup que ce que nous vivons aujourd'hui n'est pas le fruit d'événements récents, par exemple une trop grande ouverture après le concile Vatican II, mais la conséquence de dérives beaucoup plus anciennes.

— Oui, c'est avoir une courte vue, en rester par exemple à Vatican II, que de chercher des causes trop immédiates aux crises que nous vivons. Seul, le temps long peut permettre de comprendre ce qui se passe. Oui à nouveau : en se ralliant à César, la papauté a introduit un ver dans le fruit qui va la miner, l'entraînant dans une spirale infernale. Mais, non, je ne crois pas que tout était écrit dès l'acceptation de l'Église de jouer au jeu politique. On peut supposer qu'elle y était contrainte par la situation de l'époque. Je pense en revanche qu'elle n'a pas su en sortir à temps, qu'elle n'a pas su discerner à un

---

1. Allusion à l'Évangile de Matthieu au chapitre 22.

certain moment qu'il fallait qu'elle coupe ces solidarités malsaines. C'est la raison pour laquelle je déplore que les vraies réformes dont l'Église a besoin lui soient arrachées de force, avec retard, souvent trop tard, après qu'elle eut beaucoup résisté, les dégâts n'étant plus rattrapables.

— L'Église puissance temporelle en même temps que puissance spirituelle, la situation était enviable à coup sûr.

— L'Église sut en tout cas admirablement jouer sur les deux tableaux. Celui de la puissance spirituelle et morale, le pape était Vicaire du Christ sur terre et il pouvait condamner au nom de Dieu. Et celui de la puissance étatique et il pouvait réprimer avec ses milices et ses polices.

» Comme chrétien, je juge ce double jeu risqué. Souvenez-vous de cette scène où Jésus, devenu adulte, avant de commencer ses trois années de prédication, va faire retraite au désert [1]. Il y est tenté par le diable. Une des tentations est ainsi rapportée : "Le diable l'emmena au sommet d'une montagne et lui montra tous les royaumes du monde, et il lui dit : 'Je te donnerai le pouvoir et la gloire de ces royaumes.' Jésus lui répond simplement : 'Tu adoreras le Seigneur ton Dieu, à lui seul tu rendras un culte.' "

» Je crois qu'Étienne a été tenté par Pépin qui lui proposait des royaumes. Il a succombé. Il s'en est suivi toute une histoire de richesses, de convoitises, de puissance, de guerres, d'alliances et de trahisons qui est ce qu'elle est mais a pesé très lourd dans la balance de la crédibilité de la papauté. En un raccourci un peu cruel, je dirais que les papes ont fini par cueillir ce qu'ils avaient semé...

— Récolté ce qu'ils avaient semé, si vous me permettez, Éminence. On cueille sur les arbres, et on récolte ce qui a été semé en terre.

---

1. Allusion à l'Évangile de Luc au chapitre 4.

— Je vous permets et je vous remercie.

— N'est-ce pas un peu facile de parler ainsi aussi longtemps après, avec notre connaissance de l'Histoire ?

— Je vous l'accorde. Il est toujours aisé de juger des situations du passé avec les valeurs d'aujourd'hui. Il n'empêche que je porterais un jugement moins sévère sur ces dérives si les États pontificaux s'étaient mués en une sorte de société chrétienne idéale, ce qu'ils ne furent pas et de loin. Et je pardonnerais volontiers ces erreurs si les papes avaient su tirer les enseignements de leurs mésaventures temporelles en découvrant qu'elles nuisaient à leur mission spirituelle. Là aussi, le Christ les avertissait : « Nul ne peut servir deux maîtres ; ou il haïra l'un et adorera l'autre. Vous ne pouvez servir Dieu et l'Argent[1]. »

— Admettons que cette donation constitue un de ces moments de l'Histoire où se produit un basculement qui se répercutera pendant des siècles : la connivence de l'Église avec les pratiques des princes...

— Le problème est que notre Église, quand elle se laisse piéger dans ses contradictions, ce qui ne peut manquer de survenir au sein de toutes les institutions, rencontre beaucoup de difficultés à s'en extraire par une réforme lancée de sa propre initiative. Depuis le XVIᵉ siècle, elle n'a cessé de se voir arracher, de l'extérieur, les attributs de sa puissance temporelle, ses privilèges pour lesquels elle avait âprement combattu, ses richesses.

» Peut-être est-il bon aussi de rappeler que cette tentation de la puissance, de la force, de la richesse était déjà inscrite des siècles auparavant dans la conscience religieuse. Élie vivait il y a environ trois mille ans[2]. C'était un mystique qui cherchait Dieu. Il monta un jour sur une montagne et passa la nuit dans une grotte. Il entendit une voix l'appeler. Puis un grand vent se leva qui brisait les

1. Citation de l'Évangile de Matthieu au chapitre 6.
2. Allusion à la Bible, au chapitre 19 du Premier Livre des Rois.

rochers et déchirait les montagnes, mais Dieu n'était pas dans le vent. Puis survint un tremblement de terre, mais Dieu n'était pas dans le tremblement de terre. Puis un feu, mais Dieu n'y était toujours pas. Puis une brise légère, et Dieu était dans la brise.

» Élie fit ce jour-là une expérience fondatrice. Dieu ne se révèle pas dans la puissance de l'ouragan mais dans la faiblesse de la brise. Les chrétiens font la même expérience. Leur Dieu ne se manifeste pas sous les habits des Césars mais dans une étable et sur une croix. Je sais que cela ne plaira pas à certains de mes frères cardinaux qui n'aiment pas que l'on critique ce que nous avons été ou ce que nous sommes, l'honnêteté force cependant à reconnaître que beaucoup de nos papes à l'époque n'ont pas fait la même expérience que celle d'Élie.

— D'un côté, l'ouragan des puissants où Dieu ne se trouve pas. Où peut-on entendre et voir la brise ?

— Dans beaucoup de lieux, vraiment beaucoup. Je me trouvais un jour à Calcutta, et je vis une des sœurs des missionnaires de la charité [1] qui passait une main délicate sur le front d'un Indien sur le point de mourir. Cette caresse, croyez-moi, avait la légèreté de la brise, et je peux vous assurer que, dans cette brise légère, ce jour-là, je vis Dieu. Je me mis à genoux à côté de la sœur. Nous restâmes ainsi jusqu'au moment où la vie, sans un souffle perceptible, le quitta. Brise légère d'une caresse, brise imperceptible d'un souffle qui s'éteint, nous étions loin des ouragans de la puissance et des richesses.

Mon cardinal se tut, sans doute sous l'influence de ce souvenir qui échappait à la grande Histoire et ne serait jamais écrit dans ses livres mais pesait plus lourd à l'évidence dans sa conscience que tous les Philippe, les Boniface et autres Pépin. Je me tus aussi un moment, et je repris :

— J'admets assez facilement ce basculement de

falling over

———————

1. Ordre fondé par Mère Teresa pour accompagner les malades abandonnés.

see saving

l'Église hiérarchique et son ralliement aux pratiques des Césars après la donation reçue du roi des Francs. Il est cependant difficile de savoir ce que serait l'Église de nos jours si elle n'avait pas cédé à la tentation de Pépin. Y aurait-il aujourd'hui plus de foi, plus de chrétiens ? Peut-être cette puissance temporelle a-t-elle permis que la religion chrétienne ne soit pas éradiquée par le fer des puissances politiques ou le feu des puissances religieuses rivales.

— Nous sommes incapables de dire ce qui se serait passé si Pépin n'avait pas eu besoin d'Étienne pour le couronner, si Pépin n'avait pas été reconnaissant, si Étienne n'avait pas accepté la donation...

» Quel chemin aurait suivi l'Église ? Aurait-elle autant pesé dans l'Histoire de l'Europe et dans celle du monde ? Y aurait-il eu Fra Angelico le Beato, Michel Ange, Raphaël, Bach, Haendel, Mozart ? Aurait-on construit votre Sainte-Chapelle, Moissac, San Clemente à Rome, Sainte-Sophie à Byzance qui n'est plus qu'un édifice vide à Istanbul ? Aurions-nous eu Dante pour nous promener de l'Enfer au Paradis, ce Dante qui prit comme tête de turc le premier pape d'Avignon, Clément, et l'installa résolument dans son Inferno [1] ? Un François d'Assise aurait-il eu besoin de naître pour nous rappeler à la pauvreté ? À quoi aurait servi Catherine de Sienne puisqu'elle n'aurait pas eu à tancer ce pauvre pape nommé Grégoire, le onzième du nom, pour lui faire quitter Avignon afin de revenir à Rome, mettant fin en 1377 à cette parenthèse d'une papauté française ?

— Ce que vous dites des démêlés politiques et guerriers de la papauté, Éminence, vaut aussi pour ses condamnations hasardeuses de savants, comme Copernic ou Galilée, ne trouvez-vous pas ?

— Vous avez raison. Aujourd'hui encore, quand nous prenons position dans le débat scientifique, combien

---

1. Allusion au chapitre XIX de la *Divine Comédie*.

de fois nous renvoie-t-on l'argument de Galilée ! Comme si nous devions rester indéfiniment comptables de notre erreur d'il y a près de quatre siècles.

— Condamner Galilée pour avoir affirmé que le Soleil ne tournait pas autour de la Terre, c'est tout de même un peu gênant de la part de l'Église, non ?

— J'ai participé à la « Commission d'étude du cas Galilée » instituée par Jean Paul II en 1981 et dirigée par votre compatriote Paul Poupard qui n'était pas encore cardinal à l'époque, d'où ma familiarité avec cette affaire. Un élément ne tarda pas à me frapper : la comparution de Galilée devant l'Inquisition n'était pas motivée d'abord par l'ensemble de ses thèses scientifiques, mais par le fait qu'il n'aurait pas obéi à une instruction de 1616 – plus de quinze ans auparavant – lui enjoignant de ne pas discuter le système de Copernic [1]. À lire les documents de l'époque, on se rend compte en effet que le refus supposé de Galilée d'obéir à l'autorité pesa beaucoup plus lourd que la nature de ses thèses scientifiques.

— L'obéissance passait avant la vérité ?

— Ce serait trop dire. La vérité, bien sûr, passait avant. En revanche, dans la mentalité des dignitaires ecclésiastiques de cette époque, l'autorité, et elle seule, détenait cette vérité. Une vérité n'était vraie que si elle était attestée par l'autorité. Conception dangereuse à tout le moins car, quand il est démontré que l'autorité s'est trompée et s'est même entêtée dans l'erreur, et à plusieurs reprises, elle perd sa crédibilité globale et dégringole brutalement du piédestal sur lequel elle était installée.

» C'est ce qui s'est passé au moment de l'affaire Galilée. L'autorité a gagné. Galilée s'est tu en s'imposant de ne pas publier pendant plusieurs années pour ne pas provoquer la censure.

---

1. Celui-ci affirmait que la Terre tournait autour du Soleil, et non l'inverse, croyance remontant à Ptolémée, et position officielle de l'Église dans ce domaine.

stabel

» Quelques décennies plus tard, la bombe à retardement <u>amorcée</u> à l'époque a explosé au visage de l'Église. Tout le monde a dû reconnaître que Galilée avait raison et que l'autorité ecclésiale s'était trompée. Nous avions eu le dernier mot sur le moment, mais nous avions tort sur toute la ligne. La vérité avait fini par gagner. Notre autorité s'en trouva déconsidérée.

— La Commission d'étude du cas Galilée raisonnait-elle comme vous ?

— Très vite, nous fûmes d'accord sur le fond : Galilée méritait d'être réhabilité. En revanche, des sensibilités différentes se firent jour quant à la façon de rédiger notre rapport. *unte, avrai cmp*

» Ma thèse selon laquelle l'argument d'autorité avait eu plus de poids que la recherche de la vérité posait des problèmes à un nombre significatif de membres de la Commission. Ils craignaient que la reconnaissance officielle d'un mauvais usage de l'autorité déplace le débat sur un terrain qu'ils jugeaient trop dangereux : quelle autorité l'Église est-elle en droit d'exercer, dans quels domaines l'Église a-t-elle réellement reçu autorité ?

» Ce qui était en jeu à ce moment de la discussion était une forme particulière d'un débat récurrent dans lequel mes collègues n'ont pas voulu entrer. Débat que je résumerais en deux simples questions. La première : n'avons-nous pas eu dans le passé, et n'avons-nous pas encore aujourd'hui, tendance à profiter de notre autorité spirituelle pour imposer des vues qui ne relèvent pas de notre mission ? La seconde : ne sommes-nous pas trop souvent sortis du champ normal de notre compétence pour nous aventurer dans des domaines qui ne sont pas les nôtres ?

— Et à ces deux questions, vous répondez, vous, par l'affirmative, n'est-ce pas ?

— Sans hésitation. Vous me connaissez assez désormais pour le deviner. La confusion entre les domaines où notre autorité est légitime et ceux où elle ne *reech, affect*

l'est pas entraîne un effet retour dommageable. Pour avoir été utilisée à mauvais escient, notre autorité a été décrédibilisée. Cette perte de crédibilité a atteint le cœur de notre mission, notre raison d'être : l'annonce de l'Évangile, la bonne nouvelle d'un Dieu incarné, mort et ressuscité.

— Vous dites que vous n'avez pas été suivi sur ce terrain particulier. Jean Paul II a cependant reconnu les erreurs de l'Église à l'égard de Galilée.

— Et avec quel éclat ! Il l'a même fait avant que soit instituée cette Commission d'étude sur le cas Galilée. Dès 1979, dans un discours devant l'Académie pontificale des sciences qui célébrait le centième anniversaire de la naissance d'Einstein, il disait : « La grandeur de Galilée est connue de tous, comme celle d'Einstein ; mais à la différence de celui que nous honorons aujourd'hui, le premier eut beaucoup à souffrir de la part d'hommes et d'organismes de l'Église. »

» Je me souviendrai toujours du moment où le pape a fait cette déclaration. J'avais beau avoir été étroitement associé à sa rédaction, elle m'a été droit au cœur comme si je l'entendais pour la première fois. Pour des actes comme celui-ci, et pour d'autres encore, oui, Jean Paul II fut un grand pape, un très grand.

— Si je comprends bien, ce que vous déplorez à propos de Galilée, c'est non seulement l'erreur de l'Inquisition, mais aussi le fait que l'Église ait mis si longtemps à reconnaître qu'elle s'était trompée.

— Oui, parfaitement. Comme elle tarde à reconnaître ses torts, on la soupçonne de manœuvres pour retarder les évolutions légitimes et inévitables, tentant jusqu'au bout de s'y opposer.

— Il y a pourtant des exceptions ? lui demandai-je, jugeant que mon cardinal dressait un tableau un peu sévère. La déclaration de Jean Paul II à propos de Galilée d'abord. Le concile Vatican II, ensuite, et l'*aggiorna-*

mento désiré par Jean XXIII dont nous parlions l'autre jour à Rome.

— Pour Galilée, il a fallu attendre notre pape polonais, peut-être influencé par le fait que Copernic était un compatriote, pour rendre public un regret qui aurait dû être exprimé depuis longtemps. Quand, selon vous, l'Église s'est-elle ralliée officiellement à cette affirmation de Copernic, défendue par Galilée, selon laquelle la Terre tourne autour du Soleil ?

— Je l'ignore.

— Et vous avez de bonnes raisons pour l'ignorer en effet. La réponse est : jamais. Jamais, l'Église n'a cru bon de changer officiellement ses croyances à ce propos, préférant le silence, préférant un accord implicite du type « qui ne dit plus mot, consent ». Ce n'est qu'en 1822 que la condamnation des œuvres de Copernic et de Galilée fut levée, sans pour autant que l'Église reconnaisse avoir eu tort de condamner Galilée.

» Pour Vatican II et son *aggiornamento*, à première vue, vous avez raison aussi. Le projet du pape et l'ardeur de bon nombre d'évêques qui voulaient renouveler certaines pratiques, modifier le jugement de l'Église sur le monde après l'enfermement de la crise moderniste [1], constituaient en effet une tentative de réforme. Regardez-y de plus près ! Une fois l'enthousiasme retombé, ce sont les opposants au Concile qui semblent avoir le vent en poupe. S'ils en ont la possibilité, ils poursuivront leur effort de restauration.

— Revenons à votre jugement. L'Église, pour un certain nombre de raisons, acquiert une puissance que vous jugez dommageable, soutient des positions qui se révèlent erronées, profite de privilèges indus, et seule la

---

1. Le terme moderniste sert à désigner globalement des théologiens, des historiens, des exégètes qui tentaient de considérer le message chrétien à la lumière des découvertes scientifiques. Pie X condamna en 1907 le modernisme sous la forme de soixante-cinq propositions.

contrainte extérieure, y compris brutale, la fait changer. Je me demandais, Éminence, si dans des décennies l'interdiction de la contraception, que nous évoquions lors de notre première rencontre à Rome, ne serait pas perçue à l'égal de l'affaire Galilée : un moment de basculement.

— Que voulez-vous dire ? *peut-on to*

— J'ai conscience que les deux affaires ne sont pas comparables. L'une relève du domaine de la science, l'autre de celui de la morale. L'affaire Galilée marque la date symbolique de la revendication de l'autonomie de la pensée scientifique. Le rejet de l'encyclique *Humanae Vitae* interdisant la contraception pourrait être, pour sa part, le moment symbolique de la revendication d'autonomie des fidèles dans le domaine du comportement moral. *demand*

— Il se pourrait que vous ayez raison. Ce qui est sûr, c'est que les rapports entre les fidèles et leur plus haute hiérarchie ont changé au moment et à cause de l'encyclique, comme ils ont changé à cause de l'affaire Galilée. Il y a cependant une différence entre les deux affaires. Il s'est écoulé un très long temps avant que la masse des fidèles juge durement l'erreur de l'Église à propos de Galilée, alors que, pour la contraception, le rejet a été immédiat.

— Revenons à ce que nous disions. J'évoquais votre opinion selon laquelle l'Église profite de sa position enviable pour imposer des règles ou des opinions qui se révèlent erronées. Vous dites que seule la contrainte extérieure, parfois brutale, les lui fait abandonner.

— C'est en effet ce que je pense. Regardez ce qui se passa à la fin du XIXᵉ siècle en Italie. L'unité italienne impliquait la disparition complète de la papauté en tant que puissance politique et l'annexion des États pontificaux à la nouvelle couronne. Ceci fut réalisé en 1870. Pie IX se réfugia dans les quarante-quatre hectares de la Cité du Vatican. Aucun pape ne voulut d'ailleurs en sortir

Sulking

avant les Accords du Latran qui mirent fin à la bouderie entre l'Italie et le Saint-Siège en 1929. Pendant soixante ans, aucun pape ne sortit du Vatican. Quel symbole !

» Aujourd'hui, tout le monde reconnaît que ce retrait de l'Église du concert des puissances territoriales était un bien, y compris pour elle, mais à l'époque les bons catholiques et tous leurs évêques s'unissaient pour condamner ce coup de force. Victor Emmanuel, roi du Piémont devenu roi de l'Italie unifiée, fut excommunié, nouvelle et belle illustration de la confusion entre le temporel et le spirituel. Comme le pape n'avait plus les armées pour défendre son bien, il se rabattit sur l'arme spirituelle qui, seule, lui restait. Victor Emmanuel, croyant convaincu, subit la sanction comme une injustice et un abus de pouvoir, mais ne céda pas. Il demanda les derniers sacrements sur son lit de mort, ce qu'il obtint.

— Me permettez-vous un sentiment personnel, Éminence ? lui demandai-je alors.

— Bien sûr, se contenta-t-il de me répondre.

— Je trouve votre analyse déprimante...

— Mon analyse ? s'étonna-t-il.

— En fait, pas tant votre analyse que j'admets assez facilement. Plutôt, ce résumé des occasions perdues. En vous entendant, j'étais gagné par le découragement devant ce qui ressemble fort à un vaste gaspillage. Telle- *waste* ment d'énergie dépensée dans des querelles et des intérêts éloignés de la mission de l'Église ! Intérêts très souvent contradictoires avec le message chrétien. Et puis, progressivement, le doute qui monte chez les chrétiens les mieux intentionnés, les questionnements légitimes laissés sans réponses satisfaisantes, les méfiances qui s'installent et conduisent à cet éloignement qui est notre lot depuis plus d'un siècle.

Je me tus. Lui aussi. Une réflexion me vint alors à l'esprit. Une réflexion, je m'en rendis compte ensuite, inévitable. Je pris un moment pour la formuler, puis la lui communiquai le plus calmement possible :

— Éminence, votre analyse, votre parcours historique...

— Oui ? m'encouragea-t-il à continuer.

— Eh bien, cela sent le dépôt de bilan.

— Pardon ? sursauta-t-il, cette fois-ci vraiment étonné et sans doute choqué.

— Je veux dire que, dans toute société commerciale, de telles erreurs auraient conduit à la faillite. Il en serait de même pour un gouvernement. Il ne résisterait pas à un tel aveuglement politique.

Mon cardinal ne réagit pas immédiatement à mon jugement brutal. J'imaginais qu'un homme dans sa position ne devait pas apprécier que soit poussée jusqu'au bout la logique de sa démonstration. Ni que soit résumée en deux mots éloignés de son vocabulaire la situation complexe dans laquelle se trouvait l'Église à laquelle il avait consacré sa vie.

Il se tut un moment, puis me posa une question.

— Dépôt de bilan en français s'applique aux entreprises qui doivent fermer parce que leur activité ne les fait plus vivre, n'est-ce pas ?

— Oui, lui répondis-je.

Il se tut à nouveau, plus longuement cette fois.

— Votre remarque est intéressante. À deux titres. D'abord, elle dit en mots crus ce que personne n'ose jamais formuler par respect instinctif quand il s'agit des observateurs extérieurs non polémiques, et par réflexe de solidarité quand il s'agit des chrétiens eux-mêmes. Déposer son bilan devient obligatoire quand le passif est supérieur à l'actif, n'est-ce pas ? Vous dites que notre passif est lourd, très lourd.

» Je vous ai parlé de Philippe le Bel, de Boniface, de Pie IX... J'ai préféré commencer par eux. Ils sont si lointains de nous qu'ils ne nous font plus grand mal...

— Pardon ? l'interrompis-je, ne comprenant pas à mon tour ce qu'il voulait dire.

— Cent cinquante ans, sept cents ans... Cela met

une certaine distance entre nos réactions d'aujourd'hui et leurs erreurs d'hier. Oui, j'ai commencé doucement, par le plus facile, et vous, par votre simple expression de dépôt de bilan, vous durcissez d'un seul coup ce que je voulais vous confier avec précaution.

— Que voulez-vous dire par « j'ai commencé doucement » ? l'interrogeai-je, sentant que nous étions à un moment risqué de notre entretien et de notre livre.

— Nous nous sommes totalement trompés avec Copernic, mais Copernic, c'est loin de nous, et cela ne nous fait pas trop souffrir. Quand je vous parlais de lui ou des histoires entre Pépin le Bref et le pape Étienne ou entre Pie IX et Victor Emmanuel de Savoie, je déplorais les attitudes de notre Église à ces époques. Je désignais ces histoires comme symboles de nos erreurs et de nos défauts. Ces histoires appartiennent à un passé à peu près digéré. Alors que…

— Alors que quoi, Éminence ? lui demandai-je au bout d'un moment de silence après qu'il se fut interrompu.

— Alors que d'autres histoires plus récentes sont pour les responsables de l'Église des causes de souffrance beaucoup plus grandes, révélatrices d'échecs difficilement surmontables. Vous vous doutez qu'avant de venir vous rejoindre dans ce lieu paisible où vous avez la chance de séjourner j'ai préparé ce que je voulais vous dire. En arrivant ici, j'avais comme un plan en tête. Je savais que nos entretiens de cette semaine seraient pénibles, sans doute même très pénibles. J'avais résolu d'aborder avec franchise et clarté ce que personne n'ose jamais évoquer en public. J'avais pensé procéder doucement, précautionneusement.

— Philippe le Bel, Galilée, Étienne, Pie IX, c'était une mise en jambes ?

— Une mise en jambes ? Je crois que je ne comprends pas votre expression, m'interrogea-t-il.

— Un échauffement. On parle de mise en jambes

pour les sportifs qui s'échauffent avant une compétition ou un entraînement.

— D'accord pour la mise en jambes, approuva-t-il. En quelque sorte. Une manière de dire que nous nous sommes trompés dans le passé et qu'il est inévitable que nous nous trompions aussi aujourd'hui. La différence est que les erreurs actuelles nous atteignent nettement plus douloureusement que celles des siècles lointains.

» Avec votre expression de dépôt de bilan, vous me contraignez à aborder plus vite que je ne le voulais ces événements qui nous font tant de mal. Peut-être est-ce un signe, d'ailleurs ? Trop de prudence risquerait de tourner à un manque de clarté. Allons-y donc...

— Un moment, Éminence, si vous me le permettez, avant de continuer. Vous me disiez que mon expression de dépôt de bilan était intéressante à deux titres. Vous n'avez pas précisé le second.

— Pardonnez-moi. J'étais trop occupé à réfléchir au déroulement de notre entretien. La seconde raison pour laquelle votre remarque me semblait digne d'intérêt est toute simple. Nous devrions être en dépôt de bilan, disiez-vous. Eh bien, le fait est que nous ne le sommes pas. Nous aurions peut-être toutes les raisons d'y être, mais ce n'est pas le cas. Nous sommes en perte de vitesse ici et là, maladroits plus qu'à notre tour, difficilement compréhensibles pour le monde moderne, tout ce que vous voulez... Il n'en demeure pas moins que nous n'avons pas disparu. Après deux mille ans.

— Et donc ? demandai-je pour le forcer à préciser sa pensée.

— Et donc, reprit-il, c'est que nous ne sommes pas une entreprise ni un régime politique. Nous ne fonctionnons pas comme eux. Nous avons d'autres atouts, d'autres actifs pour reprendre le jargon comptable que vous avez utilisé...

— Vous allez me dire, Éminence, que l'Église est d'un autre ordre, divin. Vous allez me redire que rien ne peut prévaloir contre Elle. Que Dieu la guide envers et contre tout.

— Oui, je vais vous le dire. Parce que c'est ce que je crois. Pas parce que cette promesse du Christ à Pierre nous permettrait de faire n'importe quoi. Pas parce que je m'en servirais pour masquer nos erreurs. Avouez que ce n'est pas mon genre. Et pas parce que je me voilerais la face.

» Je crois cependant qu'il est trop tard pour que nous abordions ces sujets ce soir. Ils nous demanderont du temps. Demain, si vous êtes d'accord.

En effet, le soleil baissait tandis que le mistral se renforçait. Je n'avais pas remarqué que le froid gagnait. Nous quittâmes nos fauteuils sous le marronnier. Je proposai à mon cardinal de prendre un peu de repos dans sa chambre tandis que je préparerais le repas.

Dimanche, cloître de la Collégiale
Mission au Rwanda

Mon cardinal avait préféré célébrer sa messe du dimanche dans une église, alors qu'il dirait celles des jours suivants tôt le matin dans notre maison. Nous avions appelé le curé de Villeneuve pour lui demander s'il accepterait un concélébrant supplémentaire à la messe paroissiale de 11 heures. Mon cardinal lui avait seulement demandé de ne pas faire état de sa dignité durant la célébration et de le présenter simplement comme un prêtre à la retraite, de passage dans la région.

L'anonymat du prince de l'Église qu'il n'aimait pas être fut respecté. Nous répondîmes à l'invitation du curé d'aller prendre un café à son presbytère à l'issue de la messe. Ce prêtre que je connaissais un peu brûlait de savoir la raison de la visite de cette Éminence dans sa paroisse.

— Je séjourne une petite semaine dans la maison de famille d'Olivier. Nous écrivons un livre ensemble. Nous nous sommes déjà rencontrés une semaine à Rome. Nous travaillons depuis hier, répondit mon cardinal avec simplicité.

Le prêtre sauta sur l'occasion de présenter son église sous son meilleur jour.

— Savez-vous que cette Collégiale où nous venons de célébrer la messe a été construite par l'un de vos collègues à vous, cardinal lui-même, neveu du pape Jean XXII ?

Le pauvre curé de Villeneuve ne savait pas à quoi il s'exposait en tentant de donner un cours d'histoire accélérée à son hôte d'une matinée. Il allait trouver à qui parler. Plus encore il allait devoir subir une leçon plus longue qu'il ne pouvait imaginer.

Je me tus, résigné.

— Cette Collégiale a été construite par Arnaud de Via, poursuivit notre curé.

— Celui qui construisit le Petit Palais d'Avignon, ne put s'empêcher de l'interrompre mon cardinal.

— Ah ! vous le connaissez, se désola le prêtre.

— Non, pas vraiment, le rassura son Éminence, bon prince. J'ai simplement lu avec attention un petit guide historique que mon hôte possède dans sa bibliothèque.

— La cardinal de Via mourut peu de temps après la construction de l'édifice, à peine quelques mois après son oncle Jean XXII. Vous avez vu la Collégiale. Je vous conseille de vous arrêter au cloître avant de remonter sur le plateau. C'est un endroit magnifique.

Nous quittâmes le presbytère, ou plutôt la maison paroissiale comme il convient de nommer maintenant la résidence des prêtres dans une ville ou un village. Nous retournâmes à l'église encore ouverte et, par une porte latérale, nous pénétrâmes dans le cloître.

De petite taille, celui-ci est construit avec la même pierre blanche que celle de la Collégiale, de la tour Philippe le Bel et du palais des Papes en Avignon, la pierre de Carles. Nous parcourûmes lentement les quatre côtés du cloître, et, avisant des bancs en bois disposés sur un des côtés, nous nous assîmes. J'allumai mon magnétophone.

— Le Rwanda est le pays le plus catholique d'Afrique, commença alors mon interlocuteur.

Cette entrée en matière me prit au dépourvu. Que

venait faire le Rwanda ici ? Mon cardinal m'avait annoncé que nos entretiens de cette semaine allaient être difficiles. Que les errements de l'Église des siècles passés étaient une simple entrée en matière, qu'il fallait m'attendre à des jugements plus sévères. Mais pourquoi le Rwanda ?

— Je suis allé très vite au Rwanda, au moment du génocide, continua-t-il.

— Qu'alliez-vous y faire, Éminence ?

— Une de mes sœurs y était religieuse. Elle travaillait dans un dispensaire en plein pays des marécages au sud de la capitale, Kigali. J'étais à Rome lorsque nous apprîmes l'assassinat du président rwandais, Juvénal Habyarimana, un missile tiré sur son avion. C'était le 6 avril 1994. Deux ethnies habitent le Rwanda, les Hutus et les Tutsis. Habyarimana était hutu. Dès le lendemain de son assassinat, en représailles à l'encontre des Tutsis désignés comme coupables, le massacre commença à Kigali. Nous en fûmes prévenus très tôt. Peut-être savez vous qu'il existe de nombreuses missions catholiques dans ce pays... ?

— On l'appelait « le pays où Dieu aime le soir se reposer »...

— Cruelle ironie, assurément. Je ne m'inquiétais pas trop au début, pensant que ma sœur, n'étant pas dans la capitale, était moins exposée. Je jugeais que le respect des deux ethnies à l'égard des religieux et religieuses la protégeait. Très vite cependant, le massacre se répandit au-delà des limites de Kigali. Le Rwanda est nommé le pays des mille collines, et la vie s'organise autour de ces collines au flanc desquelles sont attachés les villages. La chasse aux Tutsis se répandit dans tout le pays. La région du Bugesera où se trouvait ma sœur fut atteinte une petite semaine plus tard. Le massacre dura jusqu'à juillet et ne s'arrêta qu'au fur et à mesure que l'armée tutsie en exil en Ouganda et au Burundi prenait possession du pays. Les Occidentaux ne firent rien ou très peu. Ils empêchèrent même des gouvernements africains d'envoyer une troupe d'interposition...

— Vous êtes allé là-bas, vous un cardinal, déjà, pardonnez-moi, d'un certain âge ?

— Le Saint-Père savait que ma sœur s'y trouvait. Il me demanda si j'avais des nouvelles. Je lui répondis que nous étions parvenus à parler plusieurs fois au téléphone au tout début des massacres. Cette guerre ethnique n'avait rien à voir avec les conflits des États modernes qui, dès les premiers bombardements, détruisent les infrastructures : routes, lignes électriques, téléphones, ponts... Tout se passa, ou presque, à la machette. Il fut possible de communiquer depuis l'étranger avec les habitants, du moins au début, pendant le mois d'avril.

» Le Saint-Père me demanda alors si je pouvais partir en Afrique pour me rapprocher du Rwanda, même si sans doute il serait difficile d'y pénétrer. Il voulait un voyage secret, sans que la presse en soit informée. La secrétairerie d'État prévint seulement le nonce en République démocratique du Congo où je partis vers la fin juin. Le nonce au Rwanda avait quitté le pays dès le début des troubles. De Kinshasa, je me rendis à Goma, à la frontière nord-ouest du Rwanda où j'assistai à l'arrivée en masse des réfugiés hutus s'enfuyant devant les troupes tutsies qui prenaient rapidement le contrôle du pays.

— L'histoire du Rwanda est caractérisée par des violences endémiques entre les deux ethnies, me semble-t-il.

— Violences exacerbées par une colonisation qui favorisait les uns au détriment des autres, me répondit mon cardinal. Les Hutus et les Tutsis vivaient en voisins et ne se mélangeaient guère. Dans leur belle langue française, les uns et les autres parlent de leurs « avoisinants » pour nommer leurs voisins. Bien peu se mariaient entre eux. Chaque ethnie se consacrait à son activité de base, l'élevage pour les Tutsis, l'agriculture pour les Hutus, et éprouvait une aversion instinctive pour l'activité de l'autre. Dans les villes, la situation était un peu différente : les mélanges étaient plus fréquents.

» Les Tutsis, favorisés par les Belges, avaient pris des positions économiques enviables, amplifiant un antagonisme qui existait auparavant mais demeurait dans des limites raisonnables. Pour autant, une certaine coexistence réussissait à se maintenir dans les villages : les deux ethnies se retrouvaient à l'église, se parlaient, discutaient au café. Les écoles étaient communes. Le Rwanda est un pays à très forte densité de population. Comme chacun sait, le manque d'espace et de richesse peut aboutir à envenimer les situations de conflit de façon dramatique.

— Des affrontements surgissaient régulièrement, n'est-ce pas ? lui demandai-je.

— La violence des affrontements dans le passé faisait que chacun pouvait revendiquer légitimement un motif de vengeance.

— Vous êtes à Goma, ville frontalière. Votre sœur se trouve à plus de cent kilomètres de là.

— Je m'inquiétais pour elle et en même temps je savais impossible de me rendre sur place. Il fallut attendre juillet pour que je puisse la rejoindre. J'étais à Goma fin juin, et j'assistais à un exode effrayant. Des centaines de milliers d'Hutus, puis pas loin de deux millions, chassés par l'offensive de l'armée tutsie, formée en Ouganda, et entrée dans le pays pour défendre ses frères d'ethnie.

» Plusieurs camps de réfugiés se créèrent où furent entassés Hutus innocents paniqués, génocidaires en fuite, membres des milices responsables des massacres et leaders hutus qui organisaient ces camps en zones de non-droit pour préparer la revanche. Pendant plusieurs mois, ces camps furent des endroits effrayants. Les Occidentaux ne savaient comment faire revenir les réfugiés dans leur pays. Finalement, le nouveau gouvernement constitué par la force politique tutsie à laquelle s'étaient

joints quelques Hutus modérés envoya son armée pour
forcer les réfugiés des camps à rentrer au pays. Cela se
passa là encore dans la violence : plusieurs milliers de
morts, dont certains dus aux représailles des milices voulant empêcher leurs compatriotes de quitter les camps.

— Humiliation d'une ethnie par une autre, vengeance, combats fratricides au sein de la même ethnie,
provocations, l'engrenage de mort était alimenté,
observai-je.

— Un engrenage tel qu'il est impossible d'établir
qui fut responsable de la première étincelle de violence.
Engrenage alimenté pendant des décennies et qui aboutit
à ce moment-là à un million de personnes tuées en trois
mois, deux millions d'autres sur les routes et parquées
dans des camps, quelques milliers d'autres tuées au
moment de rentrer dans leur pays. L'effrayant avec les
guerres quand elles se terminent, c'est qu'elles deviennent des statistiques qui font oublier les drames individuels. Elles deviennent quelques lignes dans les manuels
qui rappellent certes ce qui s'est passé mais gomment
l'horreur concrète à laquelle firent face les personnes. Ce
qui est effrayant aussi, c'est qu'il n'y a pas de vérité
facile dans ces guerres et dans ces massacres.

— Que voulez-vous dire ?

— Quand je suis arrivé au Rwanda et quand j'ai
constaté le nombre de victimes tutsies massacrées par des
Hutus, je me suis tout naturellement dit qu'il y avait des
bons, les victimes tutsies, et les mauvais, les génocidaires
hutus. Et je me suis dit que, grâce au ciel, les troupes
tutsies en exil en Ouganda étaient arrivées sans trop
tarder pour mettre fin au massacre.

— Et ce n'était pas le cas ? demandai-je, surpris.

— Oui et non. Les milices tutsies en exil n'étaient
pas seulement les héros libérateurs de leurs congénères
comme ils ont voulu le faire croire. Ils provoquaient
depuis des années des troubles dans la partie nord-est du
pays et commettaient eux-mêmes des exactions. Ils crai-

gnaient que les réformes proposées par le président hutu
n'ôtent toute légitimité à leurs actions de guérilla. On
peut penser qu'ils ne sont pas étrangers à l'assassinat du
président et qu'ils étaient parfaitement conscients des
massacres que cela allait déclencher.

— Bel exemple de cynisme et de manipulation...

— Comme souvent dans ce genre de situation,
quelques factions extrémistes multiplient les provocations. Ils manipulent les peurs et les rancunes des populations pour créer un climat propice aux explosions de
violence qui leur permettront d'assurer leur pouvoir en
toute impunité. Hutus et Tutsis extrémistes ont su mobiliser des soutiens internationaux qui se sont laissé berner
par leurs manœuvres. Tout montre que le gouvernement
tutsi, aujourd'hui au pouvoir, pratique une politique
d'appauvrissement de la majorité hutue et lui barre
l'accès à certains droits civiques et économiques. Il
renouvelle ainsi la politique coloniale faisant des Hutus
une majorité méprisée, gouvernée par une minorité peu
regardante sur les moyens de sa domination.

— Vous êtes en train de me dire qu'il n'y a pas de
justes, n'est-ce pas ?

— Si, il y a eu des justes, des individus qui ont
refusé de participer aux massacres ou ont recueilli des
voisins pourchassés. D'un autre côté, vous avez raison :
il n'y a pas eu un camp des justes. Le Rwanda m'a donné
une leçon, et c'est une des deux raisons pour lesquelles je
l'évoque ici. On aimerait qu'il y ait des bons et des
méchants. On aimerait pouvoir s'indigner globalement.
Et on s'aperçoit que ceux qu'on croyait les bons sont
aussi des méchants, et que quelques méchants sont
parfois des bons égarés. On voudrait se dire que les responsables des deux côtés étaient des dévoyés et que les
simples habitants étaient à l'écart des horreurs. Et l'on
s'aperçoit que ce n'est pas vrai non plus. Les génocidaires étaient les hommes de la rue autant que les politi-
ciens ambitieux.

— La barbarie n'était pas dans un seul camp...

— Non, elle n'était pas d'un seul côté. C'est une des découvertes de notre XXe siècle. La barbarie n'a pas de camp. Elle n'en a pas aujourd'hui, elle n'en avait pas hier. La seule différence est qu'hier les gouvernants étaient capables de la cacher à leurs peuples. Ils imposaient la version officielle aux manuels d'Histoire. Hier, on pouvait être fier de sa patrie. Aujourd'hui, c'est plus difficile.

Mon cardinal se tut un instant, puis me demanda :

— Êtes-vous déjà allé au Rwanda ?

— Non, lui répondis-je.

— Vous ne pouvez imaginer ce que l'on y ressentait. Quand j'y suis retourné en 1995, j'ai constaté que certaines églises où s'étaient déroulés les massacres avaient été maintenues dans l'état. À N'tarama, les cadavres devenus squelettes avaient été laissés à l'endroit où ils étaient tombés. On se frayait un chemin entre les os, on découvrait des crânes dans lesquels était encore plantée une machette, des bras sectionnés. À Nyamata, sur une table de la sacristie se trouvaient les corps d'une mère et de son enfant, à l'état de momies. Bouleversé, je m'étonnai auprès de ma sœur de cette volonté de laisser les traces de l'horreur à la vue de chacun. Elle me posa cette question : « Faut-il se souvenir ou faut-il oublier ? Trouverons-nous la paix en nous souvenant ou en oubliant ? Y a-t-il plus de chances que cela recommence si nous oublions ou si nous nous souvenons ? »

— Que lui avez-vous répondu ?

— Rien, bien sûr. Elle n'attendait pas de réponse, d'ailleurs. Depuis, je me suis dit que ce genre de mémoriaux, c'est pour les touristes, je veux dire pour les visiteurs qui ne savent pas, n'ont pas connu. Cela provoque l'émotion et c'est bon. Mais cela ne change rien, cela n'empêchera pas que cela recommence. La Shoah a-t-elle empêché le génocide tutsi, les exterminations dans l'ancienne Yougoslavie, la Somalie et le Soudan ? Non, n'est-ce pas ? Et puis, cela ne sert à rien pour ceux qui ont vécu les drames car ils les portent dans leurs cauchemars et dans leurs corps.

— La mémoire des horreurs d'hier ne suffit pas à empêcher celles de demain. La conscience de l'homme n'apprend et ne retient rien, ajoutai-je en pensant à ces cent ans de barbaries que fut le XX⁰ siècle.

Je savais cependant avoir tort en déclarant ceci. Des îlots de prospérité avaient réussi à trouver des réconciliations longtemps improbables. L'Allemagne et la France en étaient un exemple.

Mon cardinal ne releva pas mon commentaire, et continua d'égrener ses souvenirs.

— Lorsque je pus enfin pénétrer au Rwanda au début de juillet 1994, je m'efforçai de rejoindre ma sœur dans la région où elle se trouvait, le Bugesera. Elle ne voulut rien me raconter. Elle se contenta, si je puis dire, de me faire rencontrer des survivants tutsis. Plus de cinquante mille avaient été massacrés entre le 11 avril et le 14 mai 1994 dans la région où elle se trouvait, date à laquelle arrivèrent les troupes tutsies.

Mon cardinal se tut à nouveau, semblant hésiter.

— Je pense qu'il faut que je vous raconte même si nos lecteurs ne seront sans doute pas très enthousiastes à l'idée de recevoir chez eux, par mes récits, l'horreur du monde. Savez-vous comment les massacres se passaient ?

» Les Hutus se rassemblaient le matin sur les places des villages ou devant les églises, certains avec des fusils, la plupart avec des machettes. Des membres de l'armée et des milices étaient là. Ils vérifiaient d'abord que tous étaient présents, puis donnaient leurs ordres. Selon la fatigue des activités de la veille, comme me le précisa un Hutu, le départ se faisait entre 9 et 10 heures. Les bandes, souvent encadrées par les miliciens, se rendaient dans les marais ou les forêts d'eucalyptus où s'étaient réfugiés les Tutsis.

» La chasse commençait. On essayait de découvrir des traces de pas. On tendait l'oreille pour entendre les pleurs d'un enfant qui permettraient de repérer une cache. On frappait, amputait, défonçait, à la machette ou à la massue. Vers 16 heures, alors que la pluie allait se mettre à tomber comme tous les jours en cette saison, on mettait fin à la traque. On repartait couvert de sang vers le village. On se lavait dans les cours des maisons. On allait ensuite au café pour boire, et raconter ses exploits. On dormait. Puis, le lendemain, on recommençait.

— Vous dites « on », Éminence.

— Oui, je dis « on », et c'était involontaire. Ce n'est pourtant pas sans fondement car ces Hutus qui ont frappé, blessé, tué, étaient un peu monsieur tout le monde comme vous dites en français. C'étaient des cultivateurs, des instituteurs, des ecclésiastiques parfois, des petits commerçants, tous des voisins des Tutsis qu'ils traquaient, des anciens camarades d'école, des membres de la même équipe de football. Certes, ils avaient été poussés, ils étaient encadrés, parfois menacés, mais bien peu ont résisté. Beaucoup m'avouèrent avoir oublié ce qu'ils étaient en train de faire, une fois le premier écœurement passé. Ils ne se préoccupaient plus que des aspects pratiques de la chasse. Tous ces « on », en effet, cessèrent d'être des personnes pour devenir des machines à tuer.

Mon cardinal fit à nouveau silence, méditant sur ce qu'il venait de dire.

— Oui, j'ai dit « on », car de ces personnes l'humanité avait disparu. Ils n'étaient plus des personnes dès lors qu'ils ne considéraient plus ceux qu'ils frappaient comme des personnes. Quand la violence s'installe, elle chasse toute humanité et y substitue une mécanique effrayante. Car la violence est vigilante, comme me le raconta depuis sa cellule de prison un Hutu attendant son procès.

» Au tout début, écœuré, il envoya sa femme au rassemblement du matin pour annoncer qu'il était souffrant et ne pourrait participer à l'expédition du jour. Le maire, qui dirigeait les opérations, répondit à sa femme qu'en contre-partie de son absence son mari devait payer une amende de deux mille francs rwandais ou apporter le soir une volaille au cabaret... Il l'avertit que ce jour-là l'absence pour maladie était acceptée mais que le lendemain l'homme devait absolument être présent à l'appel.

» Pris de crainte, il fut au rendez-vous du lendemain à 9 heures. On l'affecta à une équipe encadrée par quatre membres de la milice interahamwe [1]. Ils se rendirent en chantant dans les marais. Ils virent des traces dans la boue d'un petit chemin. Ils découvrirent une femme et trois de ses enfants. Un milicien les lui désigna. Il oublia tout, me dit-il. Il frappa de sa machette. Le milicien s'approcha de lui et le réprimanda vertement en lui disant que ce n'était pas comme cela qu'il fallait procéder. Il fallait commencer par "couper", enjoignit-il, pas tuer d'un seul coup, afin de laisser les "cancrelats" ou les "cafards" mourir lentement. *cochroches*

» La journée se poursuivit. L'équipe dénicha une douzaine d'autres Tutsis à qui elle fit subir le sort indiqué. Puis, l'après-midi s'avançant, ils s'en retournèrent au village, commentant leurs réussites, les miliciens se désolant de n'avoir pas réussi un tableau de chasse plus riche. Le Hutu dont je vous parle revint le lendemain, et les jours suivants. Il était devenu un génocidaire, en chasse le jour, le soir au cabaret à trinquer avec de la bière Primus [2], dormant peu, devenu étranger à lui-même. Au début, la peur régnait parmi les massacreurs qui craignaient davantage leurs chefs que de tuer. Ensuite, l'habitude était prise.

— Vous avez employé les termes de « cancrelats » et de « cafards ».

---

1. Nom des milices hutues.
2. La bière brassée au Rwanda, vendue en bouteille d'un litre et souvent servie tiède.

— C'était ainsi que la propagande hutue désignait les Tutsis. Ce n'était pas sans raison. Pour conduire des gens normaux à tuer, il faut absolument que les organisateurs dénient aux victimes leur caractère d'êtres humains. Les nazis parlaient des juifs comme étant des *untermenschen*, des sous-hommes. Les esclavagistes parlaient des singes pour désigner leurs victimes africaines. Les extrémistes hutus parlaient de cancrelats. Pour participer à ce genre de massacre, il faut que l'on vous ait fait croire que vos victimes sont différentes de vous, différentes des membres de votre famille, de vos proches. Il faut vous convaincre qu'elles ne sont pas différentes des animaux.

— Le génocide était donc une simple chasse aux cancrelats...

— Des cancrelats dont on s'étonne qu'ils vivent encore. Et, grâce à ma sœur, j'ai rencontré plusieurs de ces cancrelats échappés par miracle au massacre.

Dimanche, cloître de la Collégiale
Génocides en pays chrétiens

— Voyez-vous, reprit mon cardinal, je vous raconte cet épisode de ma vie plus de dix ans après, ici dans ce bout paisible de Provence si éloigné du Rwanda ensanglanté. Dans cet endroit de paix qu'est un cloître. Je vous le raconte comme je l'ai raconté un matin de septembre de l'année 1994 au Saint-Père à Castel Gandolfo après mon retour à Rome.

» Il me demanda de lui parler de ce qui s'était passé. Je ne voulus pas lui faire un récit des causes et du déroulement des événements. Je lui rapportai seulement ce que m'avait dit une jeune femme rwandaise que ma sœur religieuse m'avait fait rencontrer. Je lui racontai son histoire dans les termes exacts qu'elle avait employés sans oublier un seul mot, en ne corrigeant rien, dans ce français un peu particulier qu'emploient les gens de là-bas. Ses paroles étaient gravées dans ma mémoire depuis le jour de son récit, et elles le sont encore.

« Je m'étais levée, me dit Sabine, une inquiétude prenante m'occupant le cœur. La radio nous avait apporté le fait de la mort du président, et nous avions l'idée que les embarras allaient commencer. Il faut que vous appreniez que nous autres, Tutsis, avions une très grande habitude de la colère des Hutus. Mon mari Innocent me dit ce matin-là :

"Sabine, il nous faut prendre garde à nous et aux enfants et trouver refuge."

Nous décidâmes de monter à l'église, car, dans le passé des embarras, jamais les Hutus n'avaient manifesté le courage d'attaquer les églises où se réfugiaient les victimes qu'ils voulaient mortes. Arrivés à l'église, nous la vîmes déjà pleine, mais nous nous installâmes dans un petit coin laissé libre près de l'entrée de la sacristie. Vers 11 heures, nous entendîmes de grands hurlements et des chants.

Ceux qui étaient près des portes de l'église commencèrent à nous avertir que les Hutus arrivaient. Les premiers miliciens arrivés jetèrent trois grenades par l'entrée. Puis ils pénétrèrent dans l'église.

Ils faisaient beaucoup de besogne avec leur machette, et nous coupaient beaucoup. Je vis Théophile, un avoisinant avec lequel nous parlions parfois le soir d'une cour à l'autre qui me regardait, la lame déjà rouge. Il me fixa, puis détourna la tête, abandonné de tout courage de me tuer. C'est pour cela que je peux raconter ce jour ce qui se passa.

Je réussis à me glisser avec mon bébé derrière les hommes qui avaient été tués par les grenades au début du malheur. Je ne savais pas où était Innocent, mon mari, ni mes autres enfants. Le soir arriva. Nous étions encore quelques-uns en vie et pas blessés. Nous en étions à chercher nos familles. Plusieurs d'entre nous les découvrirent, coupées, mortes, et ce fut un grand chagrin de larmes.

Le matin, avant que le jour se lève, certains d'entre nous réussirent à quitter l'église pour gagner les marais. J'ignorais où étaient mon mari et mes autres enfants. Mon bébé ne cessait d'avoir faim et de pleurer.

Dans les marais, nous trouvâmes plusieurs personnes aussi désolées. Certaines étaient couvertes de sang et nous savions qu'elles allaient mourir. Puis, dans la matinée, nous entendîmes les chants des interahamwe et nous nous enfonçâmes dans l'eau du marais, nous recouvrant de boue.

Je chantai doucement à mon bébé pour qu'il ne pleure pas et ne fasse pas venir les Hutus. Plusieurs passèrent pas très loin de là où je me cachai mais sans m'aviser. La journée passa et nous entendions les cris de ceux qui avaient eu le malheur d'être trouvés.

Une femme me dit que l'on pouvait trouver refuge pour la nuit dans l'école qui avait été bâtie plus loin du village, car les Hutus s'occupaient à boire et ne sortiraient des cabarets que pour aller dormir.

On y alla. Beaucoup y étaient déjà. On échangea les nouvelles et on pleura beaucoup. Puis, on s'endormit un peu. Et le lendemain, avant que le jour soit là, on repartit vers les marais pour se cacher encore. Et tous les jours comme le jour d'avant.

Quand mon bébé est mort d'avoir été malade de la dysenterie, j'ai voulu moi aussi mourir en me laissant aller dans l'eau du fleuve. C'était trop de malheur et de peur. Mais voilà, au dernier moment, je n'ai pas pu m'installer dans l'eau. Je ne sais pas pourquoi, car c'était ce que je voulais surtout.

Puis au bout de nombreux jours, nous avons entendu des voix qui nous appelaient en nous disant que les Hutus avaient été chassés et que les soldats du FPR[1] venaient nous donner le secours. Nous ne voulions pas sortir du marais, car les Hutus avaient souvent utilisé des pièges de la sorte. Finalement, je reconnus la voix d'un avoisinant qui nous jura que c'était bien le FPR qui nous appelait. Alors, nous avons décidé de pouvoir sortir.

Je n'ai pas retrouvé mon mari ni mes autres enfants. Je suis toute seule et je m'occupe d'enfants qui ne sont pas accompagnés[2]. Je sais que je ne vis plus du tout maintenant. Je suis toujours et encore dans les marais, toujours dans la peur d'être découverte, la nuit remplie de cauchemars. Les Hutus ont brûlé ma maison, ont tué ma

---

1. Front Patriotique Rwandais, nom de l'armée tutsie en exil qui prit le pouvoir au cours de l'été 1994.
2. Sabine parlait d'orphelins.

famille, Innocent mon mari, mes enfants et mon bébé. Ils ont réussi en plus à me prendre ma vie aussi sûrement que s'ils m'avaient coupé à moi aussi le cœur avec la machette. »

J'observai mon cardinal tandis qu'il me faisait le récit de Sabine, reçu, m'avait-il dit, un soir de juillet 1994 au bord des marais de Nyamata. Il parlait sans émotion apparente, sans effort non plus.

— Le Saint-Père m'écouta sans rien dire. Je devinais qu'il priait en même temps qu'il m'écoutait, car il était homme à savoir que, devant un tel récit, aucune autre parole n'était admissible. Nous restâmes tous les deux silencieux un temps très long que je n'ai pas mesuré et qui devait se compter en dizaines de minutes. Bien sûr, nous éprouvions une compassion infinie. Celle-ci, cependant, était de peu de poids devant le récit de Sabine qui rendait tout sentiment humain inopérant. Nous nous quittâmes sans ajouter une parole, gardant un même silence.

» Quelques jours plus tard, il me fit venir à nouveau. Il me demanda : "Des prêtres ont-ils contribué à cette abomination ?" Je lui répondis par l'affirmative et ajoutai que d'autres avaient manifesté une conduite héroïque. C'est à ce moment qu'il décida de déclarer publiquement que tous ceux, prêtres, religieux ou religieuses, qui avaient été complices ou acteurs du génocide, devaient être poursuivis par la Justice.

» Cette évidence qu'il me chargea de faire partager n'était pas la seule raison de ma visite auprès de lui. Il voulait que je lui nomme par leurs prénoms tous ceux que j'avais rencontrés là-bas, il me pressait de n'en oublier aucun.

» Aucun n'échappa à ma mémoire. Je sais que le matin, dans sa chapelle privée, le pape les portait chaque jour dans sa prière. Je sais...

— Vous savez quoi, Éminence ? lui demandai-je, m'étonnant du silence qui avait suivi.

— Rien. Cela lui appartient. Quoique...

Mon cardinal hésitait visiblement.

— Vous voyez, il y a des moments, des événements, des confidences qui, on s'en rend compte ensuite, marquent définitivement la relation entre des hommes ou des femmes. Le Rwanda a été cet événement entre Jean Paul II et moi. Nous avons voulu, lui et moi, comprendre. Et ce que nous avons compris nous a fait peur. Nous n'en avons pas beaucoup parlé à nos proches mais nous avons souvent évoqué ce sujet lors de nos entretiens particuliers. C'est cette compréhension et la crainte qu'elle a engendrée qui nous ont rapprochés. Nous portions un même poids. Je sais qu'il l'a porté jusqu'à sa mort, et je n'ai pas été étonné que, lors de notre dernier entretien, nous nous soyons une fois de plus retrouvés à évoquer le Rwanda. Je sais aussi que je porterai ce poids jusqu'à mon dernier souffle.

— Qu'est-ce qui vous faisait peur à vous et à Jean Paul II, Éminence ? lui demandai-je.

— Je vous le dirai tout à l'heure. Finissons-en d'abord avec le récit de mes séjours là-bas. Très tôt, l'ONU déclara officiellement que cette guerre civile constituait un génocide. Avec beaucoup plus d'empressement qu'elle n'en mit pour s'interposer. Le général canadien Dallaire, qui commandait les troupes de l'ONU à Kigali, déclara qu'il lui aurait suffi de cinq mille hommes pour stopper la tragédie. On lui répondit que là n'était pas sa mission.

» Oui, l'ONU déclara que c'était un génocide, selon la définition qu'elle en avait donnée en 1948 après la Shoah pour permettre justement à des pays étrangers d'intervenir pour interdire que se reproduisent de telles exactions. La définition y était, mais la volonté politique des puissances occidentales faisait défaut. Les Français, qui n'aimaient pas les Tutsis parce qu'ils les pensaient sous influence anglo-saxonne, ne se mobilisèrent qu'au moment de l'exode hutue. Les Américains refusèrent d'envoyer des hommes. Et quand quatre pays africains proposèrent d'envoyer leurs troupes pour peu que les États-Unis leur prêtent des engins blindés, ils se virent présenter un devis de plusieurs millions de dollars avant toute acceptation !

— Élégant, commentai-je.

— Comme vous dites, me répondit mon Éminence. Oui, l'ONU déclara que c'était un génocide, ce que tout le monde savait, même si en plus de la masse des victimes tutsies, certains Hutus modérés furent aussi massacrés.

» Ce fut un génocide doté de caractéristiques particulières, perpétré par des civils, des voisins immédiats des victimes, des personnes normales, pourrait-on dire.

» Quand vous considérez la Shoah, l'extermination a été organisée et menée par un petit nombre de tortionnaires dans des camps spécialisés, des tortionnaires soucieux de productivité et de rentabilité. Au Rwanda, il s'est agi d'un génocide de voisinage, avec des moyens artisanaux. Les coupables qui ont accepté de parler ont raconté qu'ils connaissaient leurs victimes, qu'ils savaient qui était hutu et qui était tutsi, si le mari était tutsi et la femme hutue ou l'inverse. Ils avaient mené des vies communes dans leur village, s'entraidant pour une récolte ou pour une réparation de toiture.

» Six millions de juifs sont morts durant la période noire de la Seconde Guerre mondiale, en l'espace de plusieurs années, donc, avec des moyens techniques très élaborés. Un million de Rwandais ont été massacrés en moins de cent jours, ce qui suppose, quand vous prenez conscience de ce qui se cache derrière les chiffres, une action collective de tout un peuple contre une ethnie voisine. Cent jours où, tous les matins, des hommes des campagnes et des villes se levaient pour aller chasser leurs anciens voisins tutsis comme ils se levaient quelques jours encore auparavant pour aller cultiver leur terre. Cent jours pour massacrer dans des conditions atroces un million de personnes, entre voisins. Il n'y pas d'autres événements comparables dans l'Histoire de l'humanité, parce que justement il n'y avait plus d'humanité dans les collines durant ces cent jours.

— Et puis, Éminence, il faut le dire : c'était un génocide perpétré par des chrétiens.

— Oui, il faut le dire parce que c'est la vérité. Ce fut pour nous, gens d'Église, un coup terrible. Oui, bourreaux et victimes avaient l'habitude de prier ensemble auparavant. Oui, ils participaient aux mêmes messes dans l'église de leur village. Oui, ils étaient invités aux mêmes mariages, se confessaient aux mêmes prêtres, recevaient la visite de leur même évêque. Oui, les bourreaux et les victimes appartenaient aux mêmes Églises, célébraient les mêmes cultes.

» Aucune confession chrétienne ne peut revendiquer n'avoir eu aucun prêtre ou pasteur impliqué dans les massacres. Et il est bon de savoir par les temps qui courent que, seuls, les musulmans, en petit nombre au Rwanda, peuvent être crédités de s'être tenus à l'écart de cette abomination.

— Éminence, je vous interromps. La cause de la peur que vous éprouviez avec Jean Paul II à la suite des événements du Rwanda est là, n'est-ce pas ? Vous avez découvert ce qu'un pays chrétien pouvait devenir en cent jours...

— Notre peur était là en effet. Le Rwanda constituait, pensions-nous, un exemple de la réussite de l'évangélisation en Afrique. Des fidèles actifs, des religieuses du pays en grand nombre, un clergé local formé, de nombreuses institutions charitables, des écoles... Un modèle de greffe réussie de la foi chrétienne dans un pays récemment évangélisé. Survint le génocide. Nous découvrîmes que l'horreur peut coexister avec une pratique religieuse enviable. Nous nous aperçûmes que les valeurs évangéliques étaient mises de côté avec une rapidité effrayante pour laisser la place à la barbarie.

— Des observateurs ont affirmé que le vernis chrétien avait craqué sous la pression de la sauvagerie africaine.

— Cette soi-disant explication déshonore ceux qui l'ont avancée, redonnant vie aux fantasmes occidentaux raciaux. Un peu comme on aurait dit que le vernis chrétien allemand avait craqué sous la pression de la barbarie germanique ancestrale. Ce que l'on n'a pas dit, bien entendu, au moment des exactions nazies. Ou comme on aurait prétendu que le vernis français avait craqué sous la pression de la sauvagerie lors des tortures infligées durant votre guerre d'Algérie. Non, l'explication ne tient pas dans le cas du Rwanda comme elle ne tient pas dans les exemples que je viens de rappeler.

J'avais compris où m'emmenait mon interlocuteur, le sens de tout ce qui avait précédé et de tout ce qui allait suivre. Je savais maintenant pourquoi il avait voulu ce livre et pourquoi ce dignitaire de l'Église avait changé.

Je l'invitai à poursuivre, espérant qu'il saisirait ce moment pour m'en dire plus. Je résumai nos derniers échanges de façon simple.

— Éminence, vous me dites que l'Allemagne et le Rwanda étaient deux pays chrétiens. L'un chrétien depuis longtemps, l'autre plus récemment. Et vous ajoutez que la foi chrétienne qui habitait l'immense majorité des deux populations n'a pu empêcher les deux génocides.

— Vous y arrivez…, me répondit-il. Vous y arrivez comme j'y suis arrivé il y a dix ans. Comme le pape lui-même y est arrivé lors des récits que je lui faisais. Et, inévitablement, vous allez partager la compréhension et la peur qui nous saisirent alors et que j'évoquai il y a cinq minutes.

» La grande leçon du Rwanda est celle-ci : la foi chrétienne, notre foi chrétienne, n'a pas empêché que surviennent ces atrocités en grand nombre. D'où la question qui frappe tout responsable d'Église, comme elle me frappa et comme elle frappa le pape : de telles atrocités dans des pays chrétiens – le Rwanda des années 90, l'Allemagne de l'avant-guerre – ne sont-elles pas le signe d'un échec chrétien ? De l'échec chrétien ?

— Je comprends pourquoi vous me disiez que Copernic et les autres étaient comme une introduction à des interrogations beaucoup plus dramatiques, lui dis-je alors.

— Copernic, c'est une violence faite à un individu en raison d'une erreur scientifique. C'est une erreur de notre part. Je ne la minimise pas mais sa portée est assez limitée. Le Rwanda et la Shoah, ce sont des gouffres qui s'ouvrent sous nos pas. La barbarie qui surgit d'une terre chrétienne.

Mon cardinal se tut à nouveau. Il était visible qu'il avait du mal à verbaliser les sentiments et les jugements que ces épisodes de l'Histoire lui inspiraient. Il me fit alors cette remarque qui me surprit.

— Je m'attendais à ce que vous repreniez votre comparaison de tout à l'heure...

— Laquelle, Éminence ? l'interrogeai-je.

— Celle du dépôt de bilan. Car si vous vous jugiez autorisé à employer cette expression à propos des erreurs de gouvernement dans l'Église il y a des siècles, vous devriez être enclin à employer un mot voisin à propos de cette barbarie née en terre chrétienne.

— Lequel, Éminence ?

— Faillite. Faillite chrétienne, même.

— Vous y allez fort à votre tour, Éminence, dis-je, choqué malgré moi qu'un homme dans sa position avance ce mot.

— Oh, non ! Je n'y vais pas fort, comme vous dites, même si je fais exprès d'employer un mot technique très précis. Même si nous n'avons pas utilisé ce mot lors de nos entretiens avec Jean Paul II. Il est légitime, ce mot. Du moins, il est légitime de s'interroger sur sa pertinence. Quand une religion, en l'occurrence la religion chrétienne, met au centre de son message l'amour de Dieu et du prochain, on est en droit de se demander si des génocides survenant en terre chrétienne ne sont pas le signe que cette religion a échoué dans sa mission.

— Si je comprends bien, Éminence, c'est cette interrogation qui vous a réunis, le pape et vous, après le génocide au Rwanda ?

— Oui, c'est cette interrogation. Et je peux vous dire qu'il n'est pas facile de dormir avec cette interrogation au cœur quand on est cardinal et, plus encore, quand on est pape. Interrogation simple et dramatique. Interrogation qui, lorsqu'elle survient, ne peut être chassée. Interrogation qui pousse à de nombreuses autres interrogations.

— Lesquelles, Éminence ?

— Celles que je vous ai confiées à Rome et que vous n'avez pas relevées, que vous ne pouviez pas relever alors. Avons-nous fait ce qu'il fallait depuis des siècles pour assurer la mission reçue du Christ, porter la bonne nouvelle à toutes les nations ? Avons-nous bien gouverné l'Église pour qu'elle soit fidèle à cette mission ? Ne nous sommes-nous pas attachés à des pratiques, des préoccupations, des ambitions secondaires qui nous ont fait négliger l'essentiel, qui ont empêché que l'essentiel prenne racine dans les terres où nous sommes allés l'annoncer ? N'est-il pas dérisoire de se focaliser sur le nombre des entrées au séminaire pour juger de notre réussite quand on fait face à des drames comme ceux du Rwanda ou de la Shoah ? Plus simplement, sommes-nous sûrs que nous ne nous attachons pas au secondaire en négligeant l'essentiel ? Vous voyez que les interrogations ne manquent pas et qu'elles sont cruciales.

— Et qu'avez-vous répondu à ces interrogations, Éminence ? lui demandai-je.

— Je me suis d'abord interdit de répondre trop vite. J'ai voulu comprendre, recueillir plus d'informations. Jean Paul II m'y a encouragé. Je suis allé visiter de nombreux chasseurs hutus, comme ils se nommaient eux-mêmes, dans leurs prisons.

» Je me souviens de cette prison dont aucun Occidental ne peut avoir idée, continua-t-il après un très court moment de silence. À quelque distance d'un village, un vague portail de bois, deux drapeaux. Deux enfants jouaient devant deux ou trois maisons. Les familles des gardiens, me dit-on. Sous un petit abri de bois, chauffait une énorme marmite. Je m'approchai, serrai la main du jeune homme qui tournait un morceau de bois dans le récipient. Ma sœur me dit qu'il s'agissait d'un prisonnier sur lequel pesaient des charges relativement légères. Du coup, il pouvait travailler aux services de la prison en dehors de la zone d'incarcération proprement dite.

» Nous fîmes quelques pas et arrivâmes devant une grille en fer, enchâssée dans deux murs de briques composées de terre et de paille. Le responsable de la prison, un militaire, nous y attendait. Ma sœur s'était contentée de dire que j'étais son frère, un prêtre venu lui rendre visite. Un gros cadenas, qui n'aurait pas résisté à un coup de massue un peu ajusté, fut ouvert par un gardien.

» Nous entrâmes dans une cour. Un chant rythmé par deux grand tambours s'éleva immédiatement. Ma sœur était connue, elle venait là souvent, les prisonniers l'accueillaient par leurs chants. Puis un homme d'une trentaine d'années vint la saluer tandis que ses congénères continuaient de chanter. Ma sœur me glissa : "C'est un des chefs autoproclamés de la prison."

» L'homme, souriant, s'approcha de ma sœur, lui tendit la main et l'entraîna vers les prisonniers qui se mirent alors à danser en une longue farandole autour de la cour de la prison. Éberlué, je la voyais, dans son habit gris clair, trottinant, les bras tendus, les mains posées sur les épaules du prisonnier qui la précédait, tandis que celui qui la suivait posait ses mains sur ses épaules à elle.

» Puis le chef quitta la farandole et s'approcha de moi. Il me tendit la main et m'amena vers les prisonniers dansant, m'introduisit dans la file. Les tambours battaient plus fort, le chant se fit plus triste, le rythme de la danse s'affaiblit. Ce qui avait commencé dans une sorte d'exubérance se muait en plainte. Le soleil chauffait dur sur la cour en terre battue. Un prisonnier déposa un chapeau de paille sur ma tête. Je vis qu'il avait fait de même pour ma sœur. Puis la danse se termina. Les prisonniers allèrent s'asseoir sous une sorte de préau. Le chef nous emmena ma sœur et moi dans un coin de cet abri pour nous protéger du soleil.

» Nous étions dans une cour de trente mètres sur dix, entourée sur trois de ses côtés par un mur qu'avec un peu d'agilité et l'aide d'un comparse n'importe quel homme aurait pu escalader facilement. Sur le quatrième côté, un bâtiment bas devant lequel se trouvait le préau où nous étions assis. L'édifice comportait quatre grandes pièces, chacune d'une trentaine de mètres carrés. Dans un coin de la cour, une toute petite masure d'une quinzaine de mètres carrés. Ma sœur me dit qu'elle était réservée aux femmes emprisonnées.

— Combien y avait-il de prisonniers, Éminence ?

— Plus de deux cents. Ce qui signifie qu'ils ne disposaient que de quatre cents mètres carrés au total, moins de deux mètres carrés par individu. Le chef à qui, décidément, les gardiens semblaient avoir délégué une sorte d'autorité d'organisation sur ses congénères, nous fit visiter le bâtiment. Pas de lit, pas de chaise, pas de table. Simplement quelques nattes en plastique. Ma sœur me dit qu'il n'y en avait pas pour chaque prisonnier et que des bagarres parfois violentes éclataient quand un détenu était accusé par un autre de lui avoir dérobé la natte qu'il s'était appropriée.

» Des hommes malades ou âgés gisaient dans des coins de l'une des quatre pièces. Ma sœur s'approcha d'eux, leur parla doucement, longuement, si bien que le chef commença à manifester une impatience discrète. Ma sœur ne s'en préoccupa pas, continuant ses chuchotements.

» Puis elle se releva, et me dit : "Celui que tu vois à gauche, là, qui paraît si misérable et qui l'est assurément, miné par une dysenterie que nous n'arrivons pas à enrayer, dirigeait une équipe de miliciens. Il est accusé d'avoir organisé la mort de plusieurs centaines de Tutsis en moins de trois semaines, et d'en avoir tué de ses propres mains plusieurs dizaines."

» Nous nous installâmes ensuite dans un coin du préau. Un groupe d'hommes nous rejoignit. Le chef leur expliqua que je voulais savoir ce qui s'était passé dans les collines. Au début, ils affirmèrent ne pas savoir, s'être cachés, n'avoir pas participé aux chasses, comme ils les nommaient. Le chef les interpella avec violence, leur enjoignant de s'en tenir à la vérité.

— Éminence, vous dites que ce chef était lui-même un détenu, sûrement accusé de meurtres multiples. Pourquoi se prêtait-il à votre enquête alors que ses codétenus refusaient de reconnaître la moindre responsabilité ?

— En effet, je ne comprenais pas son attitude. Je me demandais si j'avais bien entendu ma sœur quand elle me l'avait présenté à notre entrée dans la cour de la prison. Elle m'en parla le soir même tandis que nous étions rentrés à la maison de sa communauté. Elle me dit à peu près ceci : « Tu sais, nous qui n'avons pas de gros poids sur la conscience, ni crimes, ni vols, ni actes violents, nous ne sommes pas capables de comprendre comment un être humain réagit après un acte de folie, un acte de barbarie. Nous ne savons pas comment il s'arrange de sa culpabilité. Certains vont pousser le déni jusqu'au bout, refusant l'évidence. Quelques-uns par peur du châtiment, la plupart parce qu'ils ne se reconnaissent pas dans ce qu'ils ont fait, parce qu'ils ne sont pas capables de relier ces actes barbares avec ce qu'ils étaient avant de les avoir commis. D'autres, au contraire, acceptent la réalité de leurs actes. Ils se trouvent le plus souvent des excuses sans toutefois nier leurs crimes. Ils l'expliquent en disant qu'ils y étaient contraints, que s'ils n'avaient pas obéi au maire du village leur famille aurait été tuée. D'autres encore n'ont pas de mal à reconnaître leurs actions, s'en disent responsables et attendent le châtiment comme une sorte de délivrance. Ceux-là se sont rendu compte très tôt qu'ils ne pouvaient pas effacer cette terrible période de leur existence, que leurs cauchemars leur rappelleraient nuit après nuit ce qu'ils avaient fait, qu'ils ne cesseraient jamais de croiser, dans les rues et les chemins, la mère, le frère, le père, la tante d'un homme, d'une femme ou d'un enfant sur lequel ils avaient abattu leur machette dans les marécages. Le chef à la prison cet après-midi appartient à cette catégorie. Il sait qu'aucun artifice ne lui permettra d'effacer ce qui a été, ce qui ne peut être changé. Il tente d'y faire face, et il veut montrer à ses codétenus que c'est la seule attitude possible. Et puis, il y a une quatrième catégorie mais tu n'en trouveras aucun représentant dans notre petite prison. Ce sont les endurcis, ceux qui savaient parfaitement ce qu'ils faisaient et qui n'attendent qu'une occasion, celle de recommencer. Un petit nombre de ceux-là sont dans une prison de Kigali, le plus grand nombre est en exil ou en train de fomenter des troubles dans les camps de réfugiés du sud-ouest du Rwanda ou au Congo.»

— Comment votre sœur pouvait-elle supporter de passer du temps, de soigner sans doute, d'écouter ces criminels dont certains étaient responsables d'un nombre incalculable de meurtres ?

— Elle souhaitait de toutes ses forces que la justice passe, que les coupables soient condamnés et punis. Et, en même temps, elle croyait nécessaire de tenter de ramener ces criminels dans une humanité qui les avait quittés un matin d'avril 1994 quand la furie les avait atteints, quand ils y avaient cédé.

» Elle me disait : "Tu sais, ils se sont comportés en barbares pendant ces trois mois, doivent-ils mourir en barbares ? Je voudrais qu'ils reviennent vers les rivages d'une vie d'homme, et qu'ils vivent la prison ou le poteau d'exécution comme des hommes qu'ils n'ont pas réussi à être pendant ces cent jours où le diable se déchaînait en eux."

— Y a-t-il eu beaucoup de condamnations à mort ?

— Très vite le nouveau gouvernement à majorité tutsie s'est rendu compte de l'impossibilité matérielle à emprisonner, juger, condamner tous ceux qui avaient trempé dans les actions génocidaires. Comment voulez-vous appréhender et faire passer en justice deux millions de personnes, soit le quart de la population du pays ? Le gouvernement décida de concentrer son action contre les organisateurs, les responsables, les meneurs, et de laisser libres les exécutants, tout en les invitant à reconnaître leur participation aux crimes et à l'avouer publiquement.

— Que vous disaient les détenus de la prison quand ils acceptaient de parler ?

— Leurs récits étaient d'une banalité stupéfiante, comme si ce qu'ils avaient commis ou avaient été poussés à commettre relevait des actions quotidiennes, normales, des jours qui se succèdent. L'acte de poursuivre et celui de tuer avaient perdu tout sens... Tous me disaient que bien sûr ils auraient préféré ne pas avoir eu à commettre ces meurtres, mais que les journaux, la radio, les chefs de village, les milices qui se répandaient dans les collines, leur avaient dit combien les Tutsis étaient dangereux, combien ils avaient profité d'eux, qu'il fallait en finir une fois pour toutes.

— Le propre du génocide est justement la volonté d'en finir une fois pour toutes...

— C'est en effet un fantasme d'extermination qui se donne les moyens de ses fins. Un génocide est une suite de décisions et d'actions monstrueuses prises et menées au nom de l'efficacité. Ces décisions et ces actions, justement, perdent tout caractère de monstruosité au moment où elles s'organisent dans un plan d'ensemble qui se veut logique. Les nazis comme les responsables hutus semblaient se dire : « Nous avons un problème (pour les uns les juifs, pour les autres les Tutsis), comment allons-nous le résoudre de manière définitive pour que nous n'ayons plus à nous en occuper ? »

» Les nazis ont trouvé quelques complices pour dénoncer les juifs. Au Rwanda, ce sont les voisins mêmes des victimes qui se sont chargés de la besogne, encadrés ou forcés par l'armée et la milice.

— Cela n'explique pas pourquoi leur foi, leur religion, les structures sociales qui étaient les leurs, ne les aient pas empêchés de sombrer dans cette abomination.

— Non, cela ne l'explique pas, car tout s'est passé comme si deux univers parallèles qui ne communiquaient pas s'étaient installés. L'univers normal de tous les jours, avec ses tensions inévitables et ses rencontres bienveillantes. Et l'univers de l'extermination. D'une certaine manière, pendant ces cent jours, les génocidaires ont vécu à côté d'eux-mêmes, de ce qu'ils étaient auparavant, de leur vie de famille et de voisinage, de leurs rencontres sur le terrain de football, des messes auxquelles ils se rendaient en rangs serrés chaque dimanche.

» Ils se sont mis entre parenthèses le temps du génocide. Ou plutôt, des gens ont réussi à les mettre en parenthèses. Beaucoup m'ont dit, et je les ai crus sincères, qu'ils ne pouvaient expliquer ce qui s'était passé en eux. Et je crois qu'ils ne seront jamais capables de le découvrir. Ces cent jours où ils ont massacré appartiennent à un autre univers dans lequel ils n'habitent plus.

— Je comprends ce que vous me dites, Éminence, mais cela ne parvient pas à expliquer ce qui s'est passé.

— Vous avez raison : cela n'explique rien. Parce que rien ne peut l'expliquer. Après avoir écouté le groupe d'adultes rassemblés par le chef, je m'avisai que des adolescents jouaient ensemble un peu plus loin. Je m'approchai d'eux. Certains avaient une quinzaine d'années, d'autres étaient plus jeunes : dix ans, douze peut-être. Je leur demandai ce qu'ils faisaient là. Tous me répondirent qu'ils ne savaient pas, qu'on les accusait faussement d'avoir « participé à la chasse et à la coupe ».

» Ils ne me regardaient pas tandis qu'ils protestaient de leur innocence, et je me disais qu'à leur âge ils ne pouvaient être criminels. Nous continuâmes à parler. Petit à petit, ils acceptaient de me regarder.

» Enfin capable de croiser leurs yeux, je découvris avec stupeur qu'ils mentaient, que leurs dénégations étaient fausses. Je sus avec une certitude totale que ces enfants entre dix et quinze ans avaient été entraînés dans l'innommable, dans le mal absolu, qu'ils y avaient amené leur énergie, leur agilité. Je sus ensuite que cette certitude instinctive qui m'était venue après les avoir entendus et regardés était fondée : de nombreux témoignages dignes de foi prouvaient qu'ils étaient coupables de génocide.

» Vous rendez-vous compte de ce que cela signifie : être génocidaire à douze ans ! Avoir tué une femme, un bébé, un vieillard à coups de machette quand on a douze ans, une femme de l'âge de votre mère, un bébé ressemblant à votre petit frère, un vieillard aussi âgé que votre grand-père qui, peu d'années auparavant, vous racontait une histoire sous le bananier de la cour. Le génocide, quand il est perpétré par une population dans son ensemble, tue des êtres humains certes, mais détruit l'âme tout autant.

— Peut-on être encore chrétien quand on est hutu ou tutsi et que l'on a connu cet enfer ?

— Je pourrais vous répondre par une phrase pieuse et d'ailleurs juste : oui, on peut être chrétien ou le redevenir. Je préfère vous rapporter les réponses qui m'ont été données par ceux et celles que j'ai rencontrés là-bas.

» Sabine m'a dit : "Je ne peux pareillement à avant entrer maintenant dans l'église (celle de son village où elle avait tenté de trouver un refuge), car j'ai de la peine à juger que le bon Dieu y ait été au moment où les Hutus sont entrés pour nous couper."

» Et François qui est en prison et attend son procès : "La fureur que les miliciens avaient réussi à nous transporter dans le cœur et dans la tête, eh bien, Dieu n'a pas réussi à l'empêcher de nous habiter tout entier. Je ne crois pas qu'Il nous aime encore quand Il sait ces malfaisances que nous avons commises. Et je ne crois pas qu'Il voudra des coupeurs comme nous dans son ciel."

— Et vous, Éminence, pensez-vous que l'on peut encore être chrétien quand on apprend chacune des histoires que vous avez apprises auprès des uns et des autres, des génocidaires et des victimes ?

— Je pourrais là aussi vous répondre par une phrase pieuse, mais je ne peux plus proférer de phrases pieuses depuis mes séjours au Rwanda. Je crois que l'on peut être encore chrétien bien sûr, je suis convaincu surtout qu'on doit l'être différemment de ce qu'on l'était, que l'on ne peut plus l'être comme avant.

» Pour moi, il y a un avant génocide et un après génocide. C'est dans les semaines qui suivirent mes séjours au Rwanda que je pris progressivement conscience que nous nous tenons trop éloignés des enjeux premiers de notre foi et de notre monde. Je vous l'ai dit tout à l'heure et je vous le répète : nos critères de réussite relèvent d'une arithmétique secondaire dérisoire. Le taux de pratique dominicale, le nombre d'entrées chaque année dans les séminaires, la quantité de personnes présentes aux dernières JMJ comparée à celle des années précédentes, le nombre de sacrements de mariage célébrés, et celui des baptêmes, la connaissance de la foi des enfants en fin de catéchèse, la quantité de membres revendiquée par tel ou tel mouvement…

— Au Rwanda et dans l'Allemagne d'avant-guerre, il y avait de nombreux séminaristes, n'est-ce pas ? lui demandai-je pour clarifier son point de vue. De nombreux mariages à l'Église, des foules aux messes le dimanche ?

— Il y avait tout cela, et cela n'a rien empêché. Bien sûr, tout cela est bon et nécessaire, mais à ces mesures concrètes et visibles échappe la réalité profonde de notre foi qui, elle, est invisible. Qui saura, si je n'en parle pas ici et si personne ne lit notre livre, que Donatienne, sur une des collines du sud de Kigali, a recueilli six enfants non accompagnés, comme elle le dit dans son français qui touche le cœur ? Elle les avait trouvés, affamés, au bord d'un chemin qui longeait le marais où ils s'étaient cachés. Ils avaient vu leurs parents, ils ne sont pas tous frères et sœurs, tués sous leurs yeux dans les derniers jours du massacre. L'un d'entre eux, Irénée, avait une longue cicatrice sur le sommet du crâne. Une autre, Célestine, n'avait plus de main droite. Donatienne les a recueillis alors qu'elle aurait préféré sans doute se laisser aller au désespoir d'avoir perdu ses propres enfants. Elle s'apprêtait à mettre au monde un enfant « qu'elle a attrapé de passage » comme elle disait avec pudeur pour désigner le viol dont elle avait été la victime.

» Donatienne est invisible dans la vie trépidante du monde et souvent dans nos soucis de gouvernants de l'Église. Comme sont invisibles un grand nombre de personnes qui, chaque jour, tentent de mettre un peu d'humanité dans le monde où ils sont nés. C'est là-dessus que nous serons jugés, me semble-t-il. Aurons-nous réussi, au nom de notre foi, à mettre un peu plus d'humanité dans un monde qui semble saisir toutes les occasions de se déshumaniser ?

— La réponse à votre question, dis-je, pour le pousser dans ses retranchements, est que nous n'avons pas réussi à installer suffisamment d'humanité pour empêcher la barbarie de se répandre.

— C'est l'évidence, même si cette vérité n'est pas bonne à dire car elle nous conduit à des révisions déchirantes.

— Voyez-vous, continua-t-il après un moment de silence. Il est légitime que le monde nous demande à quoi nous servons, nous, chrétiens. Je crois que la seule réponse que nous puissions lui faire est celle-ci : à puiser dans notre foi l'énergie de créer un peu d'humanité autour de nous. Puisque votre question était de savoir si on peut être encore chrétien aujourd'hui, je réponds : oui, si notre foi nous conduit à humaniser le monde qui nous entoure. C'est aux fruits qu'il porte que l'arbre est jugé.

— Vous en avez pris conscience au Rwanda ?

— Au Rwanda, j'ai été jeté dans le paroxysme des contraires. D'un côté la déshumanisation radicale du génocide, et de l'autre une quantité de petits actes invisibles d'humanisation, comme celui de Donatienne qui décidait, en dépit de son malheur, malgré la souffrance qui ne la quittait ni jour ni nuit, qui décidait de donner un avenir à ces six enfants orphelins.

» Il m'a fallu du temps ensuite pour découvrir que, si j'étais utile au poste que j'occupais à la curie, cette utilité était somme toute secondaire. Il m'a fallu un peu plus de temps pour penser que, d'un point de vue chrétien, Donatienne était plus utile que moi, autant dans le concret des jours que dans le mystère du salut apporté par le Christ au monde. Il m'a fallu encore un temps supplémentaire pour en tirer les conclusions qui s'imposaient et prendre les décisions qui devaient être prises.

Je ne demandai pas à mon cardinal quelles étaient ces décisions, sachant qu'il me les exposerait le moment venu. Il était près d'une heure de l'après-midi, l'heure de remonter déjeuner. La matinée avait été harassante, pour lui comme pour moi. On ne sort pas indemne de tels récits, me disais-je alors. On ne peut pas non plus éloigner de sa conscience les questions que ces événements faisaient surgir.

Nous reprîmes ma voiture. Nous restâmes silencieux durant le court trajet de retour. J'étais en paix à l'égard de ce livre. On était loin des mémoires satisfaits d'un cardinal tout aussi satisfait de lui-même, comme j'en avais lu tant. Ce dont nous parlions posait des questions d'une tout autre dimension. Je savais que mon interlocuteur les préciserait au fur et à mesure que nous avancerions dans nos entretiens.

Lundi, tour Philippe le Bel
Évangélisation et colonisation

Nous avions décidé de prendre notre petit déjeuner tôt, et de consacrer notre matinée à flâner dans les ruelles de Villeneuve.

— Savez-vous qu'à l'époque des papes d'Avignon le Rhône coulait au pied de la tour ? demandai-je à mon cardinal. Ce n'est que plus tard que des travaux pharaoniques déplacèrent le cours du fleuve à plus de deux cents mètres. À l'époque, cette situation en bordure du Rhône permettait de bloquer tout trafic sur celui-ci. La tour, point d'observation, faisait partie de la citadelle, maintenant disparue, qui assurait le pouvoir du roi.

— Non, je l'ignorais. J'aurais dû le deviner en observant les meurtrières qui trouent les parois blanches de l'édifice.

Nous étions montés au haut de l'édifice à la demande de mon visiteur qui sembla ne pas être trop affecté par les cent soixante-seize marches qu'il eut à gravir. Il faut dire que la vue sur le Rhône, sur Avignon et sur la campagne environnante jusqu'au mont Ventoux est impressionnante. Par-delà l'île de la Barthelasse, on se trouve exactement en face du pont Saint-Bénezet.

— Le pont Saint-Bénezet, c'est votre fameux pont

d'Avignon ? Celui à propos duquel chante « sur le pont
d'Avignon, on y danse, on y danse, sur le pont d'Avignon, on y danse tous en rond » ? me demanda mon cardinal, toujours soucieux de manifester sa connaissance de
la France, de ses expressions et, cette fois-ci, de ses
chansons enfantines.

— Oui, lui répondis-je.

— J'ignorais cependant que le plus fameux pont
français n'avait pas été terminé. Je remarque qu'il
s'arrête pratiquement au milieu du Rhône.

— Il a été terminé. Il mesurait près de neuf cents
mètres. C'était à l'époque le seul pont entre Lyon et la
mer. À partir du XVIᵉ siècle, il fut moins bien entretenu,
et certaines arches s'écroulèrent et ne furent jamais
reconstruites.

Nous redescendîmes dans la salle carrée du rez-de-
chaussée de la tour et nous nous assîmes face à face sur
deux bancs de pierre qui encadraient une des meurtrières
remarquées par mon cardinal.

Il faisait bon. Les murs en pierre blanche de la salle
créaient une atmosphère de paix.

J'avais décidé de ne pas aborder tout de suite les
questions que son évocation du Rwanda la veille avait
fait surgir. Il me semblait trop tôt pour lui demander d'y
répondre.

— Ces querelles entre papes et monarques que nous
évoquions avant-hier, ces condamnations injustes,
l'Inquisition, les croisades que nous n'avons pas évo-
quées, Dieu merci car nous y serions encore et notre livre
se transformerait en manuel d'Histoire à l'usage des éco-
liers, l'immoralité même de dignitaires de l'Église
comme les Borgia, tous ces scandales en un mot, quand
on y songe, Éminence, n'empêchaient pas la foi, ne
conduisaient pas les fidèles à se détourner de la pratique
religieuse, de la croyance, de l'obéissance à l'Église.

— Vous avez parfaitement raison. La foi n'était pas
atteinte par les comportements indignes des responsables

de l'Église. Elle était trop enracinée dans les consciences pour que les peuples s'en détournent.

— Alors qu'aujourd'hui...

— Eh oui, c'est tout le problème. Aujourd'hui, nos comportements sont nettement plus vertueux que ceux de nos prédécesseurs, mais cette moralité plutôt répandue n'a aucune influence sur la perte de croyance qui parcourt le monde.

Je me souvenais de l'opinion défendue par mon cardinal lors de l'une de nos discussions à Rome, selon laquelle il aurait préféré un pape à la culture historique plutôt que théologique. Mon cardinal voulait me faire partager une de ses convictions : il est impossible de comprendre une époque sans reconnaître qu'elle est le résultat provisoire de situations et d'événements liés entre eux, indissociables, s'étalant sur de très longues périodes. L'histoire du sentiment religieux et des institutions qui y sont attachées se déroule sur un rythme beaucoup plus lent que celui de l'histoire politique, économique, ou, *a fortiori*, militaire qu'un seul événement suffit à faire changer de trajectoire. Il me l'avait dit lors de notre dîner à Rome : critiquer le monde, notamment occidental, pour sa perte des valeurs chrétiennes, lui semblait naïf. Il fallait creuser plus profond si on voulait avoir une chance de comprendre et d'agir.

— Éminence, lui dis-je alors, je n'ai pas très envie que nous nous attardions sur tous ces papes guerriers ou peu fréquentables. Cela risque d'être lassant pour nos lecteurs.

— Vous avez raison. Ces papes qui jouaient de leur puissance et ne mettaient aucun frein à leurs désirs ont fait du mal à notre histoire et nous préférerions les passer sous silence, voire les oublier. Nous avons parlé de la donation de Pépin à Étienne qui installe la papauté sur un trône temporel. Vous avez vous-même cité Alexandre Borgia, un pape de la Renaissance qui installe la papauté dans le sordide. Aucun des deux, je suis d'accord avec vous, à l'époque où ils vécurent, ne réussit à détourner les chrétiens de la foi.

» Une troisième aventure, plus récente, aura une influence nettement plus néfaste dans certaines régions du monde. Elle n'impliquera pas la papauté mais les gouvernants chrétiens. Je veux parler de l'aventure coloniale du XIXᵉ siècle en Afrique. Portés par un élan nouveau de foi, des hommes et des femmes partirent dans ces pays lointains pour y annoncer l'Évangile, souvent dans des conditions de vie extrêmement précaires. En même temps, les puissances européennes se partageaient l'Afrique et ses ressources naturelles dans une colonisation menée au nom des grands principes de la civilisation.

— Vous faites allusion à l'infamie de la Conférence de Berlin, n'est-ce pas ?

— Exactement. Elle constitue le crime de Caïn des temps modernes qui entache le front occidental d'une manière que je crains irrémédiable. En 1884, la France et l'Allemagne invitent plusieurs pays à venir à Berlin pour établir des règles régissant leurs entreprises de colonisation. Sont présents, il faut tous les nommer, la France et l'Allemagne donc, les Pays-Bas, l'Italie, la Turquie, les États-Unis, la Russie, la Suède, la Grande-Bretagne, l'Autriche-Hongrie, la Belgique, l'Espagne, le Portugal. Ils y sont tous, tous chrétiens excepté la Turquie.

» Ils se partagent l'Afrique dans une espèce de jeu de Monopoly qui se jouerait avec une seule règle : premier arrivé, premier servi. On dessine sur la carte les zones d'influence de chaque pays telles qu'elles existent, et, à partir d'elles, chacun est libre d'aller de l'avant et d'annexer d'autres régions à condition de ne pas empiéter sur la zone d'influence d'un autre pays. Et on les dessine à la règle sur une carte sans le moindre souci pour les régions naturelles qui existent, sans prendre le moins du monde garde que l'on coupe des territoires ethniques constitués et que l'on fabrique des ensembles artificiels y faisant entrer de force des populations qui ne sauront jamais y cohabiter pacifiquement.

» Bref, on lance la curée, et on s'arrange pour qu'elle ne soit pas une source de conflits entre les prédateurs qui pourraient, sinon, s'entre-tuer dans la férocité de leurs convoitises.

— Et, en même temps, on assiste à la montée du discours sur l'importance d'apporter la civilisation à des sauvages.

— Beaucoup de braves gens crurent à ce discours sur les principes civilisateurs, sans se rendre compte que leur bonne foi laissait toute liberté aux cyniques de poursuivre leurs buts en se cachant derrière ces beaux principes brandis en étendards. Les exactions réservées aux habitants d'Afrique par un grand nombre de colons méritent d'être appelées crimes contre l'humanité. J'espère qu'un jour ils seront reconnus comme tels.

» Tous les élèves des écoles européennes ont entendu parler de l'histoire devenue merveilleuse de la rencontre entre Livingstone et Stanley. Celui-ci, parti à la recherche du pasteur Livingstone depuis Zanzibar sur la côte est de l'Afrique, finit par le trouver au bord du lac Tanganyika, après avoir parcouru plus de mille kilomètres à vol d'oiseau en dix mois. Quand il le vit, son flegme lui dicta ces simples paroles : "Docteur Livingstone, je suppose ?" comme si la rencontre avait lieu dans un club londonien entre deux *gentlemen* de la haute société.

— Depuis cette rencontre, les deux hommes sont associés comme symboles de l'épopée coloniale.

— À tort, car ils diffèrent du tout au tout. Ce Stanley, britannique d'origine, engagé aux États-Unis dans la guerre de Sécession, journaliste pour le *New York Herald*, est l'exemple même de la colonisation brutale avançant au sein du continent africain en compagnie de l'évangélisation. Quatre ans après sa célèbre rencontre avec Livingstone, il retourna en Afrique pour

« explorer », c'était le terme pudique et officiel, le lac Victoria. Il le parcourut en bateau, et aborda sa rive nord dans une région appelée à l'époque le Buganda[1]. Il y fut reçu par le roi de la région, Moutesa II, à qui il prodigua de longues lectures commentées de la Bible. Ce qui ne l'empêchait pas dans le même temps de massacrer totalement la population de l'île Boumbiré en accompagnant son crime de cette seule justification : « Ces sauvages ne respectent que la force. »

» Comment voulez-vous que nous autres, chrétiens, puissions ne pas éprouver encore longtemps de la honte devant cette coexistence de la barbarie avec l'Évangile ? Comment voulez-vous que les Africains de Boumbiré et du Buganda aient pu considérer ces Occidentaux qui maniaient le fusil avec autant de virtuosité que le commentaire biblique ? Comment cette aventure et un grand nombre d'autres semblables auraient-elles pu ne pas miner de façon irréversible le bien-fondé de la foi chrétienne !

— Tous ne furent pas comme Stanley, me semble-t-il, Éminence.

— En effet. Et puisque nous parlions de Livingstone, il en est l'exemple exactement inverse. C'était un homme de foi, profondément attaché aux Africains. Après avoir été retrouvé par ce voyou de Stanley, il continua ses explorations pour découvrir les sources du Nil. Épuisé, il mourut à Chitambo, dans l'actuelle Zambie. Ses compagnons noirs enterrèrent son cœur au pied d'un arbre et portèrent son corps pendant une marche interminable de deux mille kilomètres jusqu'à la côte est de l'Afrique afin qu'il puisse être embarqué à Zanzibar et ramené en Angleterre pour y être enseveli. Livingstone, pasteur et médecin écossais, combattit sans repos l'esclavage. Sa rencontre avec Stanley est symbolique et illustre mieux qu'un très long discours l'antago-

---

1. Qui fait partie aujourd'hui de l'Ouganda.

nisme de l'époque entre deux attitudes. D'une part, la sincérité évangélique. D'autre part, l'appât du gain et la violence. Les Africains gardent en mémoire ces deux attitudes ; la seconde tient plus de place.

— Alors que nous, Européens, nous les avons oubliées...

— Nous oublions vite et on nous aide à le faire. Aujourd'hui, dans de nombreux endroits d'Afrique, le christianisme ne peut prétendre au statut universel qu'il revendique. Il apparaît indissociablement lié à la culture et à la puissance de l'Occident, à la spoliation, aux abus. Quel échec de notre part ! Échec qui vient de la même cause que ceux que nous rappelions précédemment. Quand l'Église accepte les vêtements de la puissance et se range du côté des puissants, elle s'éloigne de sa réalité profonde et arbore un masque détestable. Nous le payons aujourd'hui, et particulièrement en Afrique.

— Il y eut tout de même des missionnaires désintéressés, proches des gens, vivant comme eux, les soignant, les aimant ! Vous évoquiez la figure de Livingstone.

— Bien sûr, et c'est ce qui fait notre Histoire si compliquée. Un réel fossé entre des chrétiens qui avancent dans l'humilité et le service, et d'autres qui revêtent les habitudes de la puissance, de la coercition, de la domination. Fossé qui remonte très loin, peut-être même à Étienne et à sa donation, fossé qui s'élargit au cours des siècles. L'honneur de l'Église, durement mis à mal par certains papes, cardinaux et évêques, a été sauvé par des saints inconnus qui furent plus chrétiens que leurs pasteurs. Ces saints n'ont pas été retenus par ceux qui écrivent l'Histoire autant que leurs qualités et leur nombre auraient dû le permettre : les autres, les puissants, faisaient tellement de bruit !

Le jugement sévère de mon cardinal ne me choqua pas. Il ne m'étonna pas non plus : je commençais à mieux le connaître. Il avait décidé d'aller jusqu'au bout de ce qu'il pensait. Ses récits depuis son arrivée en France créaient cependant une atmosphère pénible. Retracer sans complaisance les infidélités, les échecs, les errements, les occasions perdues de ce que l'on appelait la chrétienté était déprimant. Depuis trois jours, le ballet des Copernic, Borgia, Étienne, Boniface et autres exprimait une vision de l'Église dont les chrétiens d'aujourd'hui se passeraient aisément. Mon cardinal s'entêtait. Il ne m'épargnait ni l'horreur rwandaise, ni la Shoah, ni les massacres de la colonisation en Afrique.

J'avais beau me dire qu'il savait parfaitement où il voulait me mener, je le suivais avec peine dans le long dédale de noirceurs où il me conduisait.

Il dut sentir la nature de mes réflexions, car il me dit :

— Cela fait beaucoup, n'est-ce pas ?

Et, sans me laisser le temps de répondre, il poursuivit :

— C'est nécessaire, je vous assure. Si on n'a pas tout cela en tête, on ne peut rien comprendre de ce qui se passe aujourd'hui. Et surtout on ne peut rien imaginer pour demain. Soyez patient.

— Je le serai, Éminence, lui répondis-je, mais peut-être en avons-nous suffisamment dit pour ce matin.

La femme chargée de la surveillance de la Tour nous fit d'ailleurs signe que les visites allaient se terminer. Il était 12 h 30. Dans toutes les provinces d'Europe, contrairement aux grandes villes, on ne plaisante pas avec l'heure du déjeuner.

Nous sortîmes et empruntâmes la rue qui monte vers le centre de Villeneuve avec le projet de nous asseoir à la terrasse d'un des nombreux restaurants encore ouverts en ce début du mois de septembre.

Mardi matin, Petit Palais
Fin du système chrétien

Mon cardinal, comme je l'en avais averti dès son arrivée chez moi, ne pouvait s'y soustraire. Je l'emmenai dès le lendemain au Petit Palais qui ferme vers l'ouest l'esplanade historique d'Avignon sur laquelle se dressent trois merveilles architecturales : le palais des Papes, la cathédrale des Doms, et le Petit Palais lui-même.

Celui-ci avait été agrandi à l'époque de Jean XXII, un des papes d'Avignon au règne le plus long. Il abrite aujourd'hui une des plus belles collections d'Europe de tableaux de peintres primitifs italiens.

Je voulais absolument montrer à mon cardinal une Vierge à l'Enfant de Paolo Veneziano, artiste natif de Venise. À son habitude, il me prit à contre-pied, ne s'attarda guère à ce joyau de la peinture du début du XIVe siècle :

— Plutôt joli, consentit-il cependant. Il y a ici, peut-être l'ignorez-vous, une peinture beaucoup plus originale. J'en ai vu de nombreuses reproductions qui m'ont beaucoup intrigué.

— Laquelle, Éminence ?

— C'est une peinture d'à peu près la même époque,

due à un peintre inconnu d'Assise, qui ose représenter Dieu le Père.

— Qui ose ?

— Oui, qui ose. Vous n'êtes pas sans savoir que l'influence judaïque a joué sur les habitudes chrétiennes. Représenter Dieu, lui donner un nom, une image est un risque pour l'homme. Car Dieu est terrible à voir, n'est-ce pas ?

— Terrible ?

— Pour certaines mentalités. Même chrétiennes. Comme si l'originalité chrétienne n'était pas justement un Dieu Père pour les hommes ! L'iconographie s'est focalisée sur le Christ, depuis le Jésus de la crèche jusqu'au crucifié, et sur le Saint-Esprit sous forme de colombe. Représenter la figure du Père était quasiment interdit. Sauriez-vous dans quelle salle est ce tableau ? Il doit être d'assez petite taille.

Nous nous mîmes en quête de l'œuvre pour la découvrir assez vite sur un mur de la même salle où est exposée la Vierge de Veneziano. Dieu y est représenté comme une sorte d'empereur Charlemagne, à la barbe grise, la tête couronnée d'or, portant un globe terrestre dans la main gauche, et levant un doigt de sagesse, le tout sur un fond doré. Rien de très remarquable à mes yeux.

Mon cardinal s'entêta :

— Je me suis toujours demandé comment la proximité voulue par le Dieu chrétien avec les hommes n'a pas réussi à être comprise, acceptée, reçue par les chrétiens eux-mêmes. Ils lui ont longtemps préféré un Dieu lointain, soupçonneux, tyrannique. Ils le craignaient tellement qu'ils ont toujours hésité à le représenter, et quand ils y consentaient c'était sous les traits d'un monarque sourcilleux, ne laissant transparaître nulle bonté.

» Quand vous y songez, cette image n'est pas très éloignée de ce que nous disions hier à propos de la Shoah en Allemagne ou des cent jours d'horreur génocidaire rwandais. Le Dieu chrétien n'a pas vraiment pénétré la conscience d'un grand nombre de chrétiens.

— Éminence, ce constat ramène inévitablement à une question que nous avons évoquée mais à laquelle vous n'avez pas répondu. Au moment où l'Église manquait de vertu, la croyance chrétienne allait de soi. Les gens pouvaient être choqués par l'attitude de leurs prêtres et de leurs dignitaires mais ils continuaient de croire. Maintenant que l'Église est redevenue, assez généralement, vertueuse, pourquoi sa conversion n'aboutit-elle pas à redonner de l'attrait aux messages qu'elle porte ?

Nous avions terminé notre visite et nous étions assis dans le cloître du Petit Palais. Nous avions déplacé à l'ombre deux chaises parmi une pile d'autres qui avaient sans doute servi à un concert peu de temps auparavant.

— Venons-y. Tout d'abord, une précision d'importance. Nous allons parler de la crise des croyances religieuses en Occident. Or, vous le savez, ce qui survient ici est assez particulier et ne rend pas compte de la situation globale de l'Église. L'Europe et l'Amérique du Nord, ce sont entre trois cent cinquante et quatre cents millions de baptisés, soit moins de quarante pour cent de la population qui se réclame du catholicisme dans le monde.

» Deux questions se posent. La première : que se passe-t-il et que s'est-il passé en Europe et en Amérique du Nord ? La seconde : ce qui s'est passé dans ces endroits risque-t-il de se produire dans le reste du monde, Amérique latine, Afrique, Asie, Océanie ?

— Commençons par la première, l'invitai-je, désireux de connaître son explication de la crise religieuse des pays anciennement chrétiens.

— Prenons pour point de départ une simple question : à quoi sert une religion ? Ou, en d'autres termes : d'où vient le pouvoir d'une religion ou d'une Église ? Admettons trois réponses simples : les religions se présentent comme les intermédiaires entre des puissances invisibles et l'homme, elles servent à donner une explication à l'inexplicable, elles ont pour but de relier les hommes à un au-delà.

— On aurait vite fait de critiquer ce point de vue, Éminence, surtout à l'entendre dans la bouche d'un responsable de l'Église catholique. Vous semblez négliger l'aspect « révélation » des religions, et retenir seulement le besoin de l'homme de croire en quelque chose.

— Bonne observation. Je laisse un moment ce besoin de l'homme, j'y reviendrai plus tard, et je m'arrête à votre objection qui consiste à dire que les religions ne sont pas seulement la réponse à un besoin mais aussi la réponse à une intervention de Dieu – quel qu'il soit – auprès des hommes.

» Ce que l'on nomme révélation, un mot du vocabulaire chrétien, existe sous une forme ou sous une autre dans la plupart des religions. Vous vous souvenez de cet homme, il y a de cela plus de trois mille ans, qui gardait ses troupeaux. S'étant trop engagé dans un espace désertique, il dut le traverser pour trouver de l'eau et de la nourriture. Il arriva au pied d'une colline. Un buisson brûlait, et, phénomène inexplicable, ne se consumait pas. Il entendit une voix, au son de laquelle il tomba face à terre, qui lui confia la mission de délivrer ses compatriotes réduits en esclavage. Toujours impressionné par le phénomène surnaturel, il ne levait pas les yeux et était donc dans l'incapacité de voir qui s'adressait à lui. Au sens propre du terme, il était face à l'invisible. Il voulut en savoir plus, et demanda le nom de celui qui lui parlait. Il entendit cette phrase obscure : "Je suis Qui Je suis." La réponse dut le laisser pantois car il affirma immédiatement que jamais ses compatriotes ne le croiraient.

— C'était Moïse.

— Bien sûr. Il devint le destinataire d'une révélation dont il se fit le porte-parole. Deux mille ans plus tard, un homme, dans une grotte de La Mecque où il faisait retraite, éprouve une violente douleur. Lui, contrairement à Moïse, ne baisse pas les yeux, ce qui lui permet de voir un ange, nommé Gabriel, qui lui dit de lire. Simplement de lire, mais sans dire quoi. Perplexe, l'homme, il est âgé de quarante ans, ne sait que faire. Il finit par suivre son inspiration qui lui dicte ces paroles rapportées dans la sourate quatre-vingt-seize du Coran : « Lis, au nom de ton Seigneur qui a créé tout ; qui a créé l'homme de sang coagulé. Lis, car ton Seigneur est le plus généreux. Il t'a appris l'usage de la plume. Il apprit à l'homme ce que l'homme ne savait pas. » Autrement dit : Dieu, Allah en l'occurrence, enseigne.

— Mahomet.

— Oui. Entre les deux, et beaucoup plus loin à l'est du monde, un homme, Arjuna, entre en relation avec le Dieu suprême, Vishnou, lui apparaissant sous la forme de Krishna, qui lui enseigne les chemins de la libération. C'est le Bhagavad-Gita, livre sacré de l'hindouisme.

— Il ne manque que l'Éveillé... mais je sais ce que vous allez me dire.

— D'abord, il en manque d'autres... Pour se cantonner aux quatre plus connus, vous avez raison, il manque notre prince Siddhârta Gautama dont la vie se situe en gros six siècles avant Jésus-Christ. Ici, la révélation n'a pas la même signification. On peut même dire qu'il n'y a pas de révélation venant d'ailleurs, mais un effort de la part d'un humain pour dépasser sa condition. Siddhârta, depuis qu'il a quitté subrepticement la maison forte de la principauté de son père, en y laissant d'ailleurs son enfant, n'a cessé de marcher en quête de maîtres de sagesse qui, tous, le décevront.

» Au bout de plusieurs années de sa longue marche, un soir comme tous les précédents, il arrive dans un lieu inconnu et prend une décision. Il s'assoira sous un arbre qu'il voit un peu plus loin en se promettant de ne pas se relever tant qu'il ne parviendra pas au nirvana, comptant sur lui-même puisqu'aucun maître n'a su lui en enseigner la voie. À force de méditation, il parvient enfin à ce stade qui lui permet d'abord de connaître la liberté intérieure totale obtenue par la disparition de la conscience et ensuite d'échapper aux réincarnations. Cette entrée dans le nirvana lui permet d'être qualifié du terme Éveillé, c'est-à-dire Bouddha.

» Je vous vois sourire. Vous me deviniez, vous saviez que je ne pourrais m'empêcher d'établir une relation entre notre premier après-midi chez vous et les fruits que vous me faisiez déguster, l'empoisonnement de ce pauvre Benoît XI et le Bouddha. C'est en effet sous un figuier, un figuier pippal, qu'il parvint au nirvana.

— Nous en avons fini, enfin, avec les figues à moins qu'elles ne vous rappellent une autre histoire. Nous avons du coup l'esprit libre pour continuer. Les grandes religions ont toujours insisté sur le fait qu'elles n'inventaient pas, qu'elles avaient reçu une révélation, venue de l'au-delà. *advanced*

— La révélation, selon moi la plus <u>poussée</u>, est celle offerte par le Dieu des chrétiens. Dieu s'incarne en son Fils unique dans le monde des hommes pour leur apporter le salut et les appeler à la vie éternelle. Dieu est révélation incarnée et pas seulement Celui qui dicte du haut du ciel les termes de son message. Vous avez raison, les grandes religions se présentent comme les dépositaires et non les auteurs d'une révélation. Cela n'empêche pas que les hommes portent en eux un désir religieux et qu'ils s'interrogent sans cesse.

— Vous dites que la religion n'est pas seulement le fruit d'une révélation venue d'en haut, mais aussi une ressource de l'esprit humain pour créer des liens avec ce qui lui échappe.

— Ces deux mouvements coexistent. Mouvement de haut en bas, si on peut dire, que constitue la révélation. Mouvement de bas en haut qui exprime le sentiment religieux présent dans le cœur des humains.

» Moïse n'ose regarder le buisson qui brûle sans se consumer et entend la voix qui lui parle : il est devant l'invisible. Mahomet s'entend dire : "Ton Seigneur a appris à l'homme ce qu'il ne savait pas", il se situe devant l'inexplicable. C'est la raison pour laquelle je vous disais, avant ce détour par la révélation, que la religion sert à donner des explications à l'inexplicable et à établir une relation avec l'invisible.

— Vous allez plus loin, me semble-t-il. Vous dites que la religion fournit une réponse à un besoin fondamental de l'homme : celui de trouver des explications à ce qu'il ne comprend pas, celui de tenter de percer la réalité de l'invisible.

— N'est-ce pas évident ? Les preuves ne manquent pas. Prenez les dieux grecs. Ils sont le résultat d'une construction de l'homme pour tenter d'expliquer ce qui le dépasse. Cela donne ce merveilleux bricolage d'histoires, de légendes et de rituels qui constituent la mythologie.

— Bricolage ? Vous y allez fort, Éminence.

— Bricolage génial qui renseigne en profondeur sur l'âme humaine, mais bricolage dans le sens de construction humaine. La religion grecque ne revendique aucune révélation, ne propose pas de cheminement spirituel. En revanche, elle est réellement une religion dans le sens où elle sert à répondre aux questions de l'homme, à fédérer une communauté, à faire vivre un autre monde. Elle y parvient sans craindre l'excès et fabrique des dieux qui ressemblent beaucoup à l'homme alors que les religions révélées insistent au contraire sur le fait que Dieu est le Tout Autre, absolument différent.

» Zeus, le chef des dieux, se <u>complaît</u> dans les adultères. Il avale Métis, sa première femme pour s'en débarrasser. Il épouse ensuite Thémis, vit des amours extraconjugales avec Déméter, Léto et je ne sais plus très bien qui, épouse enfin Héra qui n'est pas commode. Il <u>s'empresse</u> de la tromper avec Séléné, Danaé, Europe et quelques autres.

» La construction mythologique est l'expression d'un sentiment religieux dans une culture particulière. Elle est aussi une œuvre d'art, car l'art a pour vocation d'exprimer l'invisible que l'homme porte en lui. Il est une façon d'apprivoiser le sacré, l'invisible, comme le savaient déjà il y a près de quinze mille ans les formidables peintres des grottes de Lascaux.

— Si on vous suit, la religion, qu'elle soit révélée ou qu'elle soit un système qui ne revendique pas une révélation, répond à un besoin. Quel besoin, précisément ?

— Durant la plus longue partie de son cheminement, vulnérable devant la nature qui l'entourait et la menaçait, l'humanité a ressenti le besoin de croire qu'une ou plusieurs puissances extérieures au monde existaient, avaient été capables de créer ce monde, en tout cas de l'organiser et de lui donner un sens. Le langage théologique présente la religion comme une révélation, le langage de la sociologie et de la psychologie affirme que le besoin de croire est inscrit au cœur d'une humanité inquiète. En gros, l'homme, devant la nature qui le dépasse, préfère croire que quelqu'un d'autre la domine.

— Les deux langages, les deux explications sont légitimes.

— Totalement. Ils ne s'opposent pas, du moins pendant un certain temps.

— Que voulez-vous dire ?

— Une religion a plus de chances d'être acceptée quand l'humanité, justement, est inquiète et quand l'inexpliqué est considérablement plus important que ce qui est expliqué. Au fur et à mesure que l'homme réduit la part de l'inexplicable et au fur et à mesure qu'il croit pouvoir tout expliquer parce qu'il en a déjà expliqué beaucoup, son besoin fondamental d'une puissance extérieure pour élucider les mystères de l'univers diminue.

— Son besoin religieux diminue du même coup.

— Exactement. Un des atouts des religions, quelles qu'elles soient, a été d'établir des ensembles de croyances et de pratiques qui créent, entretiennent et manifestent un lien entre l'humanité et un au-delà, un Dieu, des dieux. Les religions ont très longtemps rendu un service social en offrant un ensemble de croyances et de pratiques qui servent à concilier les bonnes grâces de l'au-delà et à organiser l'hommage qui lui est dû.

— Un moment, s'il vous plaît. Qu'entendez-vous par service social à propos des croyances ?

— Simplement ceci. Elles fournissent des réponses à ce besoin de croire à un au-delà quand l'homme se sait incapable d'expliquer le monde qui le dépasse. Il voudrait trouver du sens dans ce qu'il vit et ne paraît pas en avoir. Il voudrait savoir à quoi sert d'être né, pourquoi il souffre, pourquoi il meurt, ce qu'il devient après sa mort. Les religions lui offrent un cadre global de représenta- *frame* tion qui lui permet d'organiser ses interrogations, et d'y trouver des réponses. J'emploie à dessein cette expression de service social, même si je sais qu'elle peut résonner de façon choquante à l'oreille de chrétiens convaincus. Je crois vraiment que ceux qui se présentent comme les intermédiaires entre les dieux et les hommes assument une mission essentielle dans chaque société : donner du sens.

— Vous soutenez que la foi n'est pas seulement une adhésion à un message venu d'ailleurs, mais aussi la réponse que l'homme veut trouver aux interrogations qu'il porte en lui, résumai-je rapidement.

— Je dis que la foi n'est pas un pur sentiment d'accueil d'un message divin, mais aussi un besoin, sur- tout dans le passé, enraciné dans la plupart des hommes. Le philosophe Marcel Gauchet définit le sacré ainsi : « Une expérience fondamentale dans l'ordre des reli- gions, qui est la conjonction tangible du visible et de l'invisible, de l'ici-bas et de l'au-delà. » En d'autres termes, les religions s'occupent de ce point de contact entre l'invisible et le visible, par exemple Moïse devant son buisson ardent, entre l'ici-bas et l'au-delà. J'ajou- terai : entre l'inexplicable et une puissance qui explique- rait, selon ce que lit Mahomet : « Le Seigneur a appris à l'homme ce qu'il ne savait pas. »

— Vous dites que l'homme délègue à une religion et à certaines personnes le soin du sacré, c'est-à-dire le soin d'établir ce lien entre le visible et l'invisible, l'explicable et l'inexplicable.

— Dans toutes les sociétés, les hommes et les femmes choisissent des spécialistes qu'ils déchargent des travaux courants pour qu'ils se consacrent au service du sacré.

» Le mot sacré possède un autre sens qui complète ce que je veux dire. Il désigne ce qui est séparé, inviolable, ce qui fait l'objet d'une révérence religieuse. Ce qui est sacré est mis à part : les offrandes présentées dans les lieux de culte ne pouvaient être consommées que par les prêtres qui se séparaient eux-mêmes du commun des mortels par leur statut, leurs vêtements, leurs occupations. Personne, à part quelques rares individus consacrés, n'était autorisé à pénétrer dans le Saint des Saints du Temple juif.

» L'homme commun ne possède pas de pouvoir ni sur le sacré ni venant du sacré. Il dépend de la médiation d'une catégorie de personnes spécialisées, investies d'un double pouvoir : celui, délégué par l'humanité d'entrer en contact en son nom avec le divin pour infléchir sa volonté et mobiliser sa bienveillance, et celui de parler au nom du divin.

— Comment coexistent ce besoin de l'homme et la révélation, acte dans lequel Dieu a l'initiative, acte qui dépasse le besoin de l'homme, ne dépend pas de lui ? Vous semblez dire que, quand le besoin de l'homme est particulièrement fort, parce que l'inexplicable est trop vaste et trop lourd pour lui, les groupes humains prêtent plus volontiers l'oreille à ceux qui leur présentent une révélation. Cela nous emmène très loin. Si on vous suit, on aura vite fait de penser que les religions traditionnelles n'ont pas mesuré à quel point leurs messages avaient bénéficié d'un terrain extrêmement favorable dû à un moment particulier du développement de l'humanité.

— C'est pourtant une évidence qui n'a rien pour choquer. Tant que l'homme est taraudé par ce besoin de sens et cette inquiétude devant la nature, la souffrance et la mort, les révélations religieuses sont les bienvenues. Elles sont même désirées. En revanche, quand l'inexplicable recule grâce à la science, les religions perdent une des motivations de l'homme qui les avait si bien servies. Je dis bien une des motivations, pas l'ensemble de celles-ci.

— Il est inévitable, selon vous, que les religions reculent là où la science progresse, là où l'inexplicable se réduit, là où le visible grignote l'invisible. Aı ḷḷ ₡₿

— Les religions ont bénéficié de ce que l'on pourrait appeler une rente d'ignorance dans la mesure où elles comblaient un vide. Parce qu'il ne comprenait rien au monde, ou pas grand-chose, l'homme se tournait vers l'invisible pour obtenir une explication. Ce vide se remplissant, grâce au travail humain, à ses découvertes et à ses inventions, les religions ont vu l'espace traditionnel – je dis bien traditionnel – qui leur était réservé, diminuer.

» Vous connaissez ces interrogations célèbres de Nietzsche : "Mais comment avons-nous pu faire cela ? Comment avons-nous pu vider la mer ? Qui nous a donné l'éponge pour effacer l'horizon tout entier ? Qu'avons-nous fait, de désenchaîner cette terre de son soleil[1] ?"

— Ce qui signifie ?

— Pour moi, que nous étions entourés d'une mer qui portait à la fois nos ignorances et le sens donné par Dieu. Le progrès des connaissances a désenchaîné cette terre de son soleil, selon Nietzsche. Je dirais plutôt qu'il a brisé certains des liens qui enchaînaient la terre à son soleil, l'humanité à ses dieux. Le progrès humain, en vidant la mer d'une bonne partie des ignorances et en

1. *Le Gai savoir*, Aphorisme 125.

nous laissant croire que nous n'étions pas loin d'être tout-puissants, l'a aussi vidée, dans une certaine mesure, du besoin obsédant de Dieu. Nous avons mis longtemps, très longtemps à vider la mer. L'humanité, sa partie occiden-tale à vrai dire, ne s'est pas réveillée un beau matin en se disant : je n'ai plus besoin de l'invisible, je n'ai plus besoin de Dieu pour rendre compte de l'inexplicable, je n'ai plus besoin de religion.

— Vous affirmez qu'aujourd'hui l'homme ne peut plus croire, s'il continue encore à vouloir croire, pour les mêmes raisons que celles qui poussaient ses ancêtres à croire, à se jeter dans les bras des religions. C'est un peu violent, non ?

— J'accepte votre formulation même si j'étais sur le point d'en utiliser une autre. Oui, les raisons de croire ont changé puisque certaines anciennes – pas toutes – n'existent plus. Tout le défi des religions en Occident en tout cas – concentrons-nous pour l'instant sur ces pays – est de montrer qu'il existe aujourd'hui des raisons valables de croire après que d'autres raisons ont perdu une bonne part de leur validité.

— Je comprends maintenant les raisons de votre insistance à souligner que l'Église a du mal à abandonner de plein gré ses positions injustifiées. Vous ne visiez pas seulement les abus de puissance, les compromissions, les richesses scandaleuses. Vous défendiez déjà l'idée que l'Église, aujourd'hui, doit faire un puissant effort sur elle-même pour accepter de ne plus compter sur certaines raisons de croire qui lui ont tant servi dans le passé.

— Notre Église a bénéficié d'un pouvoir de dire et de célébrer le sacré que les personnes et les peuples lui accordaient. Quand Marcel Gauchet définit le sacré comme la conjonction tangible du visible et de l'invi-sible, de l'ici-bas et de l'au-delà, il introduit l'idée que le pouvoir des religions est directement dépendant de l'équilibre entre la place qu'occupe l'invisible et celle qu'occupe le visible.

— Expliquez-moi cela, s'il vous plaît. *roughly*

— Quand l'invisible recule, en gros parce que l'homme explique mieux l'inexplicable, ce point de conjonction qu'est le sacré change de place. Je disais que notre Église, c'est indéniable, exerçait un pouvoir venant du sacré. Or, il semble qu'il existe dans tous les pouvoirs une tendance à élargir son champ d'exercice : un pouvoir veut plus de pouvoir. L'Église, à partir du pouvoir que lui conférait le sacré, a accru sa sphère d'influence, nous en avons parlé, dans les domaines politiques, économiques, culturels, la donation de Pépin, l'excommunication de Victor Emmanuel, Galilée...

» Sous l'influence d'un double désir, son désir de gouverner au nom de Dieu et le désir de l'humanité de bénéficier de la protection divine dans les compartiments multiples de son existence, l'Église a pu renforcer son pouvoir et exercer une autorité dans de nombreux domaines éloignés de son domaine de compétence propre.

— Autorité qui, pendant longtemps, ne posa pas de problèmes, soulignai-je.

— L'envahissement du sacré dans les multiples compartiments de l'activité humaine était en effet accepté par presque tout le monde. Il était la conséquence de ce gigantesque amas d'inexplicable qui se trouvait devant une humanité démunie pour expliquer les phénomènes naturels ou maîtriser leurs effets nocifs.

» En revanche, cet envahissement devint de moins en moins supportable pour les peuples au fur et à mesure qu'ils acquirent un plus grand pouvoir sur leur environnement. Leur compréhension des mécanismes du monde les poussa naturellement à repousser plus fréquemment l'hypothèse de l'intervention directe de l'au-delà dans les affaires de l'ici-bas. Ceux qui mettaient au jour ces mécanismes se posèrent alors en rempart contre l'envahissement du sacré. Ils finirent par dénier aux représentants du sacré – les religions et les Églises – l'espace que ceux-ci

monopolized

avaient, selon eux, accaparé en profitant de leur ignorance.

— Vous dites en fait que la laïcité se déploie comme une revendication d'autonomie à l'égard d'un pouvoir du sacré qui remplissait un vide dû à l'ignorance. Vous dites aussi que cette revendication, légitime, n'épuise pas le champ complet de la religion et de la croyance.

— Je crois que nous pouvons toujours croire, je veux dire raisonnablement croire, sans pour autant conserver toutes les motivations qui étaient celles de nos ancêtres. Et j'ajoute que c'est du temps perdu et de *wasted* l'énergie gaspillée que de vouloir nous appuyer sur des motifs de croire qui ne sont plus valables. Nous ferions mieux de nous atteler à expliciter comment on peut croire aujourd'hui dans ce monde désenchanté.

» Pour aller vite, je dirais que l'Église en Occident fait face à deux défis. Premier défi : une part importante des Occidentaux ne croit plus à l'invisible. Second défi : une autre part, qui y croit encore, ne fait plus confiance à notre religion pour être le bon interprète de cet invisible, et préfère se tourner vers d'autres religions, des mouvances philosophiques ou spirituelles nouvelles.

— Vous avez parlé d'un monde désenchanté, thème à la mode depuis quelques années. Je ne savais pas que l'Église, du moins sa hiérarchie, épousait cette thèse.

— L'Église est très prudente et préfère créer son propre vocabulaire plutôt que de se rallier à des analyses et des expressions forgées en dehors d'elle-même. Je crois cependant que, quand notre pape Benoît stigmatise la « dictature du relativisme », il n'est pas très éloigné des analyses regroupées sous ce terme commode de « désenchantement du monde ». Cela m'étonnerait pourtant qu'il utilise cette expression devenue célèbre.

— Pourquoi ? m'étonnai-je.

— Nous en avons parlé avec lui et avec Jean Paul II. Il ne l'utilisera pas parce qu'il ne voudra pas donner un label d'authenticité à un système d'explication qui vient de l'extérieur et que nous ne maîtrisons pas. Cela n'empêche pas qu'il existe des ressemblances troublantes entre le relativisme cher au pape et le désenchantement cher à Gauchet. Notre pape ajoute une dimension supplémentaire quand il parle de dictature du relativisme. Il laisse ainsi entendre qu'il y aurait un complot des tenants de ce relativisme pour imposer leur mode de pensée.

— Vous n'y croyez pas.

— Non, je n'y crois pas. Le relativisme a deux causes : le désenchantement et notre incapacité de proposer aux hommes désenchantés de nouvelles raisons de croire. Première cause, nous sommes dans une étape de l'évolution de l'humanité. Seconde cause, nous ne savons pas comment nous y comporter.

— Pardonnez-moi de vous interrompre. Vous avez souvent des discussions de ce genre entre cardinaux ? Vous suivez les grands débats qui agitent les sociologues, les philosophes ?

— Oh oui ! Beaucoup plus que vous ne le croyez. Nous avons les rencontres formelles, les sessions de l'Académie des sciences, les colloques que nous organisons et qui donnent lieu à publications. Nous lisons aussi, nous rencontrons des personnes en privé, nous parlons beaucoup entre nous… Je me souviens d'avoir attiré l'attention de Jean Paul II sur les débats suscités, justement, par la question de savoir si le relativisme du monde occidental, c'est-à-dire en gros la perte des repères, n'était pas essentiellement une expression du désenchantement du monde. Il avait du mal à entrer dans cette perspective éloignée de ses présupposés philosophiques, mais il m'écoutait. Je lui parlai un jour, ce devait être fin 1985, d'un débat qui devait être organisé à Paris sur ce thème avec comme invité principal Marcel Gauchet qui avait publié cette année-là son livre, devenu célèbre, intitulé précisément *Désenchantement du monde.* Le Saint-Père m'encouragea à m'y rendre, ce que je fis, et me demanda de lui en parler à mon retour.

— C'était il y a vingt ans…

— J'ai un souvenir assez précis d'abord de ce débat qui eut lieu au cœur de votre hiver parisien à l'Institut catholique et ensuite du repas que dans le doux printemps romain, en mars, je partageai avec le Saint-Père. Je me souviens de n'avoir pas vraiment profité de la table ce jour-là tant le pape me pressait de questions et me poussait à lui donner une vision plus approfondie.

» J'essayai d'abord de lui résumer la thèse de Gauchet, ce qui est toujours une gageure. En gros, Gauchet pense que le christianisme est la religion de la fin de la religion, ce qui signifie que le christianisme a porté dès le début en son sein des valeurs qui, au fur et à mesure qu'elles se déployaient, aboutirent à faire disparaître certaines des motivations des religions traditionnelles.

— À quelles valeurs faites-vous allusion ?

— Pour faire vite, je dirais qu'en introduisant la notion de liberté, en s'appuyant sur le commandement biblique « Soyez féconds, multipliez, emplissez la terre et soumettez-la, dominez sur les poissons de la mer, les oiseaux du ciel et tous les animaux qui rampent sur la terre [1] » et en lui donnant toute sa portée, le christianisme met au cœur de la civilisation qu'il nourrit le principe même du progrès, de l'invention, de la recherche de l'explication, donc introduit le germe de l'autonomie à l'égard d'un sacré envahissant. Au nom du sacré dont il est le dépositaire et l'interprète, le christianisme va permettre l'émergence des mouvements de la pensée et de l'expérimentation qui vont réduire l'espace du sacré puisque l'inexplicable, qui créait du sacré, va être réduit siècle après siècle.

— Ce que nous vivrions aujourd'hui en Occident serait un déplacement du sacré, voire sa réduction.

---

1. Citation tirée du Livre de la Genèse, chapitre 1.

— Le problème est que cette diminution et ce déplacement ont très vite été perçus par une part importante de la population occidentale comme l'impossibilité de croire désormais en une instance supérieure à laquelle l'humanité devait se soumettre. Personne ne semblait admettre à ce moment-là que le sacré pouvait être déplacé sans disparaître, que le champ de l'invisible pouvait être ailleurs, déplacé sous l'influence du visible qui se répandait.

— D'une certaine manière, nous revenons à Élie sur sa montagne : il croyait que Dieu était dans l'ouragan, dans le feu, mais Il n'y était pas. Il était ailleurs, là où il ne l'attendait pas.

— Vous me comprenez parfaitement. En se développant, le monde vide la mer de Nietzsche et n'y voit pas Dieu. En constatant que Dieu n'est pas dans l'ouragan, il n'imagine pas qu'Il puisse être ailleurs que là où il l'imaginait, dans la brise. Le monde occidental pense que le progrès révèle la mort de Dieu, alors que Dieu peut être ailleurs que là où le monde avait l'habitude de le situer.

» En même temps, les autorités ecclésiales se durcirent et se figèrent sur des positions de refus de ces évolutions du monde puisque, de toute évidence, elles aboutissaient à nier Dieu. Les responsables de l'Église se dirent à peu près : "Puisque les systèmes qui expliquent le monde prétendent que Dieu n'existe pas, ces systèmes ne peuvent être que faux, intrinsèquement mauvais et pervers."

» Chacun campa sur ses positions et se condamna mutuellement. L'incompréhension entre le monde moderne et la religion chrétienne vient de là alors que les deux, à mon avis, expriment, chacun, une vérité.

— On repère aisément les négations de Dieu par le monde : la Révolution, le Marxisme, le Freudisme, Nietzsche... Du côté de l'Église, comment se manifesta ce durcissement ?

tensing

— L'Église, inquiète et réprobatrice devant ces évolutions, a répondu d'abord par des contre-mesures renforçant la sacralisation et ensuite par une <u>crispation</u> philosophique. Je pense à la déclaration de l'infaillibilité papale pour la sacralisation et à la publication du *Syllabus Errorum*[1] en 1864 par Pie IX pour la crispation philosophique.

» Je dis crispation parce qu'il est clair pour tout le monde que la papauté ne fut pas en mesure à cette époque de procéder à une sérieuse analyse de la légitime autonomie réclamée par le monde dans la connaissance du visible. Si elle avait pu mener cette investigation, elle aurait, j'en suis sûr, accepté de revoir la cartographie de la conjonction entre le visible et l'invisible.

— Vous dites que, face à la désacralisation, l'Église a répondu en rajoutant de la sacralisation.

— En grossissant le trait, on peut dire en effet que l'Église s'adressa ainsi au monde : « Tu désacralises parce que tu te mets à douter de l'invisible ; en retour, je renforce l'assise de mon pouvoir en me conférant plus de sacré. »

— Bref, c'est l'escalade dans l'incompréhension, conclus-je, tandis que nous nous levions pour retourner à ma voiture.

---

1. « Recueil des quatre-vingts erreurs de notre temps. »

Mardi après-midi, maison familiale
Occasions manquées

treating oneself to

Nous avions déjeuné rapidement à la maison. Mon cardinal s'était ensuite octroyé une courte sieste tandis que je profitais du soleil de septembre. J'avais disposé deux fauteuils sur une terrasse abritée du vent : le mistral s'était levé et soufflait avec vigueur. Le ciel était d'un bleu profond, sans un nuage, effet bienfaisant du vent du nord qui dissipe tous les cumulus et autres nimbus, mais vent froid. Il était bon de pouvoir se tenir près d'un muret qui le détournait.

Les récits et les explications de mon cardinal s'enchaînaient avec une logique construite. Il m'avait déroulé la fresque historique dans les jours passés. Il m'invitait maintenant à le suivre dans les explications plus théoriques. Il avait commencé par souligner sans précaution excessive les insuffisances de l'Église. Il me faisait prendre conscience des évolutions du monde dans la conversation d'aujourd'hui, en me montrant que celui-ci ne pouvait plus croire comme avant, et que c'était une folie pour l'Église de penser qu'elle pouvait s'opposer à cette évolution.

Je commençais à somnoler sous l'effet de notre repas pourtant léger et du soleil qui me réchauffait quand j'entendis mon cardinal monter les marches de la terrasse. Je me levai et le rejoignis contre la rambarde. Nous regardâmes en silence le champ d'oliviers en ligne au premier plan, puis la colline qui nous séparait du Rhône, et, au loin, l'œil irrésistiblement attiré, le Palais des Papes.

Nous nous assîmes au bout d'un moment. Je branchai le magnétophone. Mon éminence reprit notre conversation à l'endroit précis où nous l'avions interrompue le matin dans la cour du Petit Palais.

— Les responsables religieux de l'époque n'ont pas compris, et donc pas admis, cette prise d'autonomie du monde à leur égard. Ils ont réagi en tentant par tous les moyens de renforcer le caractère sacré de leur pouvoir. Ce renforcement prit plusieurs formes, au nombre desquelles la proclamation de l'infaillibilité du pape.

— Comment cela s'est-il fait ? demandai-je, soucieux de clarté.

— La lutte pour l'unité italienne déboucha sur la constitution d'un royaume d'Italie à part entière. Les revers de Napoléon III, protecteur de la papauté, à Sedan en 1870 donnèrent l'occasion au nouveau royaume unifié de réduire les possessions territoriales pontificales à la dimension de la seule colline du Vatican. 1870 est aussi l'année où se tint le concile de Vatican I, ouvert le 8 décembre 1869, convoqué dès 1864 par Pie IX et retardé plusieurs fois.

» L'ordre du jour du concile était vaste. Seules deux constitutions [1] furent votées avant que l'avancée des troupes italiennes ne force le pape à suspendre les travaux. La seconde constitution, nommée *Pastor Aeternus*, déclarait l'infaillibilité du pape dans l'enseignement de la foi et de la morale "quand il parle du haut de sa chaire". Elle fut votée le 18 juillet 1870 après d'âpres débats. La minorité hostile (vingt pour cent des sept cents évêques

---

1. Terme désignant les textes votés par un concile.

assistant au concile) quitta l'assemblée avant le vote pour ne pas le cautionner. ~~huppaf~~

— J'ignorais que ce dogme de l'infaillibilité avait suscité autant d'oppositions au sein du concile.

— Oh si ! La légitimité théologique de cette infaillibilité n'empêche d'ailleurs pas de constater que son instauration servait aussi de compensation offerte à la papauté.

— Quelle compensation ?

— Compensation dans l'ordre du sacré de la perte des États pontificaux, éléments de puissance temporelle. Le fait est symbolique de ce que je vous expose depuis mon arrivée ici. Quand l'Église sent son pouvoir temporel, politique, vaciller, elle renforce inévitablement son pouvoir dans l'ordre du sacré. Ce n'est pas pour rien que l'infaillibilité a été reconnue à cette époque. Il fallait renforcer les armes spirituelles puisque les armes temporelles étaient confisquées.

— Le pape, dépouillé de ses biens territoriaux, s'enferma au Vatican dont il se déclara injustement prisonnier…, commençai-je.

— Cet enfermement physique illustre parfaitement l'attitude psychologique de Pie IX à l'égard du monde. À cause de l'injustice perpétrée à l'égard de sa fonction, la papauté se mettait en position de résistance à l'évolution d'un monde qui lui échappait. Il faudra attendre Jean XXIII pour que, officiellement, l'Église renonce à cet enfermement.

— Pardonnez-moi, Éminence, je ne suis pas sûr que, malgré Jean XXIII, nous ayons quitté cette attitude de Pie IX. On pourrait soutenir qu'aujourd'hui encore l'Église se présente comme une force de résistance face aux évolutions du monde, qu'elle condamne souvent ces évolutions. Quand Benoît XVI souligne la dictature du relativisme qui, selon lui, mine le monde, n'est-il pas dans une attitude assez voisine de celle de Pie IX ?

— Il n'est pas mauvais qu'une force dans le monde

s'oppose aux évolutions dangereuses de celui-ci.
Adresser des reproches au monde n'est pas un crime,
c'est peut-être même un service d'une grande nécessité.
L'attitude de notre pape est différente de celle de Pie IX.
Benoît XVI ne défend pas un pouvoir politique ou économique de l'Église puisque celle-ci l'a perdu depuis plus
d'un siècle et qu'elle ne veut surtout pas en récupérer un.
Son analyse, même si, personnellement, je la nuancerais,
est une réflexion de fond, solidement argumentée. La
réaction de Pie IX, nous devons l'avouer, était d'une
autre nature.

— Comment cela ?

— Pie IX avait les soldats à ses portes. Le concile
ne savait pas si la salle où il se réunissait chaque matin
n'allait pas être envahie par une horde de dangereux
révolutionnaires, prêts aux pires exactions. Sa réponse ne
fut pas le fruit d'une stratégie mûrement réfléchie : elle
était trop influencée par la menace politique et militaire.
Elle manifestait une inquiétude proche de la panique. Elle
constituait une réponse courte, c'est-à-dire une réponse
instinctive, une réponse de parade, de réaction, une
réponse faute de mieux, qui ne pouvait espérer être efficace sur le long terme.

» Pie IX, en ouvrant le concile, donna immédiatement le ton. Je vous cite de mémoire une partie de son
discours et je vous enverrai le texte exact [1] : "Voyez en
effet avec quelle fureur l'antique ennemi du genre
humain assaille la Maison de Dieu. Sous ses ordres, la
ligue des impies s'avance au large, et forte par l'union,
puissante par les ressources, soutenue par ses projets et
trompeusement marquée de la liberté, elle ne cesse de
livrer à la Sainte Église du Christ une guerre acharnée et
criminelle. Vous n'ignorez pas le caractère, la violence,
les armes, les progrès et les plans de cette guerre."

1. La citation qui suit est le texte mot à mot de l'intervention du pape Pie IX.
Mon cardinal l'avait un peu dénaturée quand il me le cita de mémoire.

— Langage fleuri, c'est le moins que l'on puisse dire, commentai-je, un peu abasourdi.

— Derrière le langage de l'époque se dessine une réalité essentielle. Quand vous scrutez ce court extrait du discours du Pie IX, vous ne savez pas s'il fait allusion aux attaques de la pensée moderne contre la foi ou aux attaques des troupes de l'unité italienne contre les territoires pontificaux. En fait, le pape stigmatise ces deux agressions en même temps, jugeant sans hésitation qu'elles sont les deux ailes d'une même offensive, les deux ressorts d'une même conspiration.

— Ce que vous voulez démontrer, c'est que la confusion entre le temporel et le spirituel, une fois encore, conduit l'Église à ne pas savoir s'adapter aux conditions du monde de son époque.

— On peut supposer que, si le pape ne s'était pas senti à ce point menacé et encerclé dans ses possessions territoriales, il aurait considéré plus sainement les menaces spirituelles qui, disait-il, pesaient sur la foi.

— Le pape se sent assiégé personnellement, tentai-je d'expliquer à mon tour. Du coup, il juge que la foi est elle-même assiégée, et l'Église tout entière avec elle.

— La papauté constate que le monde occidental façonné par le christianisme est en train d'échapper à son influence. Un monde désenchanté est un monde qui ne veut plus croire ou ne peut plus croire à un au-delà extérieur à lui. C'est un monde qui, en doutant d'une volonté aimante et intelligente venant de l'invisible, réduit à rien l'espace du sacré et, ce faisant, dénie aux religions leur pouvoir. C'est un monde qui vide les églises. Un monde désenchanté constitue assurément une menace pour les religions qui ne s'y sont pas trompées. La question est de savoir si la réponse à la menace était adéquate.

— Vous pensez que non.

— Pas exactement. Je crois que l'Église n'était pas capable à la fin du XIXᵉ siècle de répondre autrement à ce monde désenchanté qu'en le condamnant. Je vous ai suffisamment expliqué pourquoi. La confusion entre le temporel et le spirituel l'avait installée dans une optique de pouvoir à exercer, de solidarité entre elle et les monarchies, entre elle et les sociétés féodales. Avec de telles habitudes, et, je le répète, les révolutionnaires italiens à ses portes, elle ne pouvait guère agir autrement qu'elle l'a fait.

— Admettons les circonstances qui ont conduit la papauté à adopter cette attitude d'enfermement. Essayons d'aller plus loin, si vous le voulez bien, en imaginant quelle aurait pu être une autre attitude.

— Vous voulez que nous déroulions la longue chaîne des si... Que se serait-il passé si les États pontificaux avaient été perdus nettement avant cette crise de la pensée moderne ? Que se serait-il passé si l'infaillibilité du pape reconnue en 1870 avait été accompagnée d'une constitution sur le rôle des évêques ? Celle-ci, qui était prévue, aurait renforcé la collégialité entre les épiscopats et la papauté et rééquilibré cette infaillibilité. L'arrivée des troupes de Garibaldi empêcha qu'elle fût votée. Que se serait-il passé si cela avait été une autre personnalité qui avait occupé le trône de Pierre, une sorte de Jean XXIII ?

— Eh bien, oui, justement, prenons l'hypothèse d'un autre pape, plus ouvert, avec une mentalité différente. Qu'aurait-il fait ?

— Je crois qu'il aurait compris qu'un monde désenchanté est un monde déçu, désemparé, qui cherche des voies après que d'autres se sont révélées sans issue. Quand vous êtes en conflit avec une personne ou un groupe de personnes, vous pouvez avoir deux attitudes. La première, celle de l'incompréhension, aboutit à la condamnation. La seconde, celle de la compréhension, suppose d'accepter de se mettre un peu à la place de votre interlocuteur pour tenter de découvrir les raisons de son comportement.

» Tentons d'adopter cette dernière attitude à l'égard du monde moderne. Que verrions-nous ? Le progrès fait douter le monde occidental d'un Dieu tel qu'il lui était présenté. Ses découvertes le font douter du bien-fondé de l'autorité des religions telle qu'elle s'exerçait. Deux déceptions, deux mises en cause sévères des équilibres traditionnels de la société. Devant la fermeture de l'Église à l'égard de la revendication de l'autonomie de pensée revendiquée par le monde, c'est tout un ensemble de croyances qui s'effondre. La mer se vide, comme dit Nietzsche, et laisse une terre désolée. Or, ce monde, cette terre, ces hommes, qui voient leur puissance se développer de façon exponentielle, ont encore besoin de croire à quelque chose même s'ils pensent ne plus pouvoir croire à ce en quoi ils croyaient jusque-là. Ce monde, cette terre, ces hommes vont se diriger vers d'autres croyances. Elles vont être nombreuses et éphémères.

» L'égalité civile de votre Révolution française et les droits de l'homme constitueront la première croyance de substitution. Immédiatement surgiront les crimes de la Terreur et l'absolutisme napoléonien. Première déception, première distance entre l'idéal proclamé et la réalité politique qui en découlera.

» Puis, ce monde voudra croire dans la fraternité entre les peuples. Juste au moment où surviendront les guerres mondiales et leurs cortèges de morts. Deuxième déception tragique.

» S'ensuivra la foi dans la supériorité de la civilisation occidentale. Et ce sera la colonisation, la guerre d'Indochine puis celle du Vietnam, et ensuite, tout récemment, celle en Irak. Troisième déception qui commence à faire croire que l'on ne peut plus croire à rien.

» S'intercaleront entre ces croyances les idéologies d'égalité sociale et économique. Et ce sera la dictature soviétique et la dictature chinoise. Des morts par dizaine de millions. L'interdiction de penser, d'entreprendre.

Déception, désillusion. Les grands soirs donnent naissance à des matins qui déchantent !

» L'homme se saisit dans le même temps et avec ardeur des observations et des théories de Freud. Il fera confiance au psychanalyste pour remplacer le confesseur défaillant, mais il n'obtiendra que des explications, aucune perspective. Découverte que la connaissance de la psychologie ne donne pas de sens à l'homme, seulement quelques explications plus ou moins approximatives à ses souffrances.

» Vous ajoutez à cela l'horreur nazie, les conflits de l'ex-Yougoslavie, la découverte des goulags…

— La noirceur du XXe siècle, l'interrompis-je.

— Oui. Vous comprenez alors facilement que tout ce à quoi l'homme a essayé de croire après avoir tourné le dos à sa religion traditionnelle, tout cela, par ses échecs et les horreurs produites, le laisse déçu, désemparé. Comment ne pourrait-il pas être désenchanté ?

Mon cardinal se tut un instant, cherchant visiblement ses mots.

— Vous avez une expression française qui, appliquée à cette situation, me semble étonnamment appropriée. Le monde occidental, aujourd'hui, ne sait plus à quel saint se vouer. Il n'y a plus de Dieu, il y a l'échec des espoirs qui ont tenté de le remplacer. Le ciel est vide. Il n'y a plus personne à invoquer.

— Sombre destin…

— Sombre destin, comme vous dites, qui ne se résume pas à ce que je viens de dire. Car c'est au moment où ses certitudes culturelles et spirituelles se fissurent sous les coups de boutoir de tous ces mouvements qu'il est frappé par une série de précarités. Le chômage, la famille qui se fissure, les grandes épidémies, la terre dont on dit qu'elle se réchauffe, le terrorisme qui sait se glisser dans les fissures que ces pays riches et technologiquement avancées ont laissées dans leurs armures protectrices. Avouez que cela fait beaucoup pour ce monde occidental !

— Croyez-vous que l'on aurait pu remplacer la croyance en un Dieu tel qu'il était perçu aux alentours du premier millénaire par une croyance différente qui aurait su combler le désir de croire des hommes d'aujourd'hui ?

— Il y a eu des tentatives en tout cas. La fascination du bouddhisme sur certaines personnes de nos pays est la preuve que, faute de se sentir encore chrétiens, ces personnes cherchent ailleurs à trouver du sens. Le New Age ou les sectes sont d'autres tentatives de comblement d'un vide de croyance. Elles sont très minoritaires et, même si elles sont parfois spectaculaires, elles ne parviennent pas à fédérer un assentiment collectif.

Mon cardinal se tut. Il semblait être arrêté par une nouvelle idée à laquelle il n'aurait pas songé sans cette discussion. Il la soupesait, légèrement interrogateur.

— Vous pensez à quelque chose, Éminence ? le relançai-je.

— Je me demande si nous n'avons pas été, des deux côtés, des victimes...

— Qu'entendez-vous par des deux côtés, Éminence ?

— L'Église d'un côté, et le monde de l'autre. Je me demandais si nous n'avions pas été victimes d'une affreuse incompréhension. Plus que cela même, d'un aveuglement assez diabolique. Je m'explique.

» On pourrait résumer tout ce que nous venons de dire de la manière suivante. La foi chrétienne installe une civilisation de liberté et d'invention qui se met à créer du progrès. Ce progrès réduit l'espace divin traditionnel et aboutit à une volonté d'autonomie de la part du monde à l'égard de l'autorité globale de l'Église. Celle-ci se crispe, refuse cette demande, même dans les domaines où elle est légitime, et condamne le progrès.

» Le monde met tout son espoir dans ce progrès qui devient une religion laïque. Cette nouvelle foi ne résiste

pas à l'épreuve du temps, aux révolutions, aux génocides, à Hiroshima, aux faillites des idéologies, à la crise
du pétrole, à l'effet de serre, à la maladie du sida. Bref, le
progrès s'effondre comme croyance de substitution...

— Ce qui donnerait raison à l'Église et à Pie IX,
justement, l'interrompis-je.

— Non, justement ! Pie IX et le monde se trom-
paient tous les deux. Ce pape se trompait en refusant
l'autonomie de la pensée qui amène le progrès, et le
monde se trompait en croyant que le progrès peut
répondre au besoin de croire inscrit dans chaque être
humain. Le progrès, ce fameux progrès, pomme de discorde entre les deux parties, était un leurre, un leurre
assez démoniaque...

— Démoniaque ? Que vient faire le démon dans
tout cela ?

— Le démon a l'âme sombre. Il propose à l'humain
des lendemains qui chantent, des voies royales, des puissances inespérées. Le progrès n'a pas d'âme, n'a pas de
sens, ne possède pas d'intention. Il est l'accumulation
mécanique de découvertes et d'inventions : chacune
s'appuie sur la précédente pour aller un peu plus loin.
C'était une erreur d'attendre du progrès plus qu'il ne peut
donner, et le monde moderne s'y est brûlé les ailes.
C'était une erreur aussi de le charger de tous les péchés et
de le stigmatiser en ennemi. Il ne méritait ni cet honneur
ni cette honte.

— Ni cet excès d'honneur, ni cette indignité, Éminence, le corrigeai-je instinctivement. C'est un vers de
Racine dans *Britannicus*. Pardonnez-moi de vous
reprendre ainsi.

— Ne vous excusez pas. J'ai vraiment grand plaisir
à parler ainsi avec vous. Bref, le progrès ne porte pas de
sens. Je veux dire qu'en aucune manière il n'aurait dû
constituer une menace aux yeux du pape ou une nouvelle
religion aux yeux du monde.

— Vous savez ce qu'écrivait Bergson, Éminence ?

— Non.

— Quelque chose comme : « L'humanité gémit, écrasée sous le poids des progrès qu'elle a réalisés. Elle ne se rend pas compte que son avenir dépend d'elle. »

— L'avenir de l'humanité ne dépend pas du progrès, il dépend de son âme, et c'est en effet de l'âme du monde que doit se soucier notre Église. Imaginez ce qui se serait passé si l'Église avait su tenir un autre discours.

— Encore des si, Éminence...

— Je vous l'accorde, mais prêtez-moi un peu d'indulgence. Imaginez que l'Église ait su reconnaître l'autonomie de la pensée scientifique, qu'elle ait su dire à Galilée : « Continuez d'explorer l'univers, essayez de le rendre plus compréhensible, faites-nous progresser dans cette compréhension. » Imaginez que notre Église n'ait pas eu peur que cette investigation scientifique mette en cause l'existence de Dieu. Imaginez que la papauté ait su abandonner sa puissance temporelle, à temps, avant qu'on ne la lui arrache. Imaginez encore qu'elle ait su rompre assez tôt les solidarités nouées au cours des siècles avec les princes et les gouvernants. Imaginez enfin, je vous fais grâce de la suite, qu'elle ait su ne plus apparaître comme occidentale, liée aux intérêts occidentaux.

— Je veux bien imaginer tout cela, Éminence. Où cela nous mène-t-il ?

— Simplement qu'elle aurait gardé son autorité morale, qu'elle ne serait pas taxée d'obscurantisme, qu'elle n'aurait pas été contestée dans son domaine de compétence, celui de l'au-delà, celui de l'âme du monde, qu'elle ne serait pas apparue dans cette position qui fait d'elle aux yeux de trop de nos contemporains l'ennemie du monde.

— Éminence, vous énumérez les incompréhensions accumulées entre l'Église et le monde, vous soulignez les rendez-vous manqués, les réformes qui n'ont pas eu lieu.

Tout cela se compte en déchirements. Tristes déchirements en l'occurrence. Cependant, ce monde désenchanté dont nous parlons depuis un moment n'est qu'un
bout du monde, celui de l'Occident. Vous vous demandiez tout à l'heure si ce qui était arrivé à cette partie du
monde occidental allait survenir dans d'autres contrées.
Vous établissiez une différence nette entre la situation
religieuse des pays d'Europe et d'Amérique du Nord, et
celle des pays d'Asie, d'Afrique, d'Amérique latine,
d'Océanie.

— Vous allez trop vite. Restons encore un peu en
Occident, car, malgré Pie IX, malgré les fermetures,
l'Église, une partie de l'Église, commença à prendre
conscience des soubresauts qui agitaient l'Europe et se
rendit compte que son attitude de fermeture et de
condamnation obstinée n'était plus tenable devant ce
monde désenchanté et déçu. Beaucoup de croyants, y
compris certains des plus hauts responsables de l'Église
catholique, jugèrent qu'il était temps de sortir de l'enfermement symbolique de la papauté derrière les murs de la
cité du Vatican. Ce qu'un concile et un pape avaient sym-
bolisé à la fin du XIXᵉ siècle sera l'objet d'une correction
de la part d'un autre concile et d'un autre pape cent ans
plus tard.

» Peut-être pourrions-nous attendre demain pour en
parler. J'aimerais que vous me fassiez faire un tour de
votre terrain. Nous avons besoin de détente.

— Volontiers, Éminence. Laissez-moi aller vous
chercher des chaussures plus appropriées. Les cailloux et
les buissons de la garrigue sont redoutables.

Nous partîmes quelques minutes plus tard pour notre
promenade. D'un commun accord, nous laissâmes de
côté notre livre en construction. Il m'interrogea sur les
raisons qui m'avaient poussé à commencer à écrire. Je lui
demandai comment était née sa vocation. Nous nous
trouvions bien dans ces simples échanges.

Mercredi, Grand Palais
Deux stratégies différentes

Mon cardinal allait quitter Avignon en fin de semaine. Il était temps de lui infliger la visite complète du palais des Papes, juste rétribution des détours historiques dans lesquels il m'avait entraîné. Nous y passâmes plus de deux heures avant de nous accorder un peu de repos dans un des endroits que je préfère : le cloître Benoît XIII.

J'avais tenté de faire étalage de ma science en multipliant les anecdotes sur la vie quotidienne de la cour papale, trop prudent pour me lancer dans l'Histoire elle-même. Je savais que mon interlocuteur la connaissait en profondeur et je ne voulais pas lui donner l'occasion de revenir à ses digressions favorites sur les sept papes qui avaient vécu en Avignon.

— Savez-vous, Éminence, pourquoi les convives aux grands dîners de l'époque n'occupaient qu'un côté des longues tables où ils s'attablaient ? lui demandai-je.

— Oui, me répondit-il avec vivacité. Parce qu'ainsi ils avaient le dos au mur et craignaient moins un coup de dague sournois.

— Et, ajoutai-je, savez-vous ce qui se passait à la fin de chaque banquet papal ?

— Oui encore, me répliqua-t-il avec un sourire, amusé par mes tentatives de le trouver sans réponse. Le Grand Trésorier comptait l'argenterie, assiettes, couverts, gobelets et s'il en manquait, tout le monde, les cardinaux comme les chanoines, les princes comme les petits hobereaux, passait à la fouille. *search*

Je n'insistai pas. Je m'étais cru chez moi en Avignon. Il me démontrait qu'il y était encore plus. Un cardinal, même sept siècles plus tard, sera toujours plus proche de cardinaux et papes français qu'un Français lui-même.

Je me rabattis sur nos conversations. J'allumai mon magnétophone, signe que le travail recommençait.

— Après Vatican I et Pie IX, vous alliez évoquer Vatican II et Jean XXIII.

— Jean XXIII, réputé cardinal bon enfant avant son élection, était doté d'une apparence physique qui contrastait totalement avec celle de son prédécesseur à l'allure hiératique et autoritaire. Il fut choisi pour son âge, on lui demandait d'être un pape de transition après un pontificat lourd dont la fin fut pénible, et pour son humanité. *painful*

» Quand ce pape décida de convoquer un concile à la surprise générale, il ne le fit pas pour des raisons théologiques. Il institua cette assemblée comme un concile pastoral et non comme un concile dogmatique. Ce faisant, il portait un jugement précis : l'Église n'avait pas besoin de compléter son corps doctrinal, mais de reconsidérer sa place dans le monde. Elle n'avait pas besoin d'affirmer le sacré de son message mais de revoir la façon dont elle le transmettait. Elle ne se préoccupait pas d'abord d'avoir raison, elle s'inquiétait que sa raison ne soit plus entendue comme auparavant. Elle ne voulait plus trôner, elle voulait servir…

— Vous étiez vous-même au concile Vatican II, Éminence ?

— Je n'y étais pas comme évêque, mais comme

peritus [1], comme l'était le jeune Josef Ratzinger, expert attitré du cardinal Frings de Cologne. Nous étions en 1962, Ratzinger avait trente-cinq ans, j'en avais trente-sept.

— Vous vous êtes rencontrés ?

— Bien sûr, le contraire aurait été impossible. Tous les experts des cardinaux en vue échangeaient des informations. Nos patrons respectifs nous envoyaient sonder d'autres évêques. Nous travaillions ensemble sur des textes difficiles. Nous faisions aussi quelques excursions quand nous trouvions un peu de loisir : les Italiens avaient toujours à cœur de montrer les merveilles de Rome aux étrangers.

— Que pensiez-vous alors de celui qui allait devenir pape quarante ans plus tard ?

— Votre question est étrange. Comme si j'avais dû penser quelque chose en prévision d'un destin exceptionnel ! Je ne pensais rien de particulier. Nous étions des collègues, chacun d'entre nous avait un bagage intellectuel et théologique dense. Nous n'envisagions pas de faire carrière, et du coup nous ne faisions pas de paris les uns sur les autres. Nous ne nous disions pas : « Tiens, celui-là ira loin » ou « Tiens, celui-ci sera évêque avant dix ans ». Nos réflexions étaient plutôt du genre : « Mon cardinal est fatigué en ce moment, il supporte de moins en moins l'autoritarisme d'Ottaviani. »

— On dit que le cardinal Ottaviani faisait tout pour contrer les visées dites libérales de Jean XXIII. Est-ce vrai ?

— Le cardinal Ottaviani était une personnalité particulièrement forte. De plus, il était le patron du Saint-Office, ancien nom de l'actuelle Congrégation pour la Doctrine de la Foi, prédécesseur de Ratzinger. C'est dire que l'on faisait attention quand il prenait la parole. Il était

---

1. Terme latin qui désigne les experts théologiens, qui conseillent les évêques lors des conciles.

partisan d'une très forte centralisation du pouvoir dans l'Église au profit de la curie.

» Je me souviens que le cardinal que je servais revenait furieux de certaines séances plénières ou de réunions de commissions qu'Ottaviani quittait bruyamment quand la discussion s'engageait dans des directions qu'il n'approuvait pas. Il faisait aussi le siège du pape pour qu'il accepte de remettre un peu de discipline dans ce qu'il jugeait être le désordre conciliaire. Il menaça plusieurs fois de donner sa démission, sans effet notable cependant. Il se vantait même de noyauter des commissions en les truffant d'experts dévoués à lui ou à ses idées.

— Un personnage, semble-t-il.

— Un personnage dont on a perdu le moule, comme le fut aussi le cardinal Tisserant qui disait pis que pendre de Paul VI. Une histoire est assez amusante à ce propos. On prétend que Jean XXIII aurait attribué au cardinal Montini, son futur successeur sous le nom de Paul VI, le surnom ambigu d'Hamlet. Il n'en est rien, car ce fut le cardinal Tisserant qui, devant moi, l'affubla de ce sobriquet qui soulignait cruellement le penchant du futur pape pour les interrogations angoissées, ses fréquentes hésitations et ses scrupules devant les décisions. Jean XXIII entendit Tisserant jeter sa pique. Il la reprit, je dois dire, avec beaucoup plus d'affection que n'en éprouva jamais le cardinal barbu[1] à l'égard du pape Montini.

— Jean XXIII convoque un concile pour, dites-vous, rompre l'enfermement de l'Église.

— L'intention du pape Jean XXIII était claire. Il voulait briser l'isolement sacré que certains pontificats du XIXe et du XXe siècle avaient imposé à l'Église. Il vou-

---

1. Le cardinal Tisserant se reconnaissait facilement par une longue barbe qui aurait pu le faire passer pour un prélat de rite oriental. Il possédait un caractère bien trempé, un franc-parler roboratif, et des opinions très arrêtées.

lait dire au monde que l'Église catholique avait changé son regard sur lui. Vatican II fut la manifestation la plus spectaculaire d'une conviction partagée par un certain nombre de gouvernants de l'Église. Le repli sur soi et l'envahissement du sacré ajoutés au refus des évolutions du monde moderne avaient conduit l'Église dans une impasse dont il fallait trouver l'issue.

— Jean XXIII voulait tourner la page, commentai-je.

— Son discours inaugural le manifesta clairement, aussi clairement que le langage ecclésiastique de l'époque le permettait : « Après avoir puisé en lui (le concile) de nouvelles énergies, elle (l'Église) regardera sans crainte vers l'avenir... Nous devons nous mettre joyeusement, sans crainte, au travail qu'exige notre époque. » Deux fois l'expression « sans crainte », cette prise en compte de « ce qu'exige l'époque ». On était à l'opposé du discours d'ouverture de Vatican I par Pie IX dont je vous citais l'autre jour des extraits.

— L'Église affirmait son désir de revenir dans le jeu.

— C'est toute l'ambiguïté de ce concile qui a de l'importance autant par son intention, son état d'esprit, son déroulement, qui ressemble d'assez près à un drame, que par les textes votés.

— Qu'entendez-vous par « drame » ?

— La dramaturgie du concile fut exceptionnelle. D'abord, une décision solitaire d'un pape très méjugé. Ensuite, la maladie qui le frappait déjà et dont il savait qu'elle aurait raison de lui avant la fin du concile [1]. Le nombre des évêques aussi. À Trente, à l'ouverture du concile en 1545, moins d'une trentaine d'évêques étaient présents ! Pour Vatican I en 1870, ce furent sept cents

---

1. Jean XXIII mourut d'un cancer en juin 1963. Il assista à une seule des quatre sessions du concile. Les trois suivantes furent convoquées par son successeur, Paul VI.

évêques qui siégèrent même si plus de cent cinquante partirent avant la fin pour marquer leur désapprobation. À Vatican II, plus de deux mille évêques se pressaient dans la basilique Saint-Pierre de Rome. Dramatique aussi fut la sorte de putsch menée par certains évêques contre la curie. Vous dites putsch en français, n'est-ce pas ?

— Nous utilisons ce mot allemand aussi en français mais rarement, je dois dire, quand il s'agit de l'Église catholique ou d'un concile. Nous le réservons plutôt aux coups d'État dans des républiques instables ou corrompues.

— Tout le déroulement du concile avait été préparé par la curie : documents, consultation à distance des évêques, rédaction des projets de constitution. On a pu dire que tout était verrouillé et que la curie envisageait un concile court qui se serait contenté de proposer quelques amendements aux documents rédigés par ses soins et les aurait votés sans autre forme de procès.

» Certains évêques, dès l'ouverture, mirent en cause cette méthode de travail et refusèrent de discuter les textes en question. Ils imposèrent qu'ils soient rédigés à nouveau par des commissions dont ils feraient partie. Jean XXIII accepta au grand dam de cardinaux comme ce pauvre Alfredo Ottaviani qui écumait littéralement lorsqu'il parcourait les couloirs du Saint-Office. Je fus deux ou trois fois l'interlocuteur obligé de sa colère. Il se ruait sur tous ceux qu'il croisait, même les plus jeunes et les moins gradés dont je faisais partie, pour leur exprimer son indignation, son irritation, ses vexations. Je vous assure que ce cardinal, aussi rouge que sa soutane quand il était en rage, avait de quoi impressionner le jeune prêtre que j'étais.

— Il y a quelque chose de surprenant pour moi, Éminence, à vous entendre ainsi évoquer votre regard de jeune ecclésiastique sur un personnage comme le cardinal Ottaviani, formidable figure de l'Église de l'époque. Vous êtes vous-même cardinal depuis plus

x much to the annoyance / detriment of

de quinze ans et vous êtes, de fait, un des puissants de cette Église, peut-être même un des puissants de ce monde. Cela vous fait quoi d'appartenir au petit groupe de ceux qui gouvernent plus d'un milliard d'hommes ?

— Rien, absolument rien, au risque de vous décevoir. Je ne me reconnais pas dans la façon dont vous venez de me décrire. Je ne m'identifie pas à ce que je percevais d'Ottaviani quand je le croisais dans les couloirs. Je suis ailleurs que sous la pourpre que je suis obligé de revêtir par respect des convenances quand je participe aux cérémonies à Saint-Pierre. Je peux même vous dire que, lorsque j'ai regardé les reportages télévisés consacrés à la messe de funérailles de Jean Paul II, j'avais beau constater ma présence parmi mes frères cardinaux, assis dans nos fauteuils dorés, je ne m'y voyais pas vraiment. J'étais ailleurs...

— Vous étiez où, Éminence, si je peux me permettre ?

— Je ne veux pas dire que j'étais absent par la pensée, plutôt que ce personnage n'était pas moi, rien qu'une enveloppe apparente qui ne rendait pas compte de ce que je suis vraiment.

» J'ai été fait cardinal par Jean Paul II. Je n'en ai éprouvé aucune satisfaction particulière. Pour dire vrai, cela venait trop tard... Je veux dire que plus jeune, un tel titre aurait flatté mon amour-propre et m'aurait réjoui. La soixantaine largement entamée, il ne représentait que des obligations supplémentaires. Il ne changeait rien à ce que j'étais, ma vie avait trouvé d'autres bonheurs que ceux de cette sorte.

» Je me souviens des réactions de certains de mes confrères appartenant à la même promotion. Ils commentaient leur élévation avec des paroles d'humilité, de reconnaissance et d'engagement renouvelé à l'égard de l'Église. Je me rappelle avoir été incapable de me sentir à l'unisson de leurs sentiments. Vous savez comment se déroule la création des cardinaux ?

— Vaguement, répondis-je pour l'encourager à continuer.

— Vous apprenez d'abord que vous êtes sur la liste. Comme je travaillais à la curie, je savais depuis un certain temps que le pape envisageait mon nom. Je ne fus donc pas surpris, contrairement à Hans Urs von Balthasar qui n'était pas évêque, mais simple prêtre à la retraite dans une petite ville suisse. Vous savez, je me suis senti très proche de lui à cette époque.

— Pourquoi ?

— Parce que l'histoire de son élévation au cardinalat est magnifique et d'une pureté parfaite à mes yeux. Je vois que vous haussez le sourcil. Laissez-moi vous expliquer. Hans Urs von Balthasar était un théologien jésuite, l'un des plus féconds. Il avait exercé une influence énorme, à l'image des Congar, Lubac et autres grands théologiens du XXᵉ siècle. Désirant lui rendre hommage, Jean Paul II décide de le faire cardinal alors qu'il a déjà plus de quatre-vingts ans. Balthasar apprend l'intention du pape au début du printemps 1988. Comme je le connais bien, nous nous téléphonons. Il me confie l'ennui que tout cela lui procure. Il redoute de venir à Rome pour participer à la cérémonie. Et il me dit, avant de raccrocher, cette phrase qui me va droit au cœur : « Dieu merci, je suis bien malade ! » Et de fait, il meurt deux jours avant sa remise de chapeau. Il était déjà ailleurs, vraiment ailleurs, lui, tandis que j'attendais mon tour dans la longue procession de mes confrères, tous pareillement vêtus d'écarlate, prêts à nous agenouiller devant le Saint-Père qui nous remettait la barrette rouge, signe de notre nouvelle dignité.

— Quels étaient vos sentiments à ce moment précis, Éminence ?

— À ce moment précis, aucun sentiment particulier. Auparavant, le souvenir de ma conversation téléphonique avec Urs von Balthasar. Et puis le soulagement saugrenu de n'être pas contraint à porter ce large chapeau

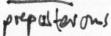

rouge à glands dorés, couvre-chef officiel des cardinaux jusqu'en 1967, d'où le nom de la cérémonie d'élévation au cardinalat : la remise de chapeaux. Soulagement qu'une simple barrette, plus simple, ait remplacé cet instrument d'apparat. Soulagement aussi de n'avoir pas à payer la traîne rouge de douze mètres de long qui était de rigueur quelques années auparavant. *ceremonial dress*

» Je sais que beaucoup de personnes sont impressionnées par la dignité de cardinal comme elles le sont par celle de Premier ministre, de prince du sang, de vedette du cinéma ou de champion de tennis. J'ai pourtant du mal à concevoir que nous puissions être rangés dans ces catégories de personnes en vue. Savez-vous ce que le protocole officiel de la plupart des pays prévoit ?

— Non, est-ce vraiment important ?

— Dérisoire à vrai dire, mais significatif. Un cardinal est considéré comme un prince d'une famille régnante. Quand il est à table, il préside. Quand il est envoyé par le pape en mission officielle, il est traité comme un chef d'État. Vous-même, vous avez décidé de m'appeler « Éminence ».

— Faute de mieux, à vrai dire...

— « Éminence » ! Vous vous rendez compte ! Qu'avons-nous d'éminent ? Nous ferions mieux de laisser de côté tous ces titres et ces atours ! Cela nous donnerait l'occasion de ne plus nous attacher qu'au sens profond des choses. Quoi qu'il en soit, pour répondre à votre question, je vous assure que, tandis que j'attendais mon tour pour recevoir le parchemin de la main du secrétaire d'État avant de m'agenouiller devant le Saint-Père qui me remit la barrette rouge, je ne me sentais pas cardinal, et encore moins un collègue, à distance dans le temps, de ces formidables personnalités qu'étaient Ottaviani et Tisserant, eux qui m'impressionnaient tant.

— Laissons là ces dignités et ces protocoles puisque décidément vous ne semblez guère les apprécier. Revenons à Vatican II où vous êtes expert. Tout se déroule d'une manière imprévue, contraire à ce qu'espérait en faire la curie.

— Un nouvel état d'esprit portait le concile. Loin de moi l'idée de minimiser les textes qui y furent votés, mais je demeure persuadé que le non-dit symbolique et le non-écrit furent le plus important. L'Église, dans sa plus haute autorité, c'est-à-dire les évêques en réunion avec le pape, acceptait de se présenter autrement au monde. Cette intention trouva des manifestations visibles propres à frapper les esprits. Paul VI décida de vendre au bénéfice des pauvres la tiare qui lui avait été remise au moment de son sacre. Il supprima l'usage de la *Gestatoria*[1]. À vrai dire, celle-ci avait déjà été sérieusement mise en cause par Jean XXIII dans une circonstance assez révélatrice de ce que nous disons. Me permettez-vous de vous racontez cette courte histoire ?

— Vous êtes chez vous, Éminence, et aux commandes de notre conversation, lui répondis-je, ayant décidé une fois pour toutes de le laisser parler à sa guise, et de me laisser conduire au gré de sa fantaisie.

— Merci de votre indulgence que je ne mettrai d'ailleurs pas à rude épreuve, tant cette histoire est courte. Un beau jour, le bon pape Jean s'était juché sur la *Sedia* qui devait l'emmener dans la basilique Saint-Pierre pour je ne sais plus quelle cérémonie. Je faisais partie du cortège. Les seize palefreniers, c'est ainsi que l'on nommait les porteurs, commencèrent à soulever les quatre bras du trône, mais reposèrent celui-ci avec précipitation, remarquant un jeu inquiétant à un endroit de la chaise. Après investigation, ils se dirent que le mieux était d'aller chercher des outils. Jean XXIII ne voulut pas attendre et commença à quitter son siège avec l'intention d'aller à la basilique à pied. Le maître de cérémonie se précipita vers lui pour l'en dissuader, ce qui ne plut pas

---

1. *Sedia Gestatoria* : trône porté sur les épaules de dignitaires de la cour pontificale qui conduisait le pape d'un endroit à un autre à travers la foule.

au pape qui avait son caractère. Sentant la tension monter, un palefrenier se dit qu'il fallait agir vite. Il ôta l'une de ses chaussures et frappa la charnière en cause de toutes ses forces jusqu'à ce qu'elle revienne en place. Puis, très dignement, il remit sa chaussure. La *Sedia* fut hissée à épaule d'hommes, et le cortège se mit en route. Sans cette chaussure, je pense que Jean XXIII aurait profité de l'incident pour remettre la *Sedia* au rebut, ce que fit Paul VI dès son couronnement.

— Ces symboles de domination sont progressivement supprimés, mais ce ne sont pas les seuls. La disparition du latin dans la liturgie, l'autel face au peuple, la communion dans la main...

— Toutes ces réformes qui suivirent choquèrent certains chrétiens qui s'inquiétaient d'une perte du sacré. L'étrange est que ces réformes pouvaient s'appuyer sur des pratiques très anciennes. Les liturgies, de la Renaissance au XIXᵉ siècle, n'avaient pas grand-chose à voir avec la simplicité de celles du Moyen Âge, et encore moins avec le dépouillement des premières communautés chrétiennes.

» Cependant, ces réactions révélaient et révèlent un enjeu caché considérable : celui de la place du sacré. Le latin, que personne ne comprend plus, est-il un élément du sacré ? Recevoir l'hostie dans la main constitue-t-il un manque de respect pour le sacré ? Faire une génuflexion avant de recevoir la communion augmente-t-il le sacré ? Le grégorien chanté est-il plus sacré que le chant des jeunes avec leurs guitares dans leurs rassemblements ?

— N'avez-vous pas l'impression, Éminence, que ces débats qui agitaient le concile et la période qui l'a suivi reprennent de l'actualité ? On constate un peu partout le retour vers des liturgies plus anciennes : kyrielle d'enfants de chœur, femmes qui n'ont plus le droit de donner la communion, profusion de cierges, banalisation de l'usage de l'encens, enrichissement des vêtements liturgiques.

— Ce n'est pas qu'une impression. C'est la raison pour laquelle j'insiste sur l'enjeu que représente le sacré dans la manière dont nous nous présentons au monde. Une partie de l'Église, sans doute pas la plus nombreuse, en revanche la plus visible et la mieux organisée, estime et exprime aujourd'hui avec force que le désenchantement du monde est une conséquence de la diminution du sacré, et que cette diminution a été tolérée à tort, voire promue de façon suicidaire, par l'Église. Cette partie de l'Église soutient que le monde est devenu désenchanté parce qu'il a perdu le sens du sacré et que l'Église du concile a entériné et renforcé cette dérive.

» Une autre partie, sans doute plus nombreuse, et plus discrète, sait d'instinct que le désenchantement ne vient pas de là mais de l'évolution normale du monde qui pousse à ce que le sacré voie son champ d'expression se réduire.

— Toujours cette ligne de partage nette que vous avez déjà évoquée.

— Nette, peut-être, mais pas toujours consciente. Peu nombreuses sont les personnes qui la décrivent comme nous le faisons en ce moment. Bien peu discernent sous cette querelle du sacré l'enjeu que nous essayons de clarifier.

— Vous-même, c'est évident, vous vous trouvez dans le deuxième camp.

— Oui. Je crois qu'il ne sert à rien de renforcer artificiellement les expressions du sacré. C'est se rassurer à bon compte. Je pense qu'il faut entreprendre un travail beaucoup plus profond qui consiste à donner au sacré un espace qui ne soit pas artificiel mais corresponde aux réalités de l'état du monde. Je crois qu'il est inutile, voire dommageable, de vouloir restaurer des attitudes et des habitudes. Elles auront pour effet de rassurer ceux qui s'y efforceront mais aboutiront à nous éloigner un peu plus du monde. Ce ne seront que des emplâtres sur des jambes de bois.

— Des cautères, Éminence... Un cautère est une sorte de pansement destiné à brûler une blessure pour l'empêcher de s'infecter.

— C'est exactement ce que je veux dire. Je comprends que ce désenchantement du monde soit une plaie pour les chrétiens et pour l'Église. Il ne sert à rien de la soigner avec un retour du sacré ancien qui équivaut à ce fameux cautère sur cette fameuse jambe de bois.

— Vous disiez à un moment que l'Église risque d'apparaître comme jugeant et condamnant le monde avec trop d'insistance. Comment cela se manifeste-t-il ?

— Nous sommes avec votre question dans le domaine de la pédagogie et de la stratégie de l'Église. Toute organisation est naturellement encline à diaboliser ceux qui la menacent. Ainsi ce monde désenchanté est-il accusé d'avoir renié ses racines, d'avoir trahi ses fidé-lités, de s'être laissé pervertir. Si ce monde est désen-chanté, disent certains membres de l'Église qui se sentent menacés, c'est justement parce qu'il aurait tourné le dos à ses fidélités. D'où ce discours de jugement et de condam-nation. D'où des expressions comme celle employée par notre pape : « La dictature du relativisme. »

» Le débat et l'enjeu sont à cet endroit précis. Si un monde sécularisé est un monde qui ne reconnaît plus aucun invisible et refuse tout sacré, lieu de contact entre le visible et l'invisible, alors, je suis d'accord, l'Église n'a plus rien à y faire. Si, en revanche, un monde sécula-risé est un monde qui refuse le pouvoir du sacré en dehors des sphères du sacré, c'est-à-dire si ce monde sécularisé dénie à l'Église un exercice de pouvoir trop vaste et s'avançant trop loin dans le domaine du visible, alors l'Église a encore une place dans ce monde, une place différente, une place à inventer.

— Deux diagnostics différents d'où découlent deux stratégies, chacune appartenant à l'une des deux ten-dances de l'Église dont nous parlions.

— Le diagnostic d'une partie de l'Église, cette partie dont je disais qu'elle est la plus visible, la mieux organisée mais pas la plus nombreuse, est posé : une société qui se sécularise est une société en faute. Le désenchantement du monde ne serait pas une étape normale dans l'évolution de l'humanité vers une meilleure maîtrise de sa compréhension de ses mécanismes, mais le résultat d'une infidélité. Soit ce diagnostic est juste, et alors tous les efforts doivent être menés pour protéger les autres régions du monde, non encore sécularisées, d'être contaminés par les pays occidentaux. Soit ce diagnostic est faux, et c'est à l'Église de s'adapter au désenchantement du monde et à sa sécularisation inévitable. Il faut alors prévoir que les autres parties du monde pas encore atteintes le seront à un moment ou à un autre, car ce désenchantement va de pair avec le développement, le progrès, l'augmentation du pouvoir d'achat, une information plus libre et partagée.

» Tout cela, nous ne pouvons que le souhaiter aux peuples qui ne connaissent pas encore la démocratie, qui souffrent de pauvreté, d'un niveau sanitaire bas, de guerres intestines…

— Divergence de diagnostic, vous disiez aussi divergence de stratégie…

— Les conséquences stratégiques de ces diagnostics sont de taille. Quand elle voit ses effectifs fondre dans les pays occidentaux, l'Église, désabusée et désemparée devant ce monde désenchanté, s'estimant trahie par ces pays, peut être tentée de déplacer son centre de gravité vers les pays d'Amérique latine, d'Afrique et d'Asie. Là au moins, pense-t-elle, son pouvoir est intact. S'il arrive que ces pays, demain ou après-demain, suivent la même évolution de désenchantement que les pays occidentaux, l'Église perdra un à un ses nouveaux centres de gravité. Il ne lui en restera bientôt aucun. Elle disparaîtra dans cette forme d'expression qu'elle aura tenté de maintenir envers et contre tout.

» En revanche, si le désenchantement du monde est une évolution naturelle, inévitable et indispensable de l'humanité, si cette évolution a touché les pays occidentaux avant les autres en raison de leur développement scientifique et économique, si la sécularisation du monde constitue une étape qui n'est ni une perversité, ni une faute, ni une infidélité. Si tout cela est vrai, alors l'Église doit accepter cette étape de l'humanité. Elle doit cesser de s'en plaindre et arrêter de mobiliser des énergies pour la combattre en une bataille inutile et perdue d'avance. Alors l'Église doit cesser de croire qu'elle trouvera refuge dans ces pays encore dociles, ces pays qui ne sont pas encore parvenus à cette étape de leur développement mais y parviendront assurément demain ou après-demain. Alors l'Église doit inventer dans ce monde désenchanté et pour ce monde désenchanté une nouvelle façon d'être fidèle à son message.

— En d'autres termes, vous nous mettez devant une alternative : face à la fameuse sécularisation et à la non moins fameuse dictature du relativisme, soit l'Église essaie de restaurer les pratiques et les habitudes d'avant la crise, car elle pense que c'est la perte de ces pratiques qui a fait naître la crise, soit elle imagine d'autres manières d'être au monde qui ne sont ni un abandon ni une infidélité à sa vocation.

— Ce point est essentiel. La première tendance céderait assez facilement à la tentation d'accuser la seconde de se rallier au monde, de ne plus être capable d'être un signe de contradiction évangélique [1]. Je crois cette accusation injuste. Ceux qui jugent inopérante et néfaste la volonté de maintenir envers et contre tout le sacré à un endroit où il ne peut plus être ne consentent pas le moins du monde à un abandon. Ils entreprennent

---

1. Allusion à la prophétie de Siméon à l'égard de Jésus enfant : « Il sera un signe en butte à la contradiction », rapportée dans l'Évangile de Luc, chapitre 2.

au contraire une œuvre de purification à l'égard des conceptions et des manifestations d'avant le désenchantement du monde, en vérifiant chaque fois leur fidélité à ce qui est vraiment sacré, la révélation que l'invisible fait de lui-même.

» Ils prennent, certes, un risque, que leurs opposants n'ont pas le courage de courir. Le risque de s'engager dans des paysages nouveaux, dans une aventure spirituelle de grande ampleur qui consiste à repenser la place du sacré dans le monde, à reconsidérer non pas la révélation apportée par le Fils de Dieu, mais l'expression que les siècles lui ont donnée.

L'analyse de mon cardinal présentait un avantage dont il n'avait peut-être pas conscience. Elle permettait de dépasser les querelles habituelles au sein de l'Église entre ce qu'on avait appelé le camp des progressistes et le camp des traditionalistes. Elle offrait une base de compréhension qui échappait à la spontanéité des caractères. J'avais en effet remarqué que chacun choisissait son camp en fonction d'un réflexe dû à son tempérament, et rarement après une analyse soucieuse d'objectivité. L'alternative présentée par mon interlocuteur avait le mérite de pousser à sortir des réflexes pour se déterminer sur des enjeux identifiables à partir d'un diagnostic clair.

Mon cardinal avait à l'évidence longuement mûri ce diagnostic et la pédagogie avec laquelle il m'amenait à en prendre la mesure. Il devait porter depuis de nombreuses années le projet de ce livre. Pourquoi ne l'avait-il pas entrepris plus tôt ? Je me le demandai, mais n'osai pas l'interroger maintenant, me promettant de saisir l'occasion quand elle se présenterait ou de la susciter en dernier recours.

Nous quittâmes le cloître à la pelouse verte et nous dirigeâmes vers la sortie, non sans nous arrêter un instant dans la gigantesque chapelle du Palais qui avait abrité de très nombreuses années auparavant une des plus belles expositions de peintures de Picasso qu'il m'ait été donné de voir.

Je gardai ce souvenir pour moi. Visiblement, mon cardinal était fatigué, et avait hâte de rentrer à la maison.

Jeudi, maison familiale
Mission aux États-Unis

on several occasions

— Éminence, à plusieurs reprises vous avez évoqué des tendances dans l'Église. Vous avez évoqué l'une, minoritaire, très visible et très organisée, et une autre, nettement majoritaire et plutôt silencieuse. Vous pouvez être plus précis ?

Le marronnier sous lequel nous étions assis avait encore toutes ses feuilles et nous procurait une ombre agréable. Nous nous y étions installés après notre petit déjeuner. La matinée s'annonçait belle. Le mistral était tombé durant la nuit, laissant le ciel dégagé. J'aimais cette atmosphère du premier jour après mistral : le silence s'installait alors que le souffle du vent dans les arbres avait été obsédant les jours précédents. On dit dans la région que le mistral peut rendre fou. Sans aller jusque-là, le mistral fatigue tant il s'installe avec force et même violence.

Folie du mistral ? Je n'en savais rien. À juger l'agilité de l'écureuil que nous regardions, mon cardinal et moi, sauter de branche en branche, le rongeur s'en était protégé facilement.

Le petit animal disparut à nos yeux, ce qui nous força à revenir à notre travail. Je répétai ma question :

— Vous avez parlé d'une tendance minoritaire dans l'Église et très organisée, et d'une autre, majoritaire, mais peu visible. Visible dans les allées du pouvoir vaticanesque ? ajoutai-je pour le provoquer.

Il ignora la provocation, et répondit seulement à la première partie de la question.

— J'ai conscience de m'aventurer sur un terrain miné en répondant à votre question. Bon, c'est la règle du jeu. La tendance minoritaire a en effet acquis beaucoup de visibilité sous le pontificat de Jean Paul II : elle lui a fourni les gros bataillons de ses supporters lors de ses voyages, et notamment lors des JMJ.

— Qui en fait partie ?

— En gros, pour aller vite et sans entrer dans les détails, la très grande majorité de ce que l'on appelle les nouveaux mouvements.

— C'est-à-dire ?

— Tous ces mouvements qui sont nés depuis la guerre, certains juste avant, et qui ont connu une assez forte expansion depuis le concile. Je pense, mais c'est un peu réducteur de la personnalité de chacun d'eux de les nommer l'un à la suite de l'autre, je pense à Communion et Libération, aux Foccolari, à l'Opus Dei, au Chemin Néocatéchuménal. De l'autre côté...

— Excusez-moi, vous ne semblez pas y inclure les mouvements charismatiques comme l'Emmanuel ou le Chemin Neuf.

— Non, ces groupes appartiennent en effet à ce que l'on nomme les nouveaux mouvements, mais ils se distinguent de ceux que j'ai nommés car leurs intentions sont exclusivement spirituelles.

— Alors que les autres poursuivent d'autres buts ?

— Certains agissent ouvertement comme des groupes de pression à l'intérieur de l'Église. D'autres, par exemple Communion et Libération, ont une forte visée sociale, voire politique.

En face de ces groupes très organisés, il y a l'autre

tendance, désorganisée, moins visible, celle qui regroupe la multitude de ce que l'on peut appeler les chrétiens de base, moins disposés aux engagements exigés des membres des mouvements de la première tendance, attachés à leurs paroisses, plus ouverts aux réalités du monde.

— On a parfois dit que certains mouvements de la première tendance ont des comportements sectaires. Qu'en pensez-vous ?

— Là aussi, je vais devoir marcher sur un œuf pour vous répondre.

— Marcher sur des œufs, Éminence, si vous acceptez toujours que je vous corrige. Un seul œuf casserait si vous tentiez de marcher dessus, tandis que plusieurs, dit-on, supporteraient le pas d'un homme pour autant qu'il soit léger et prudent, comme celui de notre écureuil.

— J'accepte, j'accepte... Oui, je vais marcher sur des œufs pour répondre à cette question. Quelques-uns de ces mouvements exigent beaucoup de leurs membres : obéissance, disponibilité, exclusivité, contribution financière importante, révérence à l'égard des fondateurs et des responsables. Face à ces exigences, vous pouvez porter deux jugements. Le premier est de vous émerveiller de la générosité de ces chrétiens qui veulent vivre une foi engagée et ne ménagent pas leur peine. Le second est de vous demander si ces exigences ne vont pas trop loin, si elles ne profitent pas exclusivement aux dirigeants, si elles ne sont pas présentées avec trop d'insistance, si elles ne sont pas imposées par des pressions mentales anormales.

— Et vous-même, vous portez quel jugement ?

— Décidément, vous ne me lâchez pas...

— Je suis là un peu pour cela, ne croyez-vous pas ?

— Eh bien, brûlons nos vaisseaux puisque vous m'y contraignez. Mon opinion à ce propos est que chaque fois qu'un groupe érige le secret en valeur principale, il y a risque de dérive. Certains de ces mouvements cèdent à cette tentation, c'est indéniable.

— Vous pensez à l'Opus Dei ?

— Comme tout le monde. Mais pas qu'à l'Opus. Quand le secret et la méfiance à l'égard du monde extérieur sont au cœur des instructions données aux membres d'une institution, je m'inquiète. Ensuite, chaque fois que ces membres sont imposés financièrement de façon régulière et continue, il y a également risque de dérive.

— Que voulez-vous dire ?

— Simplement qu'il y a une grosse différence entre faire une quête à la messe du dimanche auprès des fidèles et leur demander de participer une fois par an à ce que l'on appelait le denier du culte, en laissant chacun libre de donner ce qu'il veut de façon anonyme. Il y a une grosse différence entre ces pratiques et celles qui consistent à demander à des membres d'organiser le versement mensuel automatique d'une partie non négligeable de leur salaire sur le compte du mouvement auquel ils appartiennent.

» Enfin, la vénération exigée à l'égard des paroles des fondateurs, voire du moindre détail de leur vie érigée en légende dorée, est aussi un signe de dérives qui me semblent dangereuses.

— Pardonnez-moi de vous pousser dans vos retranchements, car je sens vos réticences sur ce sujet. Quand vous rassemblez ces trois dérives – secret, argent, vénération – vous définissez des groupes sectaires, n'est-ce pas ?

Mon cardinal garda le silence un moment. Je savais parfaitement pourquoi, même si je ne le manifestais pas pour ne pas lui laisser la possibilité de se dérober. Le sujet de ces mouvements et de leurs éventuelles dérives sectaires était un des plus brûlants de l'Église de notre époque, et l'enjeu de débats acharnés en son sein. Peu osaient l'évoquer ouvertement. L'hésitation de mon interlocuteur prit fin. Il tourna ses yeux vers moi et reprit :

— Oui, quand vous rassemblez ces trois dérives,

vous êtes près d'être un mouvement sectaire. Et le fait de vous trouver au sein de l'Église catholique ou de vous en réclamer n'y change rien.

— Si c'est le cas, pourquoi ces dérives sont-elles tolérées par la hiérarchie ?

— Pour plusieurs raisons, certaines valables, d'autres moins.

— Passons-les en revue si vous le voulez bien. Nous avons le temps, il fait bon sous cet arbre. L'écureuil fait la garde sans nous déranger.

— Première raison, il faudrait pouvoir enquêter sérieusement et objectivement pour savoir si les critiques – notamment d'anciens membres de ces mouvements – sont fondées. Quatre mouvements principaux ont fait l'objet d'accusations de dérives sectaires : les Foccolari, le Chemin Néocatéchuménal, l'Opus Dei, les Légionnaires du Christ[1]. Il est dangereux de couvrir ces accusations du manteau du silence, il serait préférable d'investiguer pour arriver à une conclusion claire.

— Pourquoi ne le fait-on pas ?

— Nous avons été plusieurs à essayer, croyez-moi. Nous avons mis en garde, nous avons parlé au pape et à Sodano[2] bien sûr. Nous sommes intervenus auprès du Conseil pour les Laïcs dont la plupart dépendent.

— Quand vous dites « nous », vous pensez à qui ?

— Moi d'abord, je ne veux pas me cacher derrière les autres. Des évêques résidentiels comme Carlo Martini avant qu'il quitte le diocèse de Milan. Daneels de Bel-

---

1. Les Légionnaires du Christ, fondés au Mexique, ont été l'objet de plaintes d'anciens membres qui accusaient leur fondateur, le père Maciel, de harcèlement sexuel à leur endroit. Jean Paul II ne voulut pas accorder foi à ces accusations et empêcha la Congrégation pour la Doctrine de la Foi, alors dirigée par le cardinal Ratzinger, d'ouvrir un procès. Très peu de temps après son élection, Benoît XVI ordonna au père Maciel une retraite dans l'isolement et la prière, tout en couvrant de louanges les Légionnaires du Christ. Ainsi vont les crises dans l'Église, et leurs dénouements.

2. Secrétaire d'État de Jean Paul II pendant la plus grande partie de son pontificat.

gique. Un nombre non négligeable d'évêques de votre pays. Des Américains aussi qui ont interdit certains de ces groupes dans leur diocèse.

— Et pourquoi vos interventions n'ont-elles pas abouti ?

— Elles n'ont pas abouti officiellement. Cependant, certaines actions ont été menées et certaines mises en garde officieuses ont eu lieu. En fait, la secrétairerie d'État jugeait que des actions officielles n'étaient pas justifiées tant que des certitudes n'étaient pas avérées...

— Pardonnez-moi encore une fois. C'est un peu bizarre de vouloir attendre d'être sûr avant de lancer une enquête pour justement se faire une opinion raisonnable.

— Ne soyez pas naïf. Une enquête officielle au sein de l'Église est quelque chose qui ressemble à un coup de tonnerre dans un ciel serein. Son annonce soulève immédiatement les commentaires les moins autorisés : la presse s'en empare et les groupes ou les personnes visées sont immédiatement déclarés coupables par la rumeur et le jeu médiatique. Il est juste et prudent de ne pas ouvrir ainsi le champ aux spéculations tant que l'on n'est pas à peu près assuré du danger.

— Quelles sont les autres raisons ?

— La deuxième est moins honorable, je le crains. Ces mouvements ont su se rendre utiles à l'Église ou à certains de ses dirigeants. Ils ont toujours mené des actions de relations publiques auprès des uns et des autres, nouant des solidarités, des amitiés... Bref, il existe un réseau au sein de la hiérarchie qui soutient ces mouvements pour des raisons diverses.

— Par exemple ?

— J'évoquais la contribution financière de l'Opus au moment de Solidarnosc. Certains jugent aussi que, face à la sécularisation du monde, ces mouvements...

— Non, Éminence, je ne vous demandais pas des exemples des raisons du soutien de membres de la hiérarchie à l'endroit de ces mouvements, je vous demandais qui, nommément, les soutenait.

— Oh, pardon. C'est tellement connu que je ne pensais pas que cela vous intéressait. Il est de notoriété que Cipriani Thorpe, le cardinal de Lima, est membre de l'Opus Dei, ainsi que Julian Herrans, membre de la curie, lui aussi cardinal. Le cardinal Ratzinger était proche de Communion et Libération qui, d'ailleurs, n'est pas un mouvement aux dérives sectaires. Il présida la messe de funérailles de son fondateur il y a quelques mois. Sodano, le cardinal secrétaire d'État, est proche des Légionnaires du Christ et de l'Opus... Scola, le cardinal de Venise, est membre de Communion et Libération. Un des secrétaires particuliers de Benoît XVI, Mgr Gaenswein, était professeur à l'université de la Sainte-Croix à Rome qui appartient à l'Opus... Pour moi, la vraie question ne se trouve pas là, elle réside dans le fait que ces mouvements, très organisés, sont conduits par une analyse de l'état de l'Église qui est erronée.

— Est-il vrai, Éminence, que ces mouvements étaient très présents place Saint-Pierre lors des funérailles du pape et qu'ils s'étaient concertés pour lancer les fameux *subito santo*, réclamant la canonisation rapide de Jean Paul II ?

— Ah, vous avez entendu parler de cela. Toutes les personnes devant leur poste de télévision au moment des funérailles de notre défunt pape ont en effet noté ces mouvements de foule qui reprenaient le mot d'ordre « *subito santo* », qui veut dire « saint, tout de suite ! », slogan réclamant la canonisation immédiate du pape que l'on enterrait. C'est vrai, ce slogan n'était pas spontané. Il avait été inventé, si je puis dire, par des représentants des mouvements qui ont réussi à le faire reprendre par la foule. Vous savez comment cela se passe : dans des moments de forte émotion, les foules sont disposées à reprendre les mots d'ordre qu'on leur sert. Cela ne contredit pas l'extraordinaire ferveur de cette même foule qui, en rangs serrés, attendait des heures pour rendre un dernier hommage à la dépouille du pape les jours précédents.

— Nous avons donc au sein de l'Église des mouvements très organisés, très puissants, disposant de moyens financiers importants, bénéficiant de la faveur de hauts dignitaires. Quel est leur but ?

— Je vous répète qu'il est un peu osé de les ranger sous la même bannière. Nous ne l'avons fait que par commodité. Leur point commun est une fidélité proclamée au pape, au besoin en se libérant de l'autorité des évêques dans les diocèses où ils se trouvent. Leur pensée est conservatrice et leur théologie parfois approximative. Leur but proclamé est la nouvelle évangélisation, leur intention plus discrète est de peser dans l'Église et la société où ils se trouvent. À côté de leur agenda religieux coexiste un agenda politique déterminé.

— Ils ont plu à Jean Paul II, c'est une évidence...

— Ils lui ont plu parce qu'ils se sont mis à sa disposition.

— On dit que ces groupes avaient toujours eu à cœur d'organiser une présence massive de leurs adhérents lors des apparitions publiques du pape.

— Ah, on dit même cela... Eh bien, il faut l'avouer, on a raison de le dire. Le fondateur du Chemin Néocatéchuménal, par exemple, promit à Jean Paul II d'envoyer cinquante mille de ses membres aux JMJ de Denver en 1993. Cette délégation représentait plus de dix pour cent des participants, ce qui est énorme ! Il n'y avait pas une sortie du pape sans que des représentants de ces mouvements soient délégués pour manifester leur présence et leur soutien.

— On comprend que Jean Paul II n'ait pas voulu prêter l'oreille aux accusations de dérives qui surgissaient.

— Il détournait même la conversation quand nous essayions de lui en parler. C'était un sujet tabou, j'en ai été le témoin à au moins deux reprises. À vrai dire, on le comprend, il avait besoin d'eux.

— Comment cela ?

— Replacez-vous dans le contexte de son élection, en 1978. Il trouve une Église dont les forces traditionnelles connaissent une crise sérieuse. Les vocations diminuent, de nombreux prêtres quittent le sacerdoce en Europe de l'Ouest et en Amérique du Nord, une partie des ordres religieux se donne des engagements politiques et sociaux. Arrivant de Pologne où la religion est la seule force de résistance au marxisme, il a l'impression que cette idéologie est en train de prendre le dessus en Amérique latine avec l'aide des prêtres. Il redoute qu'il en soit de même en Asie. Les mouvements lui sont apparus comme une force qu'il pouvait mobiliser pour ses desseins alors qu'il jugeait que les groupes traditionnels, jésuites, dominicains, franciscains et autres, étaient dangereusement affaiblis.

— Les mouvements comme une milice dévouée, un peu à l'image des jésuites qui se voulaient l'armée du pape au temps de leur fondation.

— Oui, d'où cette protection à leur égard, et peut-être trop d'indulgence.

— Cette protection ira assez loin puisque Jean Paul II donnera un statut sur mesure à l'Opus Dei en l'instituant prélature personnelle, seule à en bénéficier, et en canonisant son fondateur avec un délai inhabituellement court.

— Vous avez raison de le souligner. Une prélature personnelle est un statut juridique exceptionnel qui permet aux membres de l'Opus de ne dépendre que de leur Président, c'est le nom officiel de leur supérieur général, celui-ci ne dépendant que du pape. Aucun dicastère de la curie, aucun évêque résidentiel n'a d'autorité sur l'Opus. Situation enviable quand on aime le secret.

— Un des arguments des partisans de ces mouvements, c'est qu'ils représentent aujourd'hui ce que représentaient les grands ordres religieux dans les siècles passés.

— L'argument est souvent avancé. Il omet une réalité fondamentale. Ces grands ordres, jésuites, dominicains, franciscains, carmélites, et toutes ces innombrables congrégations religieuses féminines ou masculines, rassemblaient et rassemblent des personnes professant une vocation religieuse et respectant des règles de vie éprouvées. Leur période de noviciat avant les engagements définitifs est longue, leur structure est solide, leur théologie est réfléchie. Leur mode de gouvernement est étonnamment démocratique.

« Les nouveaux mouvements, eux, rassemblent des laïcs, même si certains prêtres en font partie, qui n'ont pas la même protection. Le recrutement de certains est extrêmement agressif. Le poids financier omniprésent. L'autorité s'y exerce sans réel contrôle.

— C'est difficile pour vous, n'est-ce pas, de parler de ces mouvements, de leur influence, de leurs pratiques.

— Oui, c'est difficile, car c'est accepter de mettre au jour des événements, des façons de faire, des débats qui, je le crois, font du mal à l'Église. Un double mal en fait. D'abord, je pense à certaines de ces personnes qui se sont laissé embrigader dans des structures qui ne les épanouissent pas. Ensuite, je crois que certains de ces mouvements se trompent dans leurs objectifs. Ils ne comprennent pas qu'ils ne sont pas crédibles pour la majeure partie de nos contemporains. Ils donnent une image de la foi et de la religion peut-être recevable il y a quelques siècles, mais qui n'a aucune chance de convaincre aujourd'hui au-delà d'un cercle restreint.

— Éminence, je voudrais revenir sur ces notions de secret et de sacré par le biais de réalités concrètes. Comment avez-vous vécu les affaires de pédophilie qui ont secoué les États-Unis puisque vous avez été conduit à vous y intéresser de près ?

— Ah ! vous savez cela aussi.

— Je sais que vous avez été envoyé par le pape outre-Atlantique pour lui rendre compte de la situation.

— Je n'étais pas le seul, et l'épiscopat américain est venu aussi à Rome. Notre pape était déjà très malade quand le scandale a éclaté dans l'archidiocèse de Boston. Je suis allé deux semaines là-bas pour y rencontrer des évêques, des victimes, des avocats de leurs causes, des journalistes. Et je suis revenu pour faire mon rapport. C'était triste.

— Quand était-ce ?

— Au début de l'année 2002, pour préparer la rencontre des cardinaux américains avec le pape qui a eu lieu au printemps.

— Que découvrez-vous ?

— D'abord des vies brisées, celles des victimes et de leurs familles. Certaines se sont groupées en association de défense. D'autres sont isolées. Thomas Doyle, le dominicain qui s'est fait depuis des années l'avocat de leur cause, me les a fait rencontrer. Certains ont coupé tout lien avec l'Église, d'autres sont encore croyants. Tous demandent que leur souffrance soit reconnue.

— Beaucoup demandent des réparations en argent.

— Je ne crois pas à cette théorie qui, pour discréditer les victimes, prétend que leur objectif est purement financier. Certes, quelques affabulateurs, attirés par la perspective de dommages et intérêts, se sont glissés dans le lot des plaignants, mais la plupart sont des victimes réelles qui ont droit à réparation.

— On dit que l'Église catholique aux USA a payé plus d'un milliard de dollars en amendes ou en dédommagements pour éviter les procès publics.

— Oui, et ce n'est pas fini. Cinq diocèses ont été mis sous contrôle judiciaire, c'est-à-dire en faillite, car ils n'étaient pas capables de faire face aux frais de justice, amendes et dédommagements suscités par les agissements des prêtres pédophiles. Vous connaissez le système judiciaire américain. Beaucoup d'affaires ne vont pas jusqu'à l'audience publique des tribunaux et se règlent, sous contrôle d'un juge, en audience privée autour d'un montant négocié de dommages. Le plaignant reçoit une somme d'argent, s'engage au secret sur l'affaire et renonce à toute autre poursuite.

— Que pensez-vous du système ?

— Il a de quoi choquer un Européen dans la mesure où la justice semble être le résultat d'une négociation et non la conséquence d'une décision de droit. Surtout, dans ces cas de pédophilie, ce système ne permet pas aux victimes d'exprimer publiquement leur souffrance. Il ne permet pas non plus la punition pénale des coupables.

— La presse s'est ruée sur ces affaires...

— Je ne me rangerai pas du côté de ceux qui ont vu dans la couverture médiatique des affaires un complot contre l'Église. La presse a fait son travail qui est d'informer et elle l'a fait avec d'autant plus de vigueur que nous tentions, nous, d'étouffer les scandales. J'ai rencontré deux des journalistes du *Boston Globe* qui ont révélé le cas du père Geoghan. Celui-ci, coupable d'actes de pédophilie dans une paroisse, avait été déplacé dans une autre, puis une autre encore. Si ces deux journalistes avaient conscience de tenir là un sujet exceptionnel, tout ce qu'ils révélèrent était juste. Ils furent d'ailleurs récompensés par le Prix Pulitzer, la plus grande récompense journalistique américaine.

— Cela devait-il être révélé ?

— Si vous vous placez du côté de la réputation de l'Église, il est clair que ces révélations ont eu un effet destructeur. Si vous vous placez du point de vue des victimes, c'était à elles de choisir si elles voulaient rendre leur situation publique. Si vous vous placez du côté de la presse, son devoir lui semblait évident : révéler la vérité.

» Je me suis aperçu assez vite que certains évêques avaient commis plusieurs fautes. Ils avaient déplacé des prêtres pédophiles de paroisse en paroisse. Ils avaient parfois omis de prévenir les nouveaux supérieurs de ces prêtres du passé de ceux-ci. Ils avaient imposé un silence qui protégeait des réputations, celle de l'Église et celles des prêtres impliqués, mais faisait courir un danger terrible aux enfants et aux jeunes exposés aux actions de ces prêtres. Enfin ils croyaient naïvement que certains traitements dans quelques cliniques discrètes pouvaient suffire à soigner un pédophile !

— Comment expliquez-vous tant de naïveté ?

— La première explication, la plus évidente, vient du désir de ne pas faire de scandale. Je l'ai dit à de nombreux évêques lors de ma mission aux États-Unis, ce désir était coupable. Nous avons péché de ce point de vue pour protéger notre réputation. La deuxième explication est plus complexe : un évêque ressent une responsabilité de l'ordre de la paternité à l'égard de ses prêtres. Sa première réaction sera de réprimander, de corriger, de demander que le prêtre s'amende, pas de rendre publique la faute et encore moins de saisir la justice. Troisième explication : les évêques ont considéré la pédophilie comme un péché alors qu'elle est un crime. Le péché s'absout avec « la ferme volonté de ne plus recommencer » comme le stipule notre acte de contrition. Un crime relève de la justice, de la condamnation, de la prison.

» Ces trois explications se conjuguèrent pour que de nombreux évêques, réellement scandalisés par le comportement de certains de leurs prêtres, n'aient pas su répondre comme il le fallait à la situation.

— Ce déni, parce que c'était un déni, n'est-ce pas ? Ce déni a été lourd de conséquences.

— Oui, c'était un déni, grave et lourd de conséquences. Conséquences pour les victimes déjà agressées, conséquences pour les futures victimes des prêtres déjà soupçonnés d'être pédophiles ou reconnus comme tels. Conséquences pour la réputation de l'Église, car le déni de certains évêques à l'égard de ces situations a durement heurté les chrétiens.

» Imaginez la réaction des parents chrétiens découvrant que l'attitude de certains de leurs évêques avait mis en danger leurs enfants ! Tous ces parents, et j'en ai rencontré dans des paroisses où des prêtres pédophiles avaient été en poste, se sont sentis immédiatement solidaires des parents des victimes. Ils se sont dit spontanément : "Ce qui leur est arrivé aurait pu arriver à mon enfant", et ils ont tremblé rétrospectivement. Leur crainte n'a pas tardé à se muer en colère et en méfiance à l'égard de leurs pasteurs. Cela a cumulé avec les marches de protestation dans le diocèse de Boston et les manifestations demandant la démission de l'archevêque, le cardinal Law.

— Qui, finalement, a démissionné...

— Oui, après avoir présenté ses regrets pour sa responsabilité dans la manière dont avaient été traitées les affaires de pédophilie impliquant certains de ses prêtres.

— Avez-vous eu l'impression que, très vite, le drame de la pédophilie a cédé la place au scandale créé par la façon dont ces affaires ont été traitées ?

— Pour moi, le plus important reste la situation des victimes, le crime dont elles ont été l'objet, leur capacité de se relever d'un traumatisme que nous avons peine à mesurer. Et je ne peux oublier ceux qui, après de longues années de dépression, ont préféré mettre fin à leur existence, incapables de vivre avec cette brisure et cette honte. C'est cette mémoire-là que je ne veux pas perdre. Celle de l'incurie dont nous avons fait preuve a en effet été largement entretenue, et nous le méritons.

Mon cardinal se tut un moment assez long. Son regard était dirigé vers le sommet de la petite colline qui domine le champ d'oliviers à proximité duquel nous nous trouvions assis. Il reprit la parole :

— Je vais vous dire quelque chose...

Il se tut à nouveau, hésitant un court moment avant de se décider :

— Vous avez employé le mot « déni » à propos de

l'attitude de certains évêques à l'égard des affaires de
pédophilie dont on les informait. Le déni est le risque
majeur de toute religion et de toute idéologie. Il consiste
à nier des vérités pour protéger une réputation ou au nom
d'une vérité que l'on juge supérieure. Cela a été vrai pour
les régimes marxistes devenus totalitaires parce que justement la réalité ne se pliait pas à leur idéologie. Il leur
fallait nier cette réalité pour que l'idéologie survive,
digues jusqu'au moment où les digues installées pour contenir la
réalité dans le faux-semblant ont lâché. Tout le monde
s'est alors rendu compte des mensonges du système.

— Combien de millions de morts avant que la
vérité l'emporte !

— Combien de victimes en effet ! Ce qui est si évident à propos du marxisme ou du nazisme menace également, de façon moins extrême cependant, les religions
établies. Cela a à voir avec la notion de sacré que nous
évoquions ces jours derniers. Dans notre structure ecclésiale, l'évêque et, dans une moindre mesure, le prêtre ont
été installés depuis des siècles sur un piédestal.

— On parlait du trône de l'évêque…

— Quand des catholiques pratiquants se sont rendu
compte que certains de leurs évêques avaient déplacé des
prêtres pédophiles récidivistes de paroisse en paroisse,
mettant en danger un nombre renouvelé de jeunes enfants
et d'adolescents, ils se sont sentis trahis. Leurs évêques
sont tombés d'un seul coup de leur trône. L'aura de sacré
qui les entourait s'est effacée irrémédiablement. Ils sont
devenus redevables de leurs actes. Ces fidèles ont cri-
tiqué leurs évêques qu'ils jugeaient fautifs comme ils le
feraient à l'égard de n'importe quel gouverneur ou président. Dans certains cas, ils ont réclamé leur démission et,
en quelques circonstances, ils l'ont obtenue. Ils n'ont pas
eu le sentiment que leur réaction de rejet à l'égard de leur
évêque ait été un acte de rejet à l'égard de leur foi.

— Vous voulez dire qu'un drame comme celui de
la pédophilie a eu pour effet secondaire de désacraliser la

fonction de l'évêque et de faire rentrer celui-ci dans le rang des personnes communes, responsables devant leurs fidèles. Je ne vois pas le rapport avec le déni.

— Dans le cas de l'attitude de certains évêques à l'égard des prêtres pédophiles, ce sont eux-mêmes qui ont contribué à dissiper l'aura de sacré dont ils bénéficiaient. Ce sont eux-mêmes qui se sont déconsidérés par leur refus de faire face à la vérité de ce qui se passait. Après ces drames, il leur est impossible de faire valoir l'argument selon lequel la société moderne serait responsable de la désacralisation et du désenchantement du monde. Leur attitude a accru ce désenchantement et provoqué un peu plus de désacralisation. À qui peut-on se fier, est en droit de se demander ce monde désenchanté, si même ceux-là qui se disent chargés du dépôt de la Vérité ont tout fait pour la cacher, en dépit des risques que couraient des enfants qui leur étaient confiés ?

— Il y a toujours eu des malversations, des attitudes scandaleuses dans le passé, non ?

— Sans doute, mais le crime à l'égard des enfants ne peut s'y comparer. Dans le passé qui était facilement un monde du secret, la prétention à installer les évêques et les prêtres dans une position sacrée malgré leurs faiblesses était possible. Dans un monde où tout se sait très vite, la désacralisation des fonctions et des discours progresse comme un feu de paille sèche.

— Vous semblez avoir vécu durement cette situation...

— J'aurais aimé ne pas avoir à assumer cette mission, mais le Saint-Père savait ce qu'il faisait en me la confiant. J'avais quitté mon dicastère deux ans auparavant. Par la nouvelle vie que j'avais entreprise, j'étais sensible aux crimes commis à l'encontre des enfants un peu partout dans le monde. Il me fit revenir d'Asie où j'avais commencé cette nouvelle existence. Je ne sus le lui refuser, même si je savais que je ne sortirais pas indemne de cette confrontation au malheur des gens.

Même si je pressentais vaguement que ce que j'allais découvrir allait changer en profondeur mon regard sur la manière dont notre Église devrait fonctionner.

— Que voulez-vous dire ?

— Nous autres, dirigeants de l'Église, en dépit de tous nos efforts et de notre bonne volonté qui est grande, nous sommes éloignés de la réalité. Elle nous apparaît à travers les filtres des rapports. Nous ressentons cet éloignement, et nous nous inquiétons de n'avoir plus de prise sur cette réalité. Nous multiplions les textes émis par de multiples commissions, colloques et autres cercles d'étude, mais que savons-nous de la peine des hommes et des femmes qui nous font confiance et nous suivent ? Que savons-nous des chagrins de parents devant un enfant qui les rejette ? Que savons-nous de la solitude du vieillard dans son hospice ?

» Nous sommes l'objet de marques de respect, nous sommes en vue, nous n'avons pas de crainte pour nos fins de mois. Nous ne saurons jamais ce que c'est que de pleurer un enfant mort. Nous aimons bien sûr, mais à distance, sans que cela, le plus souvent, parvienne à nous troubler. Nous prions pour les victimes de catastrophes mais la plupart d'entre nous ne sont jamais allés partager la vie de ceux qui vont travailler sans relâche, jour et nuit, pour tenter de trouver un ultime survivant sous les décombres d'un tremblement de terre ou dans une poche d'air improbable au milieu d'un torrent de boue qui a ravagé une contrée entière.

— Vous jugez dangereux cette distance qui sépare les responsables de l'Église du terrain où vivent les fidèles ?

— Oh combien ! Cette distance est dangereuse. Le fait que nous l'ignorons ou le nions est plus dangereux encore. Nous faisons vraiment de notre mieux, essayons d'entendre le maximum d'opinions, consultons, prions, prenons le temps... Tout cela ne suffit pas et ne remplace pas la vie réelle, le partage du travail et de la peine des hommes, la connaissance des millions de petites histoires qui font que l'existence est ce qu'elle est. Nous croyons bien faire, honnêtement, mais nous ignorons que nous sommes loin de la vie.

» J'évoquais tout à l'heure ce père dominicain rencontré à Boston dont le nom est Thomas Doyle. Il travailla assez longtemps à la nonciature[1] à Washington comme collaborateur de Pio Laghi[2], le nonce de l'époque. Il aurait pu continuer dans cette voie, dite royale au sein de l'Église, et gravir les échelons de la carrière diplomatique. Des rencontres, des découvertes le firent prendre un autre chemin.

» Il se rendit très vite compte que les cas de pédophilie qui faisaient surface n'étaient pas isolés. Il s'aperçut surtout que l'Église ne se rendait pas compte de la détresse des victimes et de leurs familles. Il mit en garde contre la politique de l'époque qui consistait à cacher les affaires et à déplacer les coupables. Il tenta de convaincre les responsables de l'urgence de réagir et de changer de comportement. On ne l'écouta pas, on l'écarta, on voulut lui imposer le silence, on l'accusa de manque de solidarité, on le sanctionna. On eut tort. Quelle différence y avait-il entre lui et certains évêques ? Peut-être des questions de tempérament, mais surtout et avant tout, la capacité à voir la réalité, à l'accepter, à en tirer des enseignements, à vouloir l'affronter au nom du message chrétien.

» Je crois que dans de nombreux cas, la base, comme on l'appelle, a une vision plus sensée des situations et des solutions. Je crois que ceux qui gouvernent ont moins de probabilités de prendre les bonnes décisions.

1. Nom donné aux ambassades du Saint-Siège dans les différents pays du monde.

2. Fait cardinal à son retour à Rome, il assura quelques missions pour Jean Paul II dont celle de faire le voyage à Washington rencontrer le Président George W. Bush pour le convaincre de renoncer à la guerre contre l'Irak en 2003.

— Une superstructure qui gouverne loin des personnes ?

— Oui, même si nous ne le reconnaissons pas, même si nous prétendons que notre position centrale nous permet d'avoir une vue plus large que celle des personnes sur le terrain. Certes, notre vue est plus vaste mais elle l'est tellement qu'elle ne voit pas grand-chose de ce qu'elle contemple de si haut. Cette infirmité propre à tous les gouvernants coûte très cher à ceux qu'ils gouvernent.

Je ne relevai pas cette dernière remarque qui, ajoutée à d'autres énoncées depuis une semaine, expliquait mon malaise. Mon cardinal avait eu raison de me prévenir que les histoires des papes des siècles lointains étaient assez faciles à évoquer en comparaison des histoires plus récentes, en comparaison de ce qui se passait aujourd'hui.

Mon cardinal ne m'avait fait grâce de rien. À vrai dire, je l'avais moi-même poussé dans ses retranchements. Le résultat était que nous avions passé cette semaine à établir la liste des échecs, des difficultés, des scandales, des affaiblissements de notre Église, au risque de donner d'elle une image pitoyable.

J'étais lassé. Je souhaitais passer à autre chose de plus positif, de plus riant. Je le lui dis :

— Éminence, en avons-nous fini avec cette longue procession d'histoires pénibles à laquelle la lucidité nous a contraints d'assister ? Nous pourrions profiter de notre après-midi pour nous promener un peu. Et je vous convierais volontiers à dîner dans un restaurant assez original d'Avignon. Vous devez être lassé de ma cuisine approximative. Vous partez demain. Ce serait une manière de célébrer la fin de notre travail ici. Qu'en dites-vous ?

— D'accord sur tout, me répondit-il, sauf sur l'approximation de votre cuisine. Je vous assure que je l'ai goûtée avec plus de plaisir que vous n'en auriez éprouvé si vous aviez dû vous nourrir de la mienne. Et puis vous piquez ma curiosité avec ce restaurant...

— N'allez cependant pas imaginer quelque chose d'extraordinaire. Juste une bizarrerie assez pittoresque qui met mes enfants en joie.

La promenade fut agréable après la sieste. Nous marchâmes lentement sur les chemins caillouteux du plateau où est nichée notre maison. Je renonçai à proposer à mon Éminence de gravir la colline depuis laquelle on surplombe le Rhône. L'escalade est trop périlleuse pour un homme de son âge.

Vers 18 heures, nous descendîmes en Avignon afin d'avoir le temps de nous arrêter à une terrasse d'un des deux cafés de la place du Palais. Puis, nous nous rendîmes au restaurant que j'avais malicieusement choisi, à une centaine de mètres de là.

Le Brigadier est situé derrière la place de l'Horloge en plein centre ville. Il se compose de deux niveaux et est tendu de rouge cramoisi, avec des décors de théâtre peints sur certains murs. Nous nous assîmes et nous plongeâmes dans la carte. Mon cardinal ne tarda pas à me questionner :

— Qu'est-ce donc qu'un tian ? Une section entière du menu y est consacrée. Je ne crois pas avoir jamais goûté ce plat.

Je lui répondis volontiers, ne voulant laisser échapper aucune occasion de rééquilibrer nos enseignements mutuels :

— C'est d'abord un plat en terre cuite. Et ensuite une recette de légumes provençaux cuits au four dans ce plat. Les légumes peuvent être mélangés à de la viande, du poisson, des volailles...

Mon cardinal opta pour un tian à l'agneau et moi pour un simple tian de légumes. En rendant la carte au serveur, il heurta la petite lampe à abat-jour rouge posée sur notre table. Celle-ci s'éteignit immédiatement. Il dit au serveur : *stnch*

— Pardonnez-moi, j'ai dû provoquer un faux contact en touchant la lampe.

— Non, Monsieur, répondit le serveur qui n'avait pas dû repérer l'anneau épiscopal à la main droite de mon convive ou n'avait pas su l'interpréter. Redonnez un petit coup sur la lampe, et vous verrez.

Docile, mon Éminence anonyme s'exécuta et eut la surprise de voir la lampe se rallumer. Pris au jeu, il redonna une légère pichenette sur le socle de la lampe, et, cette fois-là, la lampe donna plus d'intensité. Un coup supplémentaire, et la lampe s'éteignit.

Mon cardinal paraissait ravi. Avec un sourire d'amusement, il me dit :

— Je comprends que vos enfants soient en joie devant cette petite merveille. Moi-même...

— Non, Éminence, vous n'y êtes pas, si je peux me permettre. Ces lampes n'ont rien d'extraordinaire à leurs yeux. Et mes enfants ont été élevés en compagnie de technologies nettement plus fascinantes. Patientez, vous verrez...

Notre dîner fut agréable. Je sentais que mon cardinal était attentif à toute originalité qui aurait pu surgir, même s'il ne fit aucune réflexion à ce propos.

Au dessert, il demanda au serveur de lui indiquer les toilettes. Je profitai de son absence pour réclamer et régler l'addition. Mon cardinal mit du temps à revenir. Il arriva enfin, un large sourire aux lèvres. Il s'assit en face de moi, et dit :

— Étonnant, il n'y a pas de doute.

— N'est-ce pas, me contentai-je d'approuver sobrement.

— Cela leur a pris longtemps ? me demanda-t-il alors.

— Plus de vingt ans, je crois, répondis-je. Et encore ont-ils largement puisé dans les greniers de leurs grand-mères.

— Il y en a combien ? Je n'ai pas pensé à compter.

— Trente-quatre, Éminence, me semble-t-il.

— Ce n'est pas seulement étonnant, cela parvient à être joli.

— Malgré tout, répondis-je.

Mon convive fut alors pris d'un fou rire qui lui fit du bien et me fit plaisir. Une fois calmé, il me demanda :

— Vous dites comment en français ? Pot de nuit ?

— Non, Éminence, et ce sera ma dernière leçon pour ce séjour et cette partie de nos entretiens. Nous disons soit pot de chambre soit vase de nuit.

J'avais convié mon prince de l'Église à la retraite dans le seul restaurant au monde à posséder une extraordinaire collection de pots de chambre anciens, tous plus décorés les uns que les autres. Vases de nuit exposés, comme de bien entendu, dans l'endroit stratégique qui s'imposait.

Nous quittâmes le restaurant l'esprit plus léger qu'à l'entrée. Nous devions nous retrouver trois mois plus tard dans un lieu où une collection de pots de chambre des siècles précédents avait peu de place.

III

ASIE DU SUD-EST, NOVEMBRE 2005

La Ville, lundi, bord de mer
Prière dans la foule

— Décidément, je n'arrive pas à m'y faire. Je me laisse toujours surprendre par la rapidité avec laquelle le jour tombe ici. Nous étions encore dans la brillante lumière du jour il y a un quart d'heure, et nous voici déjà en pleine nuit sans que la température ait chuté d'un degré. Seule peut-être la légère brise qui se lève à la fin de chaque après-midi avertit que le soleil va très vite disparaître.

» J'ai beau séjourner ici régulièrement depuis plusieurs années, je ressens toujours une légère anxiété au moment où la nuit tombe. Vieux réflexe archaïque sans doute. Pour nos lointains ancêtres, la nuit était porteuse de dangers inconnus : ils se barricadaient comme ils le pouvaient. Dans une grotte ou un clos entouré de buissons épineux. Moi, c'est le moment où je ressens le besoin de la prière.

— Le besoin, Éminence ? La prière serait-elle un lieu où l'on se barricade pour combattre cette anxiété que vous évoquez ?

— Je sais : on voudrait que certaines de nos activités soient justifiées par des motivations plus nobles que celles qui, de fait, nous habitent. Aimer ne serait que de l'altruisme. Et prier serait la manifestation d'une élévation spirituelle au-dessus des contingences trop humaines que sont la peur, la colère, le regret. Fadaises que tout cela ou plutôt fantasme de pureté mal placée. Ce qui fait notre prière, c'est notre vie, et notre vie n'est ni irénique ni maîtrisée.

» J'aime l'attitude des gens d'ici qui, chaque fois qu'ils passent devant ces nombreuses statues du Bouddha au coin des rues, stoppent un court instant et portent leurs mains jointes à leur front. Hommage rendu, prière fugace, signe que rien dans notre vie n'est à part, qu'il n'y a pas des moments réservés et organisés pour penser à Dieu, et que le reste serait simplement humain, trop humain. La prière n'est pas une activité à part, elle est une manière de respirer. De fait, c'est souvent à cette heure, au moment où la nuit s'installe, que cette immersion de la prière dans la vie, ou peut-être de ma vie dans la prière, me semble la plus propice.

» Voulez-vous m'accompagner dans cette prière un peu particulière à laquelle je me consacre certains soirs ? Cela vous en dira beaucoup plus qu'une longue conversation sur ce que je crois être ma mission ici. Peut-être, cependant, ressentez-vous encore la fatigue du voyage et du décalage horaire...

— Non, cela va mieux. Les deux jours passés ici m'ont permis de retrouver un sommeil à peu près normal. Et puis, vous excitez ma curiosité.

Nous partîmes, mon cardinal et moi, dans une voiture qui avait connu des jours meilleurs, lui conduisant et moi assis côté passager. Je m'étonnai qu'il ait besoin pour prier de prendre sa voiture alors qu'un petit oratoire était installé dans le bâtiment où il vivait.

J'étais arrivé deux jours auparavant dans le Village où il résidait la majeure partie de l'année depuis qu'il avait quitté ses responsabilités au Vatican, cinq ans auparavant. Rome, Avignon, et maintenant l'Asie, le livre de confidences de mon cardinal semblait devoir se plier aux

lieux géographiques plus qu'à la logique d'un plan soigneusement conçu ou à la simple chronologie.

Le trajet dura une demi-heure. Nous avions quitté le
Village, plutôt tranquille, et nous nous dirigions vers la
Ville dont la réputation sulfureuse n'était plus à faire.
Plus nous nous en approchions, plus la circulation devenait intense sur la sorte d'autoroute que nous emprun-
tions. Beaucoup de voitures et de motocyclettes, ces
dernières se faufilant avec une solide inconscience et une
étonnante dextérité. Mon cardinal qui me sentait crispé
me précisa :

— Les accidents de motocycles sont ici un peu
moins nombreux que dans d'autres pays d'Asie où, dans
certaines villes, il y a plusieurs accidents mortels par
jour. Même moins fréquents, ces accidents demeurent la
première cause de mortalité des jeunes et sont responsables de nombreux handicaps.

Nous quittâmes l'autoroute qui traversait la ville et
empruntâmes des rues passantes puis des voies en terre
non éclairées : mon cardinal cherchait un endroit où
laisser sa voiture. Il finit par s'arrêter sur un terrain
vague. Nous étions dans une zone visiblement destinée à
accueillir un ensemble de constructions.

— Les immeubles qui devaient être bâtis ici en
étaient au stade des fondations quand la crise monétaire
de 1997 a stoppé brutalement la croissance et presque
tous les investissements, expliqua mon cardinal qui me
voyait scruter l'obscurité. Aujourd'hui, bien que l'économie aille mieux, beaucoup de réalisations sont encore
en attente, la prudence étant de mise.

Il avait plu en fin d'après-midi, une pluie brutale et
courte, la saison de la mousson ayant pris fin quelques
semaines auparavant. Nous marchions en évitant les
flaques d'eau et les chiens errants.

Un brouhaha indistinct se faisait de plus en plus
audible tandis que nous arrivions en lisière d'immeubles.
De la musique violente, saccadée, saturée de basses qui la

rythmaient sourdement. Nous débouchâmes sur une artère assez large : quatre véhicules pouvaient y rouler de front. Des motocyclettes encore, quelques 4 × 4, des voitures cabossées. Et ces taxis collectifs, voitures bleu foncé à plate-forme sur laquelle sont boulonnés deux bancs parallèles dans le sens de la marche. Ces camionnettes taxis s'entrecroisaient, stoppaient brutalement pour laisser descendre un client, donnaient de l'avertisseur en cacophonie pour attirer l'attention d'un promeneur et lui proposer de monter à bord.

Nous traversâmes l'artère, moi un peu inquiet du manque d'agilité de mon cardinal, lui à l'aise dans cette circulation démente. Les néons des enseignes et des publicités jetaient une lumière crue qui se reflétait sur les mares d'eau et les pare-brise des véhicules. Il faisait moite. L'atmosphère était électrique. Une foule de touristes, surtout occidentaux, déambulait, parlait fort, s'interpellait. La musique s'échappait des restaurants et des cafés dont la plupart étaient en plein air, seulement abrités sous un toit de tôle, les avertisseurs des taxis collectifs se déchaînaient. Un inextricable fouillis de câbles reliait les bâtiments entre eux, certains pendant au niveau de la tête des promeneurs au mépris de toute sécurité.

Nous nous frayâmes difficilement un chemin entre les groupes qui se bousculaient, s'arrêtaient brutalement devant une vitrine violemment éclairée, repartaient en s'exclamant. Des Américains gigantesques marchaient par cinq ou six, une bouteille d'un litre de bière déjà largement entamée à la main.

— Ce sont des marins américains, me dit mon cardinal qui avait failli être renversé par l'un d'eux et avait été rattrapé par un autre, sans doute moins ivre qu'il ne le paraissait. Ils constituent une ressource touristique non négligeable.

Nous prîmes une rue transversale, à peine goudronnée, le long de laquelle se succédaient bars, tailleurs, joailliers. Et nous débouchâmes très vite sur une autre rue

encombrée, au-delà de laquelle s'allongeait une promenade pavée, plantée de nombreux palmiers à intervalles
réguliers, et au-delà de cette promenade, une plage
sombre, très étroite, puis la mer.

Mon cardinal me fit traverser la rue du bord de mer,
m'entraîna sous les palmiers, s'assit sur un muret, sortit
son chapelet et ferma les yeux. Il priait.

J'étais surpris bien sûr. Surpris qu'il ait cru bon de
faire une demi-heure de voiture pour venir dans cet
endroit bruyant, brutal par ses lumières, seulement pour
s'asseoir sur un muret, sortir son chapelet et l'égrener, les
yeux fermés.

De l'autre côté de la rue, des magasins et des restaurants modernes se succédaient, offrant l'échantillon
complet des chaînes commerçantes internationales d'origine nord-américaine : KFC, McDonald, Starbuk, Pizza
Hut, Hard Rock Cafe. Des publicités géantes scintillaient
de leurs néons multicolores : Nike, Pioneer, Sony...
Bizarrement, certains espaces échappaient aux magasins
et fast-foods. Quelques étals et boutiques résistaient à
l'envahissement des marques mondialisées. Des petits
vendeurs de jeans, de chemises, de polos, imitations de
marques connues vendues dix fois moins cher que les ori-
ginaux. Des marchands d'appareils photo numériques, de
DVD piratés, de jumelles. Deux ou trois tailleurs d'origine indienne, des boutiques de bijoux.

Et surtout, à espace régulier, des bars en plein air
que mes efforts pour sortir indemne de la circulation
m'avaient empêché de regarder de plus près. Je pouvais
les observer maintenant que j'étais à l'abri d'un palmier
sur la promenade du bord de mer et que mon cardinal
s'était mué en bloc de prière.

Ces bars occupaient un très vaste espace sans mur,
abrité par des tôles, gigantesques hangars partagés par
des allées qui délimitaient des îlots constitués par des
comptoirs rectangulaires dont chaque côté pouvait recevoir une dizaine de consommateurs. Au milieu de chaque

carré, séparées des consommateurs par le comptoir, des nuées de jeunes femmes, trop nombreuses pour qu'on puisse penser qu'elles officiaient uniquement comme serveuses, cherchant à entamer une conversation avec le client déjà accoudé ou avec le promeneur qu'elles interpellaient pour lui vanter le prix exceptionnellement bas de la bière.

La musique obsédante, les lumières crues, les cris des femmes créaient une atmosphère de kermesse, mais une observation un peu plus soutenue renseignait le nouveau venu que j'étais sur l'activité qui se déroulait là. Je me trouvais dans ce que j'appris plus tard être l'un des plus grands bordels à ciel ouvert d'Asie. Les bars étaient les lieux d'un racolage institutionnalisé vers lesquels se ruaient des cohortes d'hommes de toutes origines et où les attendaient des milliers de jeunes femmes venues des provinces pauvres du nord du pays.

Mon cardinal avait les yeux fermés. Je le regardai, immobile, sa main droite tenant le chapelet qu'il ne cherchait ni à cacher ni à montrer.

Autour de lui passaient sans le remarquer de nombreux promeneurs. Des groupes de touristes conduits par un guide blasé. Des couples, tous sur le même modèle : un homme blanc de grande taille et à l'embonpoint visible, tenant maladroitement par la taille une jeune femme asiatique perchée sur des talons qui ne suffisaient pas à l'amener à hauteur des épaules de l'homme, le sourire plaqué sur un visage exagérément maquillé.

Mon cardinal priait toujours. Il était penché en avant, les coudes posés sur les cuisses, les jambes un peu écartées, le menton appuyé sur ses mains jointes, les yeux clos. J'avais toujours pensé que regarder quelqu'un prier était indécent, d'une indiscrétion désobligeante, comme si la prière était un des rares lieux qui, dans la vie des hommes, méritait l'intimité. Et, pourtant, mon regard passait de lui aux promeneurs qui déambulaient sans lui prêter attention.

La bizarrerie de la situation m'apparaissait pleinement. Des hommes et des femmes qui quittaient un restaurant ou allaient y entrer. Qui s'étaient rencontrés une heure auparavant dans un bar à bière ou s'étaient connus quelques jours plus tôt. Les unes soulagées d'avoir réussi leur conquête, les autres manifestement fiers d'avoir à leur côté une jeune femme qui les accompagnait là où ils voulaient aller. Et mon cardinal, immobile, abîmé dans un dialogue avec l'invisible. Plongé dans la contemplation de paysages intérieurs où il rencontrait son Dieu et où, j'en étais sûr, il amenait par la pensée les enfants malades dont il s'occupait, ces jeunes femmes prêtes à tout pour un peu d'argent et, sans doute aussi ces hommes qui profitaient sans vergogne de leur pouvoir *shame* d'achat dix fois supérieur à celui des habitants du pays. Il priait, et rien n'était plus important pour lui à ce moment-là.

Il finit enfin son chapelet, ouvrit les yeux, se tourna vers moi assis à côté de lui, me regarda et me dit :

— Il y a environ quatre cent mille habitants dans la Ville. Sur ce nombre, trente mille prostituées féminines et près de cinq mille prostitués masculins. Sans compter les transsexuels, et, nombre impossible à évaluer, les enfants livrés aux réseaux de pédophilie tenus par les mafias. Dix pour cent d'une population qui est contrainte de se prostituer pour échapper à la misère, vous rendez-vous compte ?

Je ne répondis rien à cette interpellation qui n'attendait pas de réponse. Mon cardinal continua :

— Dans certaines régions du pays, il n'y a du travail pour les jeunes qu'au moment de la plante du riz et de sa récolte. Entre-temps, les moyens de subsistance sont quasiment inexistants. Les parents envoient leurs enfants à la ville pour qu'ils trouvent du travail et leur adressent chaque semaine une partie de leurs gains. La plupart savent que cet apport d'argent ne vient pas d'une occupation salariée honnête mais personne n'en parle. Parents et enfants se réfugient dans un déni partagé.

— Pourquoi ici ? demandai-je, ne comprenant pas qu'il puisse y avoir dans cette ville du littoral une telle concentration de prostitution.

— Au début des années 70, la Ville était un petit village de pêcheurs pauvres. La guerre du Vietnam l'a fait basculer dans la modernité à l'occidentale. Les États-Unis ont installé une gigantesque base militaire à quelques kilomètres au sud. Cette base a entraîné le développement de routes, a généré des besoins d'approvisionnement, a poussé au développement de toutes sortes d'activités. Au fur et à mesure que l'engagement des États-Unis dans ce qui était votre Indochine française augmentait, la base s'est agrandie. De plus en plus de militaires s'y sont installés en permanence, rejoints par ceux qui combattaient au front et étaient envoyés en permission dans la région où nous nous trouvons, loin des combats.

— Le repos du guerrier, avançai-je.

— Oui, le repos du guerrier. Un guerrier muni de dollars dans un pays au niveau de vie extrêmement bas. Le village de pêcheurs a ouvert quelques bars et hôtels pour les GIs en permission. Le mot a circulé dans tout le pays : les jeunes femmes sont arrivées de partout en quête de gains rapides. De plus en plus de bars et d'hôtels, des prix bas, la légende du lieu commençait.

— La guerre du Vietnam s'est terminée en 1975, si je me souviens bien ? lui demandai-je.

— Oui, mais le départ des militaires américains n'a pas arrêté les affaires tenues par des réseaux puissants. Ceux-ci ont imaginé une reconversion vers un autre type de clientèle. Le pays et cette ville en particulier sont devenus les figures emblématiques du tourisme sexuel. La prostitution est tenue par des autochtones. Les infrastructures touristiques classiques, comme les grands hôtels que vous voyez se dresser en retrait de la plage, sont la propriété d'investisseurs étrangers. Toutes les grandes entreprises mondiales du tourisme possèdent ici des hôtels et des restaurants qui accueillent des charters entiers de visiteurs venus autant des États-Unis et d'Europe que d'Australie, de Chine, du Japon, de Corée...

— Pourtant, je crois me souvenir des nombreuses campagnes menées il y a une dizaine d'années contre le tourisme sexuel.

— Leur effet a été contradictoire. La prostitution ici n'est pas illégale si la personne est âgée de plus de dix-huit ans. Rien ne peut être reproché au client ou à la prostituée. Seule, la prostitution au-dessous de cet âge fait l'objet de condamnations, soit ici, soit dans le pays d'où est originaire le « client ». Du coup, la pédophilie qui se déroulait aux yeux de tout le monde il y a dix ans est devenue clandestine. On m'a raconté qu'avant ces campagnes contre la pédophilie des scènes insupportables se déroulaient sur cette plage, en plein jour, à la vue de tout le monde sans que personne réagisse. Aujourd'hui, rien ou presque rien n'est perceptible. Les clients, cependant, savent très vite à qui s'adresser, et comme ils sont prêts à payer cher, très cher, pour assouvir leur perversité, les réseaux mafieux savent organiser le système et en tirer des profits considérables.

— Ce sont la pédophilie et la prostitution qui font fonctionner l'économie ici ?

— Toutes les grandes entreprises internationales de l'hôtellerie présentes ici s'en défendent bien entendu. Elles se déclarent indemnes de toute complicité avec le système, et en effet ce n'est pas dans leurs hôtels que se déroulent les scènes de pédophilie. Elles profitent toutefois du phénomène qui agit comme une force d'attraction puissante sur les touristes en mal d'aventure. Certains hôtels moins luxueux profitent directement en revanche du système, vantant sur leur publicité le fait qu'ils ne facturent pas de supplément à leur client pour ce qu'ils nomment pudiquement un « hôte supplémentaire pour une nuit ». Et, comme vous pouvez l'imaginer, tous ces gens ne passent pas toute leur journée entre quatre murs. Ils se rendent au restaurant, ils louent un bateau, vont au cinéma, achètent des vêtements et de l'électronique bon marché, utilisent des taxis... Bref, ils font tourner une économie globale dont tout le monde profite.

— J'ai vu beaucoup d'Occidentaux accoudés aux bars ou se promenant, l'interrompis-je.

— Ce serait une erreur de croire qu'ils sont les seuls ou qu'ils sont même majoritaires. Il y a beaucoup d'Asiatiques, de Japonais, de Chinois. Dans le domaine de la pédophilie, les Orientaux sont très nombreux, conduits par l'attrait que représente pour eux la relation sexuelle avec une vierge. Elle est dans la mentalité d'un grand nombre une garantie de virilité et de félicité. Dans certains coins, des familles très pauvres vendent des gamines de huit ans à des maisons de prostitution qui en tirent un gros profit, avant de les revendre à une autre maison de passe de standing inférieur après leur avoir fait subir à vif la reconstruction grossière de leur hymen dans le but d'en tirer un meilleur prix.

— Et il y a des clients pour ça ! m'exclamai-je, incrédule.

— Oh oui, il y a des clients, et nombreux. Tous n'ont pas cette perversité, et beaucoup trouvent ici dans une prostitution plus classique les satisfactions qu'ils n'obtiennent pas dans leur pays, et surtout une sorte de discrétion, une impunité morale qui leur convient.

— Que voulez-vous dire ?

— Puisqu'ici la prostitution est au grand jour, organisée, visible, la gêne d'y recourir est moindre. Vous avez vu ces hommes qui déambulent main dans la main avec une jeune femme du pays ? Imaginez-vous cela possible en Europe : un client et la prostituée se promenant sur les grands boulevards durant une quinzaine de jours comme des amoureux, avant que le client retourne dans son pays et que la jeune femme se cherche un autre client !

— Parce qu'ils restent ensemble durant le séjour du client ?

— C'est en effet assez paradoxal. Un grand nombre de ces Occidentaux, subjugués par la liberté sexuelle qu'ils trouvent ici, croient tomber amoureux, ou peut-être tombent réellement amoureux, de la jeune femme qu'ils paient tous les jours, qu'ils emmènent au restaurant, qu'ils conduisent dans les boutiques. Ils lui sont relativement fidèles durant leur séjour et continuent parfois à lui envoyer de l'argent, une fois retournés dans leur pays d'origine et à leur travail. Certains reviennent régulièrement pour renouer avec la jeune femme qu'ils ont subventionnée de loin. Un nombre non négligeable de ces jeunes femmes gèrent ainsi trois ou quatre clients plus ou moins amoureux, recevant de l'argent de chacun d'eux, et reversant une large quantité des sommes perçues à leur famille dans le besoin. Cela devient acrobatique quand deux clients annoncent leur arrivée à la même date !

Les explications de mon cardinal me semblaient surréalistes à l'endroit où il me les donnait. D'un côté, la rangée des hôtels et restaurants internationaux, symboles de l'envahissement occidental, majoritairement d'origine nord-américaine. De l'autre, ces bars en plein air où la bière coulait à flots et où des jeunes femmes tentaient d'échapper à la misère en choisissant l'étranger qu'elles sauraient attirer. Et un cardinal de la Sainte Église catholique romaine en pantalon de toile et chemise à manches courtes, le chapelet dans une main, à dix mètres d'un petit piédestal où brûlaient des bâtons d'encens devant une statue multicolore du Bouddha, tandis que défilaient autour de lui ces couples improbables rassemblés pour un temps par une affection monnayée.

— Pourquoi venez-vous prier ici, Éminence ? lui demandai-je.

— Pour que Dieu n'en soit pas absent, me

répondit-il sans la moindre hésitation avant de se taire un long moment, puis, finalement, de reprendre : Je sais, bien sûr, que Dieu est présent dans le monde, dans chacun des endroits du monde, sans que nous ayons besoin de l'y installer visiblement. Dans ce lieu où éclate la richesse économique de ces magasins et se cache la misère de ces jeunes femmes, j'éprouve le besoin d'établir de façon réelle sa présence. En venant ici, c'est la présence du Christ que j'amène avec moi. Présence invisible, inintéressante, pourrais-je dire, pour toutes ces personnes qui déambulent, crient, marchandent, mais présence réelle... Et je sais que Dieu, le Père inconnu de tous ces gens, les regarde avec tendresse et amour. Et j'essaie de les regarder aussi avec tendresse, même si aucun d'eux ne le sent, même si tous en riraient si on leur disait qu'un cardinal se trouve en prière au milieu d'eux.

— À quoi cela sert-il si, justement, personne ne sait que vous priez ? lui demandai-je pour le pousser à m'en dire plus.

— À quoi cela sert-il ? Vous savez, j'ai beaucoup servi, comme vous dites, et à de nombreuses choses durant ma vie de prêtre, d'évêque, de responsable d'un ministère au Vatican. J'ai rencontré beaucoup de gens, j'ai publié beaucoup de textes, j'ai organisé beaucoup de rencontres. J'ai participé à un nombre encore plus important de colloques et de congrès. J'ai eu une vie très remplie, visible, éclairée. J'ai fait partie d'un très petit groupe d'hommes au monde, ceux auxquels on prête un pouvoir, ceux qui attirent l'attention quand ils rentrent dans une salle, sont reçus par des personnalités attentionnées quand ils arrivent dans un pays, ces personnes qui n'ont pas de mal à obtenir le silence quand ils se mettent à parler, devant lesquelles on s'incline.

» Oui, j'ai servi à beaucoup de choses, et, ici, vous semblez douter que je serve encore à quelque chose puisque rien de ce que j'y fais n'est visible. J'ai troqué ma soutane rouge écarlate contre l'habit de tout le monde. Je viens ici la plupart du temps seul alors que tous mes déplacements étaient auparavant accompagnés de quelques aides ou de personnages importants. Personne ne me connaît tandis que je m'assois sur ce muret, toujours le même. Personne, sauf peut-être telle ou telle jeune femme en quête d'un nouveau client qui me voit venir ici régulièrement, même si aucune d'entre elles ne m'a jamais abordé.

» À quoi cela sert-il ? La seule réponse est celle de la brise et de l'ouragan. Ma prière silencieuse est une brise légère, imperceptible pour tous, d'une faiblesse extrême, mais qui offre, je crois, un lieu où Dieu s'arrête et habite. Un prêtre, vous savez, a pour raison d'être d'offrir Dieu au monde. C'est ce que je fais ici, convaincu que cette simple prière au cœur de la misère amène plus sûrement Dieu au monde que certaines des missions visibles ou même prestigieuses que j'ai menées dans le passé comme cardinal. Vous m'avez vu, tout de rouge vêtu, après l'élection de Benoît, vous me voyez maintenant ici en chemisette et en pantalon un peu défraîchi. Pensez-vous que je sois moins cardinal aujourd'hui qu'il y a quelques mois ?

Sa question était de pure forme et n'attendait pas de réponse. Je le relançai cependant :

— Je comprends ce que vous dites du prêtre, Éminence. J'admets volontiers que sa vocation soit d'amener Dieu dans le monde. N'est-elle pas aussi d'amener les hommes à Dieu, au vrai Dieu, pourrait-on dire ? Si vous n'êtes pas visible ici, vous n'avez aucune chance de réaliser des conversions.

— Vous avez raison. Vous pouvez vous demander légitimement ce que je fais dans un pays presque totalement bouddhiste, avec un pour cent de chrétiens, et encore moins de catholiques. Et vous avez raison encore quand vous vous interrogez sur ma capacité à réaliser des conversions en restant, immobile et invisible, à égrener mon chapelet.

— Vous me donnez deux fois raison, Éminence, cela m'inquiète. Je pressens derrière cette approbation de politesse la venue d'une sérieuse argumentation contradictoire !

— Vous êtes décidément irrémédiablement français, toujours à analyser, inquiet de vous laisser surprendre, perpétuellement sur le qui-vive. Vous avez raison encore une fois. Mon approbation était destinée à mieux faire ressortir que derrière cette invisibilité et cette apparente inutilité se dissimulent des vérités et des enjeux de première importance.

» Convertir, c'est le mot que vous avez employé, est chargé d'un sens historique qui l'a dénaturé. Alors qu'il désigne d'abord un retournement intérieur, il s'est petit à petit installé dans une signification plus formelle : l'adhésion à une religion. On parlait des efforts missionnaires pour convertir les populations, on se réjouissait d'avoir rallié tel ou tel souverain à la religion chrétienne, gage que ses sujets le suivraient. Ces conversions officielles s'accompagnaient souvent d'une réelle conversion personnelle, mais pas toutes : de nombreuses relevaient de l'intérêt ou de la contrainte. Toute conversion du cœur repose sur une annonce et un accueil. L'annonce est toute simple : Dieu aime les hommes. L'accueil l'est aussi : l'homme reconnaît pour vraie cette existence de Dieu et de son amour.

» Pendant cinquante ans, j'ai contribué à la bonne marche de l'Église, à son fonctionnement, à sa présence visible. Depuis cinq ans maintenant, je suis revenu à ces fondamentaux moins visibles : tenter d'être pour des personnes dans la misère un signe modeste de l'amour que Dieu leur porte. Pendant cinquante ans, j'ai agi pour que cet amour de Dieu soit connu, pour qu'il ne soit pas oublié. Aujourd'hui, j'agis pour que cet amour soit senti, ressenti, perçu par ceux qui en ont sans doute le plus besoin, les blessés, les meurtris, les oubliés.

— Vous parliez d'enjeux de première importance, Éminence...

— En effet, car dans un monde où les raisons secondaires de croire se sont effritées, seules les raisons fondamentales peuvent encore être invoquées.

» Vous vous souvenez de notre conversation en Avignon. Nous y évoquions le désenchantement du monde qui réduit le champ traditionnellement occupé par le sentiment religieux. Eh bien, cette réduction de l'espace de la croyance nous conduit à nous concentrer désormais sur le noyau central de notre message afin de le rendre audible. Noyau central tout simple : Dieu nous aime, et quand nous l'aimons, nous nous mettons à aimer l'homme. Ce que je fais ici, et surtout ce que font tous ces gens que vous avez rencontrés ces deux derniers jours et que vous allez visiter toute la semaine, c'est essayer de rendre palpable cet amour de Dieu pour les hommes.

— La brise, et pas l'ouragan, la brise qui atteint légèrement les personnes...

— Une brise imperceptible. Pendant cinquante ans, j'ai mené des actions qui bénéficiaient d'une visibilité importante. Et je ne les renie pas : elles étaient nécessaires et le sont sans doute encore, mais elles ne constituaient pas l'essentiel.

— Éminence, pardonnez l'impertinence qui va suivre. N'êtes-vous pas en train de dire, sans le dire très clairement, que l'Église fait parfois trop de bruit et que ce bruit empêche l'homme simple de percevoir cette brise qui porte l'annonce et la manifestation de l'amour de Dieu pour l'homme ? En d'autres termes, n'êtes-vous pas en train d'avancer l'idée qu'elle devrait se débarrasser de quelques attitudes pour laisser plus clairement transparaître ce pour quoi elle a été instituée ?

— Votre question n'est impertinente que dans la mesure où elle est simplificatrice. Elle sous-entend que ce serait soit le bruit, les grandes cérémonies, les déclarations parfois fracassantes, les condamnations, soit cette manifestation discrète de l'amour de Dieu, qui devrait être le comportement de l'Église. Il y a besoin des deux. Mon jugement est simplement que nous devons rééquilibrer la part de ce que vous appelez le bruit de l'Église par ce que nous avons pris l'habitude d'appeler entre nous la brise légère de la manifestation de l'amour de Dieu.

— Pourriez-vous être plus concret ?

— Sans mal. Considérez une encyclique du pape. Elle bénéficie toujours d'une vaste campagne médiatique, d'une édition en de nombreuses langues. Elle déclenche des commentaires, des argumentations contradictoires. Pour reprendre notre allégorie, elle produit beaucoup de bruit, comme en produisait l'ouragan d'Élie.

— On pourrait parler aussi des positions sur le préservatif, sur…

— Sans doute, quoique…

— Comment cela, quoique ?

— Laissons cela de côté si vous voulez bien. Nous aurons l'occasion d'en parler lors d'une de nos visites de demain.

— Bon, c'est vous qui tenez la plume.

— Une encyclique fait du bruit, obligatoirement. Uniquement, cependant, dans les milieux restreints qui s'intéressent à la chose religieuse. Regardez maintenant les JMJ, l'événement religieux qui fait le plus de bruit au monde et possède l'avantage de revenir régulièrement comme les Jeux olympiques ou une coupe du monde de football. Voyez aussi la mort d'un pape et l'élection de son successeur. Tout ces événements mobilisent et font beaucoup de bruit. On peut considérer qu'ils sont réellement importants. C'est aux JMJ que de nombreux jeunes ont cru discerner un appel à la vie religieuse ou à la prêtrise. C'est grâce à elles aussi que des populations ont pris conscience que la foi n'était pas seulement une affaire de bonne femme ou de vieux, une affaire de sacristie ou de bénitier, mais une interrogation qui habite le cœur de l'homme.

— La foi, une interrogation ? Je croyais que c'était une réponse...

— Eh bien, vous croyiez mal, ou du moins, vous faites semblant de ne pas me comprendre. La foi n'est pas un système de réponses. Je dirais même que c'est sans doute parce qu'elle s'est progressivement dénaturée en système qu'elle a perdu de son attrait et de sa vitalité. La foi est avant tout une question qui retentit au cœur de l'homme, de la femme, de l'enfant, du bien-portant, du malade, une question posée par le Fils de Dieu à ce pêcheur de Galilée : « Pierre, m'aimes-tu [1] ? »

» Nous savons tous par notre expérience personnelle que cette question – m'aimes-tu ? –, qu'elle nous soit adressée par Dieu ou par une personne, est d'une intimité telle qu'elle ne reçoit pas de réponse dans le bruit, qu'elle s'abrite dans le plus profond de notre cœur profond, qu'elle est capable de nous faire vivre avec une intensité intérieure que des systèmes philosophiques, des idéologies, des engagements même les plus hauts ne parviendront jamais à susciter.

— Et Pierre a répondu : « Tu sais bien que je t'aime... »

— C'est là que surgit la réponse à laquelle vous faisiez allusion. Pierre était comme vous et moi : à une question directe et étonnamment intime, il a répondu comme il le sentait. L'Église a pour mission de propager ce dialogue aux confins de la terre. Ce Dieu qui aime les hommes pose à chacun d'eux une question : « M'aimes-tu ? » Et chacun répond comme il le peut. Le reste est de l'explicitation, de l'organisation, de la consolidation, nécessaires, je le répète, insuffisantes et parfois nocives quand cette explicitation, cette organisation, cette consolidation empêchent que résonnent cette simple annonce, cette question intime, et cette réponse personnelle.

---

1. Allusion au dialogue entre le Christ et l'apôtre Pierre après la résurrection, rapportée dans l'Évangile de Jean au chapitre 21.

— Ce que vous dites avec nuance revient finalement à un diagnostic que je pourrais exprimer brutalement de la façon suivante : un certain nombre d'attitudes et de pratiques de l'Église empêchent que l'homme de notre époque entende cette annonce de l'amour de Dieu et sa question intime : « M'aimes-tu ? »

— Vous dites bien : votre diagnostic est brutal et surtout naïf parce que partial. Les obstacles à cette annonce ne viennent pas seulement des attitudes de l'Église, mais aussi du monde, de ses attitudes et de ses pratiques. Demandez à une de ces jeunes femmes accoudées au bar le plus proche si elle a des raisons de croire en l'amour d'un Dieu et en celui des hommes quand elle est obligée, pour subsister, de faire boire au maximum l'homme assis en face d'elle afin de toucher une maigre commission, et de l'aguicher pour qu'il la choisisse, elle parmi toutes les femmes disponibles, et la ramène à son hôtel.

» En même temps, vous n'avez pas complètement tort. Nous, je veux dire, l'Église, ne parvenons pas suffisamment à être le lieu visible, palpable, de l'amour de Dieu pour les hommes. C'est là que Dieu nous attend, c'est là aussi que les hommes nous attendent.

Nous quittâmes le bord de mer, son bruit et son va-et-vient continuel, nous retraversâmes les rues encombrées et violemment éclairées, nous rejoignîmes la voiture. Une fois installé au volant, mon cardinal, avant de tourner la clé de contact, me questionna :

— Approuvez-vous ce que je fais ici ?

Je demeurai interloqué, gêné surtout qu'il me demande mon approbation. C'était lui l'homme d'Église, celui qui, selon le droit canonique, « enseignait et gouvernait ».

— Éminence, ce n'est pas à moi de vous approuver ou de vous désapprouver. Je ne suis là que pour vous aider à dire ce que vous avez à dire !

— Pas seulement, pas seulement, vous verrez...

— Comment cela, pas seulement ?

— Non, vous serez obligé à un moment ou à un autre de prendre parti...

— Prendre parti dans quoi, Éminence ? De quoi parlez-vous ?

— Relisez ce que vous avez déjà rédigé à partir des enregistrements de nos conversations. Pour l'instant, l'aspect technique de votre travail, ce que vous désignez quand vous dites que vous n'êtes là que pour m'aider à dire ce que j'ai à dire, vous a tout naturellement occupé et vous a empêché d'intérioriser ce que nous nous sommes dit. Prenez un peu de recul et cela vous sautera aux yeux.

Pour la première fois depuis notre première rencontre, mon cardinal m'irritait sérieusement. D'abord parce que je ne comprenais pas ce qu'il voulait dire. Et surtout parce qu'il me poussait dans une voie où je ne voulais pas aller. C'était son livre, et pas le mien. Il assumait la responsabilité du fond, je n'avais que la tâche de le rendre lisible et, si possible, intéressant.

Je me tus, refusant de laisser notre conversation aller plus loin dans cette direction. Il sentit mon énervement et, se tournant vers moi, dit seulement ces quelques mots avant de conduire silencieusement jusqu'au centre où nous demeurions :

— Pardonnez-moi. Je crois pouvoir comprendre ce que vous ressentez. Je m'en veux de peser ainsi sur vous. Je le crois cependant inévitable et, somme toute, nécessaire. Nous en reparlerons un autre jour.

Je ne répondis rien, préférant ne pas donner à mon irritation l'occasion de se manifester.

Je ne dis rien. Malgré moi pourtant, je me laissai influencer par ses remarques puisque, de retour dans la petite chambre où j'étais logé, je me mis à relire les deux premières parties du livre que nous étions en train de réaliser.

Cette lecture ne m'éclaira pas particulièrement. Je ne vis dans notre texte que le reflet de nos conversations qui, à force de travail de mise en forme de ma part, m'étaient devenues familières.

Si j'avais été critique et avais reçu le livre avant parution pour en faire un article dans le magazine qui m'employait, j'aurais sans doute écrit quelques phrases du genre de celles-ci : « Un cardinal à la retraite livre dans ses mémoires son diagnostic de l'état de son Église. Il entremêle anecdotes significatives, révélations peu connues et considérations historiques. Il s'interroge sur le sens de son action passée à la tête d'un des ministères les plus importants au Vatican, tandis qu'il finit sa vie dans un centre de soins pour enfants porteurs du virus du sida. »

Bref, j'étais encore dehors... Je veux dire à l'extérieur du paysage que mon cardinal dessinait devant moi depuis plusieurs mois et qu'il voulait donner à la vue de nos lecteurs. Il ne voulait pas se contenter de partager ses souvenirs. Il voulait convaincre le plus de personnes possible que nous étions à un moment où chacun devait choisir, choisir une manière d'être chrétien, cesser de nous contenter de l'être vaguement. Cela, je ne l'avais pas encore compris... Il me fallait un peu plus de temps.

Mardi, maison des enfants malades
En mémoire de Poo

Ces trois heures de lecture apparemment inutile volées à mon sommeil n'améliorèrent pas mon humeur maussade qui se prolongea durant la messe à laquelle je participai au petit jour. Il fallut le petit déjeuner dans le réfectoire avec les enfants pour que leur sourire parvienne à me sortir de ma morosité.

La salle des repas était bruyante à son accoutumée. La plupart des enfants étaient remplis d'énergie. Leur départ vers les écoles du voisinage semblait constituer une attraction plutôt qu'une corvée. Ils dévoraient la soupe matinale, petit déjeuner traditionnel du pays qui ignorait le café et les tartines ou les céréales des contrées européennes.

Nous assistâmes, mon cardinal et moi, à leur départ. De petits groupes se formaient pour aller à pied vers une école voisine. D'autres enfants plus âgés grimpaient sur la plate-forme arrière d'un pick-up conduit par un animateur du centre : leur école était plus lointaine.

Nous nous assîmes sous un préau, la cour une fois désertée. Je demandai à mon interlocuteur :

— Éminence, cet homme en train de mourir. Poo,

avec lequel nous avons passé ce long moment hier, sait-il que c'était au nom de Dieu que vous étiez à ses côtés ?

— Je connais Poo depuis longtemps maintenant. Son arrivée a coïncidé avec la mienne, il y a cinq ans. Il avait été rejeté par sa famille, il ne voulait pas aller à l'hôpital. Une assistante sociale nous l'a amené dans un état effroyable. Le virus avait déjà fait son œuvre. Comme il semblait bien réagir à la thérapie et paraissait capable de s'astreindre à la prise régulière des médicaments, nous avons espéré que son état se stabiliserait. Allant mieux, il est parti un matin, sans nous prévenir. Nous n'avons pas eu de ses nouvelles pendant plusieurs mois. Puis il a réapparu il y a trois semaines. Son état avait empiré, son système immunitaire était à bout. Il est revenu pour mourir avec nous. Nous avons tenté un nouveau traitement mais sans grand espoir.

» Alors, oui, je passe du temps avec lui dans cette salle réservée aux adultes alités. Le peu de mots que j'ai appris depuis mon arrivée ne me permettent pas de beaucoup échanger avec lui. Lui-même d'ailleurs ne semble pas vouloir parler. Je peux lui proposer un peu d'eau, une serviette.

» Je suis là, silencieux, de longues heures à son chevet, et je vous ai amené hier non pas pour que vous le voyiez mais pour que lui vous voie, pour qu'il sente qu'il a de l'importance. Vous vous rendez compte ! Deux étrangers, des Occidentaux, qui restent avec lui une grande partie de l'après-midi, sans rien faire, uniquement pour qu'il ne soit pas seul ! Cela ne prouve-t-il pas qu'il est redevenu une personne, lui qui, sans doute, ne s'est jamais jugé important et que la maladie a réduit à l'état de squelette silencieux.

J'avais eu du mal à passer ces trois heures dans la salle de soins des malades en fin de vie du centre où vivait dorénavant mon cardinal. La vue des corps décharnés, l'odeur, et puis, pour être sincère, la peur de regarder en face la maladie et la mort qu'elle amenait de façon inexorable. Une quinzaine de lits s'alignaient sur deux rangées. Seulement deux étaient inoccupés. Mon cardinal m'avait expliqué que deux décès étaient survenus la semaine précédente et que les nouveaux malades n'étaient pas encore arrivés.

Le centre avait été créé une quinzaine d'années auparavant par un religieux italien. Il accueillait les malades atteints par le VIH, des personnes en fin de vie et aussi des enfants et des jeunes porteurs du virus qui, sans aide familiale, trouvaient au centre abri, nourriture, soin, soutien. Le religieux, me faisant visiter le centre, m'avait déclaré avec fierté :

— Nous n'avons pas eu un seul décès de jeune ou d'enfant depuis deux ans et demi, preuve que la trithérapie lorsqu'elle est administrée assez tôt et prise régulièrement permet d'enrayer la progression de la maladie.

Et, en effet, une petite trentaine de jeunes jouaient allègrement dans la cour, se nourrissaient bruyamment au réfectoire où adultes, soignants et malades valides se restauraient ensemble trois fois par jour.

Certains jeunes ne portaient aucune marque de la maladie, d'autres avaient les traits accusés propres à leur état. Un visage creusé dévoré par des yeux largement ouverts au-dessus de pommettes saillantes. L'un d'eux, âgé d'une quinzaine d'années, répondant au surnom de Pat, s'était attaché à moi. Il me guettait quand je sortais le matin dans la cour ou quand j'entrais dans le réfectoire. Il me disait quelques mots dans un anglais très approximatif : « *You take care me, you farang*[1] *english ?* » Et je lui répondais : « *No, farang french.* » « *Where is french ?* » me demandait-il alors invariablement. « *Very far, twelwe hours plane* », avais-je dû répondre une

---

1. Le terme *farang* désigne un étranger dans plusieurs pays de l'Asie du Sud-Est. Le mot, qui a des formes un peu différentes dans les langues de la région, désigne un « long nez », retenant pour caractéristique principale d'un Occidental la taille de son appendice nasal, bien supérieure à celle des Asiatiques.

dizaine de fois, avant que la demande, inévitable, tombe :
« *Me come with you, you my daddy* [1]. »

J'expliquais à Pat que j'avais déjà des enfants, et pas
que deux ou trois. Il n'en avait cure, et me répondait :
« *Me good son for you, very good son, you see* [2]. »

Pat m'emmena à un bout de la cour et nous fit
asseoir sur un banc, un peu à l'écart pour empêcher qu'un
autre enfant ne lui ravisse son *farang*. Il me regarda sans
ciller et me demanda : « *You no want be my daddy
because me sick* [3] ? » « Non, Pat, lui répondis-je, simplement parce que je ne vis pas ici, et qu'un papa doit vivre
avec son enfant. »

Cela ne lui suffisait pas. Comment cela aurait-il pu
lui suffire ? Il voulait un papa et une maman pour remplacer ceux qui étaient morts quand il était enfant, morts
du même virus qu'il portait depuis sa naissance et contre
lequel il menait un combat jusqu'alors victorieux.

Mon cardinal jouait souvent avec les enfants du
centre et se taisait avec les adultes mourants. Pour les
premiers qui s'étaient repris à vivre et à rire, il était le
grand-père attentif et indulgent tandis que le religieux
assumait la figure paternelle. Pour les seconds qui
voyaient la mort s'avancer vers eux, il était une présence
qui leur assurait une dignité qu'ils croyaient depuis longtemps avoir perdue.

— Est-ce que Poo sait que je suis à côté de lui au
nom de Dieu ? m'avez-vous demandé, reprit mon cardinal après un bref silence. Vous avez décidément la
manie de poser des questions en apparence simples mais
qui appellent des réponses très longues et peut-être un
peu compliquées.

---

1. Conversation approximative que l'on peut traduire ainsi : « Tu dois prendre
soin de moi ; tu es un farang anglais ? », « Non je suis un farang français », « Où
c'est le français ? », « Très loin, douze heures d'avion », « Moi, je viens avec toi,
tu es mon papa ».
2. « Je serai un bon fils, très bon fils pour toi, tu verras. »
3. « Tu ne veux pas être mon papa parce que je suis malade ? »

» Le premier élément de réponse est "non". Non, Poo ne sait pas que je suis à côté de lui au nom de Dieu. Il ne sait d'ailleurs rien du Dieu chrétien. Il n'a même pas l'idée d'un Dieu qui s'incarne dans l'humanité, tant cette notion est étrangère à la philosophie bouddhiste dans laquelle il est né et a vécu. En revanche, il perçoit très bien toute la théologie chrétienne, il la sent comme peu de chrétiens la ressentent, il la vit comme personne.

— Pardon, vous pouvez creuser un peu plus loin ? demandai-je à mon cardinal qui s'était tu après cette déclaration étrange et contradictoire. Vous me dites que Poo ne sait rien du Dieu chrétien et vous ajoutez dans la seconde suivante qu'il perçoit très bien toute la théologie chrétienne. J'ai du mal à vous suivre.

— Vous voyez que vos questions apparemment anodines nous poussent à des réflexions pas si simples ! Posons-nous une question souvent négligée : « Qu'est-ce que Dieu est venu faire dans le monde en s'incarnant dans la personne de son Fils ? », un peu comme on dirait d'une personne imprudente : « Mais qu'est-ce qu'elle venait faire dans cette galère ? » Un dieu classique, un dieu normal, a avantage à rester dans son olympe, avec d'autres dieux qui le comprennent, plutôt que de s'abaisser jusqu'à revêtir la condition incertaine de l'homme.

» L'incarnation de Dieu est la spécificité irréductible chrétienne. Elle signifie que la condition humaine, apparemment absurde, est digne de Dieu. Quand Poo somnole dans son lit, affaibli par le virus qui aura raison de lui demain ou la semaine prochaine, quand il perçoit vaguement ma présence, il sent que sa condition, apparemment dénuée de toute grandeur, de tout avenir, de toute valeur, a de l'importance à mes yeux, est digne, en un mot, de mon attention, de ma présence. Il sent qu'il n'est pas rien puisque quelqu'un passe du temps, un temps apparemment inutile, à son côté.

» Quand je suis près de Poo, je rends concret, à ma modeste échelle, le plan de Dieu sur les hommes. Je signifie à Poo que sa vie n'est pas absurde puisque je passe du temps avec lui, de la même manière que Dieu a signifié au monde que sa condition n'était pas absurde puisque son Fils s'y est incarné.

— Je veux bien comprendre cela, l'interrompis-je, mais Poo relie-t-il votre présence à Dieu ?

— Si vous-même ne comprenez pas, comment vais-je avoir une chance de me faire comprendre par nos lecteurs à venir ?

— En étant plus clair, Éminence, en creusant plus profond. Il n'y a pas d'autres moyens à ma connaissance.

— Être chrétien, voyez-vous, ce n'est pas seulement croire qu'il existe un Dieu. Ce n'est même pas seulement croire en un Dieu d'amour ni même acquiescer aux articles d'un credo. C'est s'accepter comme les mains de ce Dieu dans le monde. C'est se mettre à la disposition du plan de Dieu pour le monde, c'est se ressentir comme les continuateurs de l'acte de création divin.

» Quand je suis au chevet de Poo, je crois, de manière insensée peut-être mais avec une totale certitude, que je suis la main de Dieu et le regard de Dieu sur Poo, homme qui souffre, qui ne sera jamais baptisé, qui ne fera jamais partie des statistiques de l'Église, qui mourra demain peut-être. Je lui apporte cette tendresse de Dieu.

» Je préférerais bien sûr qu'il connaisse l'origine de ma présence, Celui au nom de qui je suis à son chevet, mais cette connaissance, de l'ordre de la foi, vient en second dans l'ordre des priorités. Ce qui compte pour Poo, c'est qu'il ressente cette tendresse. Ce qui compte pour moi, c'est de la lui offrir. Et vous me pardonnerez mon audace, je crois que, ce qui compte pour Dieu, c'est que Poo reçoive cette tendresse qu'Il réserve à chacun de ses enfants.

— Vous accordez plus d'importance à manifester, à incarner, pourrait-on dire, la tendresse de Dieu auprès de Poo qu'au fait qu'il reconnaisse ou pas l'origine de cette tendresse qui passe par vous ?

— Vos questions sont comme ces poupées russes : quand on en dévisse une, on ne sait jamais si c'est la dernière. Je préférerais que Poo partage ma foi, comme je préférerais que nos pays d'Occident ne l'aient pas pour une large part perdue. Je refuse de me fixer sur le nombre des baptisés ou des pratiquants, sur la façon dont il faudrait rajouter du sacré dans nos liturgies pour affirmer notre identité chrétienne. Je refuse cela au nom d'une réflexion de simple bon sens : comment voulez-vous que quelqu'un croie en Dieu s'il n'a pas l'occasion de ressentir quelque chose de Lui ? Et comment voulez-vous que la tendresse de Dieu soit ressentie s'il n'y a pas des gens pour la transmettre et l'incarner ?

» Qu'est-ce qu'un saint universel ? Ce n'est pas un docteur de l'Église, ce n'est pas un grand pape, ce n'est pas un théologien, même si ces trois types de personnes peuvent être saints eux aussi. Un saint est avant tout un humain qui a fait de sa vie l'incarnation de la tendresse de Dieu pour les personnes qu'il a côtoyées.

— Éminence, vous allez encore me soupçonner d'insolence, tandis que, moi, je vous soupçonne, et très fortement, de m'avoir fait venir ici en Asie pour me dire quelque chose que vous redoutiez de ne pas parvenir à me faire comprendre à Rome ou en France.

— Non, non, vous n'êtes pas si insolent, plutôt perspicace même. En Europe, en effet, quand on réfléchit sur l'Église, on privilégie un point de vue très particulier, trop particulier. Celui de la crise, du divorce entre la culture dite postmoderne et la culture chrétienne, de la baisse d'influence du magistère, toutes ces choses qui empoisonnent la vie et font bien dans les conversations. L'Église en Europe est encore sous le choc du traumatisme subi à la suite de l'effondrement de la société chrétienne. Elle n'arrive pas à s'en remettre. Du coup, bon nombre de responsables s'accrochent à l'idée et au projet de recréer une société chrétienne comme elle existait auparavant.

» Ici, il n'y a pas et il n'y a jamais eu de société chrétienne. Il est donc plus facile de mesurer les réels enjeux de notre foi, de concevoir ce qui est essentiel, ce qui est premier. Comme nous n'avons pas à défendre ou à recréer les privilèges qui étaient ceux de l'Église dans la société chrétienne, nous sommes heureusement confrontés à l'essentiel et pouvons agir sur lui.

— Et cet essentiel, vous vouliez me le faire saisir de visu, c'est de se tenir à côté de Poo qui meurt, pour lui manifester la tendresse de Dieu que les hommes lui refusent.

— Oui, et c'est soigner les enfants, non pas les guérir car, dans cette maladie, les guérisons définitives sont encore à prouver, mais leur permettre de vivre la vie la plus normale possible, les aider à combattre les effets secondaires de leur traitement. Les conduire à fréquenter l'école, à avoir des amis.

» La tendresse de Dieu peut se manifester de multiples façons, dans toutes sortes de situation. Être chrétien, je le répète, c'est se sentir porteur de la tendresse que ressent Dieu pour chacun des hommes, avant d'adhérer à des doctrines, même si ces doctrines sont justes et bonnes.

— Vous n'enseignerez jamais de doctrine à Poo puisqu'il va mourir. Apprenez-vous le catéchisme aux enfants malades du centre qui vous font la fête quand vous sortez dans la cour où ils jouent ?

— Bien sûr ! Vous l'avez constaté vous-même d'ailleurs. Je leur fais ce catéchisme quand je m'occupe d'eux, quand je les aide à prendre leur médicament, quand je leur apprends un peu d'anglais ! Je ne leur fais pas un caté-chisme de questions et de réponses, j'essaie de leur faire découvrir ce que c'est que d'être aimé et d'aimer.

» Et ne venez pas me dire que je m'écarte, ce faisant, de la sagesse de l'Église ! Vous connaissez le passage de saint Paul : "Maintenant demeurent foi, espérance, charité,

alms

mais la plus grande d'entre elles est la charité[1]." Cette
charité ne consiste pas d'abord à faire l'aumône, mais à
porter le don de la tendresse de Dieu aux hommes. C'est la
charité de Dieu qui convertit plus que les arguments philosophiques ou théologiques. C'est son amour qui touche le
cœur des hommes.

» Alors oui, je fais du catéchisme en tentant de
rendre perceptible cet amour de Dieu pour ces enfants qui
ont frôlé la mort et en sont conscients et pour leurs camarades qui se savent atteints du même mal que celui qu'ils
discernent dans les yeux fatigués de leurs compagnons de
jeu.

J'avais pu constater que les enfants en question semblaient avoir perçu les enseignements du catéchisme de la
charité de mon cardinal. Ils allaient volontiers vers lui, lui
souriaient quand ils le voyaient arriver dans la cour, lui
apportaient un plat au réfectoire. Les plus âgés mobili-
saient leur anglais pour parler avec lui. Ils jouaient avec
son anneau épiscopal, lui demandaient à voir sa croix
pectorale. Beaucoup, le matin, se pressaient autour de lui
pour qu'il les bénisse en posant sa paume sur leurs che-
veux noirs, comme un viatique qui les accompagnerait au
long de la journée.

---

1. Première Lettre de saint Paul aux Corinthiens, chapitre 13, verset 13.

Mercredi, maison des enfants des rues
Un enfant blessé

Notre voiture s'engagea dans l'allée goudronnée après qu'un gardien en uniforme eut ouvert la grande grille sans même attendre de reconnaître le conducteur : la voiture de mon cardinal était familière. En face de nous, un bâtiment flambant neuf. Plus à droite, en retrait, un autre tout aussi grand. Le terrain sur lequel étaient établies ces maisons paraissait très vaste, avec une large pelouse verdoyante, une aile de bureaux, de vastes préaux, un terrain de sport.

Avant de descendre de la voiture, mon cardinal m'expliqua :

— Plus d'une centaine de filles sont logées dans ce premier bâtiment qui vient d'être terminé, tandis que près de cent cinquante garçons logent dans l'autre, un peu plus ancien. Les récents travaux permettraient d'accueillir quasiment le double des pensionnaires actuels, signe que le phénomène des enfants des rues grandit année après année.

— Qui sont ces enfants, Éminence ?

— L'histoire de chacun est différente, mais elles s'articulent toutes autour de blessures qui se ressemblent. Voyez-vous cette jeune fille qui tient la main à

swing/seesaw

deux jeunes enfants près de la balançoire sur la pelouse ? Elle se nomme Preah. Elle a été confiée à sa grand-mère par ses parents partis à l'autre bout du pays sur un chantier de construction. La grand-mère est tombée malade, les parents se sont séparés, chacun a refait sa vie, oubliant le fruit de leur première union. Preah s'est retrouvée dans la rue à mendier. Un travailleur social l'a remarquée, l'a emmenée ici, à la Maison, avant qu'un proxénète ne la récupère. Elle a maintenant douze ans. Mais, venez, sortons de la voiture : les enfants nous attendent.

En effet, dès que mon cardinal eut mis pied à terre, deux douzaines d'enfants, garçons et filles, se précipitèrent vers lui en riant à gorge déployée. Même rituel ici que celui de la maison des enfants atteints par le VIH : chacun se présentait en se bousculant pour recevoir l'imposition des mains, avant que, comme par magie, un sac de bonbons sorte de sa poche pour compléter la bénédiction d'une attention plus prosaïque.

Il nous fallut vingt minutes pour épuiser l'enthousiasme des enfants. Nous nous assîmes alors tranquillement sous un bananier géant après que le responsable des éducateurs fut venu nous saluer.

— Un pensionnaire de cette maison, commença mon cardinal, s'appelle Num. Quand je l'ai rencontré la première fois, il devait avoir dix ans et demi et en paraissait huit à peine : les gens d'ici font et feront toute leur vie plus jeunes que les Européens du même âge.

» Num était sagement assis sous le préau que vous voyez en face de nous. Il portait un polo bleu propre, imitation Lacoste. Il faisait très enfant sage. Il me raconta son histoire, une histoire déjà longue. Sa voix était étonnamment grave tandis qu'il parlait, frôlant le registre des barytons, alors que je l'entendis jouer et crier un peu plus tard, la voix revenant dans les aigus. Il me parlait d'une tonalité monocorde, sans émotion particulière. À écouter ce ton si distancié, je me demandai s'il avait appris une leçon. Je me trompai car il le garda à l'identique tandis que mon interprète lui posait les questions qui me venaient à l'esprit et qu'il n'avait pu connaître avant notre rencontre.

» Ses parents avaient vendu de la drogue et avaient été mis en prison pour un temps. Sa grand-mère, qui l'avait recueilli, avait déclaré ne plus pouvoir s'occuper de lui. Livré à lui-même, il avait vécu près de deux ans sous un pont d'autoroute. Sa mère, sortie de prison, était venue le rechercher, son père s'était mis à le battre. Il s'était enfui...

— Il y a beaucoup de séparations de couples, ici, Éminence ? Je croyais que c'était réservé aux pays occidentaux sous l'emprise de la dictature du relativisme, comme diraient certains de vos frères cardinaux et le pape Benoît lui-même.

— Beaucoup, répondit mon cardinal sans relever mon impertinence. Comme si l'Occident introduisait partout où il va ses fragilités en même temps que ses technologies et ses habitudes de consommation.

» Num parlait ainsi : "Mon père avait recommencé à me torturer, alors je suis parti pour retrouver mes amis de la gare. Nous avons partagé de la colle, je suis allé avec des riches étrangers, ils m'ont donné de l'argent. Avec mes amis, nous dormions dans des wagons abandonnés."

— Quel âge avait-il à ce moment-là ?

— Huit ans sans doute. On n'a jamais su sa date de naissance exacte même si, normalement, il faut un acte de naissance officiel pour recueillir un enfant dans une maison comme celle-ci. Les éducateurs, qui circulent régulièrement dans les rues obscures où nous sommes passés hier soir, le repérèrent et lui proposèrent de venir au centre. Il les suivit, et c'est environ deux mois après son arrivée que je l'ai rencontré pour la première fois. Puis, un jour, il disparut sans prévenir.

— On peut s'enfuir d'ici ?

— Oh, oui, c'est complètement ouvert. La surveillance s'exerce à l'entrée pour ne pas laisser s'introduire des personnes indésirables mais pas pour empêcher les enfants de sortir. Le principe et le contrat qui lient les enfants à la Maison sont clairs : ils peuvent partir quand ils veulent. On essaiera de les en dissuader certes, mais on ne les en empêchera pas.

» La raison est simple : ces enfants et ces jeunes sont déjà enfermés dans un passé, des traumatismes, des dérives. Victimes d'adultes prédateurs, ils nouent avec leurs proxénètes des relations de protection si complexes et si semblables au syndrome de Stockholm qu'il serait vain et cruel de vouloir, pour les aider à sortir de ces enfermements, leur imposer une autre prison, même dorée.

— Syndrome de Stockholm, Éminence ? Je croyais qu'il concernait les personnes prises en otage.

— À l'origine, l'expression désignait l'attachement surprenant d'un otage à l'égard de son ravisseur, allant jusqu'à ce que la victime, une fois libérée, prenne la défense véhémente de celui qui l'avait emprisonnée. Le comportement des enfants des rues est très semblable : ils sont réellement attachés aux hommes et aux femmes qui les exploitent.

— Pardon pour cette interruption. Revenons à la sensation d'enfermement que ressentent ces enfants...

— Avoir traîné dans les rues développe le sentiment d'insécurité déjà si présent en eux et les pousse à refuser toute contrainte non acceptée. Un travailleur social d'ici m'a expliqué cette attitude de la manière suivante : « Pour ces enfants, l'adulte est celui qui a abusé, abuse ou abusera d'eux, soit par la violence, soit par l'argent, soit en fournissant une drogue... Toujours par la contrainte. Il y a une équivalence directe dans leur psychisme entre adulte, contrainte, souffrance, destruction... Nous devons absolument rompre cette équivalence si nous voulons qu'ils nous fassent confiance. Quand cette confiance est établie, nous constatons cependant qu'elle ne suffit pas à contrarier leur dépendance à l'égard de la

détention

vie des rues, de la colle, de la prostitution. Non, cette confiance ne suffit pas, même si elle reste un repère fixe, peut-être le seul repère dans leur existence chaotique. Nous misons sur le fait qu'un jour ils voudront revenir vers ce point de référence. »

— C'est la raison pour laquelle la Maison est ouverte…

— Oui. La plupart des enfants sont scolarisés dans les écoles du voisinage. Les plus jeunes y sont accompagnés, les plus âgés s'y rendent le matin et en reviennent le soir seuls ou en petit groupes, sans encadrement. Ils peuvent profiter tous les jours d'une occasion pour s'enfuir. Le risque de cette liberté, bien réel, est cependant amoindri par une mesure dont les enfants n'ont pas conscience. La Maison est maintenant située à une certaine distance de la Ville et de ses rues chaudes. Auparavant, elle était en centre-ville. Dès que les fonds nécessaires ont été réunis, on a construit ces nouveaux bâtiments afin que les enfants ne soient pas sollicités devant leurs portes par la vie qu'on essaie de leur faire abandonner. Revenons à Num…

— Il s'était donc enfui peu de temps après qu'il vous eut fait le récit de son enfance malheureuse.

— Les éducateurs de la Maison partirent à sa recherche, d'abord dans les endroits louches de la Ville, puis dans les rues de la Capitale. Leur connaissance du terrain leur permit assez vite d'apprendre que Num se trouvait non loin de la gare. Ils le découvrirent avec une bande de jeunes garçons entre huit et quinze ans, plus ou moins cornaqués par un homme d'une trentaine d'années.

» L'enfant sage que j'avais rencontré quelques mois auparavant avait changé d'apparence. Son short beige et son polo bleu avaient cédé la place à un autre uniforme : un long tee-shirt blanc trois fois trop grand pour lui, blanc devenu gris de saleté, descendant largement au-dessous d'un short en toile bleue. Il marchait pieds nus.

» Toutes les trois ou quatre minutes, il remontait

l'encolure du tee-shirt au-dessus de son nez, puis la redescendait : il sniffait à chaque fois une dose de colle contenue dans un sac en plastique transparent, approximativement dissimulée sous le tee-shirt.

— Dix ans, et déjà dépendant de la drogue !

— Oui, mais Dieu merci ! la colle ne provoque pas d'accoutumance physique. Elle leur permet seulement d'oublier. Sur ce trottoir, Num jouait au petit chef parmi les autres enfants, tous habillés de la même façon, tous munis de la poche de colle.

» La voix éraillée proche de la rupture, il présentait ses conditions pour son retour au centre. "Je ne pars pas si Kahn ne vient pas avec nous." "Il faut emmener Dam, absolument !" Dam était l'homme qui semblait leur servir de proxénète.

» Trois fois il descendit de la plate-forme du pick-up des travailleurs sociaux, présentant une exigence nouvelle. Finalement, les éducateurs promirent de revenir le lendemain chercher les autres enfants qui désireraient être accueillis au centre. La plupart de ceux qui devaient rester se mirent à pleurer, déclarant que cette promesse était un mensonge pour se débarrasser d'eux, jusqu'au moment où Num, d'une voix convaincue, déclara : "Papa ne ment jamais, Papa ne ment jamais !" Papa était le surnom du responsable des travailleurs sociaux.

— Un caïd, le jeune Num...

— On grandit vite dans la rue... Pour en finir avec cet épisode de son histoire, devant la garantie donnée par Num, les enfants pour lesquels il n'y avait pas de place dans le véhicule, se calmèrent. Le pick-up démarra pour rejoindre la Maison...

» Num repartit une nouvelle fois. Je demandai à une des assistantes sociales : "Avez-vous pu savoir où il est ? Quand allez-vous le rechercher ?" Elle me répondit : "Oui, nous le savons, toujours au même endroit, dans ces wagons désaffectés. Nous n'allons pas y retourner tout de suite. Il faut qu'il ait en lui la volonté de revenir, sinon cela ne sert à rien. Nous pouvons faire beaucoup, mais nous ne devons pas faire tout. Nous pouvons être api-toyés par sa situation, mais nous devons nous empêcher de faire, chaque fois, tout le chemin."

— Et alors ?

— Num est revenu. Il avait repris l'école. Il avait sûrement des envies de repartir : l'appel de la rue. Il tenait bon, cependant. On lui avait donné la responsabi-lité du matériel et du terrain de sport. Le principe est de responsabiliser les enfants autant que leur âge et leur état le permettent. Sans qu'ils puissent prétendre gérer totale-ment la maison, ils participent à son organisation, à cer-tains des services indispensables à son fonctionnement comme le ménage, le soin donné aux plus jeunes, la réali-sation de petits objets d'artisanat qui seront vendus... On leur donne un peu d'argent de poche pour leur permettre d'acheter quelques friandises à ces multiples et minus-cules boutiques qui sont la marque des rues d'Asie.

— Ils pourraient se servir de cet argent pour acheter de la colle !

— Bien sûr, mais, d'abord tous, loin s'en faut, n'ont pas goûté à cette drogue du pauvre. Et, ensuite, les éduca-teurs ont la conviction que de toute façon l'enfant qui voudra sa ration de colle saura la trouver, avec ou sans argent de poche remis par le centre.

— Num est ici. Pouvons-nous le voir ?

— Non, il n'est pas ici. Peu de temps après cet épi-sode, je partis à Rome, alarmé par l'état de santé du Saint-Père, et averti qu'il me demandait. Je restai six mois là-bas, le temps de mener la mission dont nous avons parlé la dernière fois à propos des prêtres pédo-philes aux États-Unis. Quand je revins six mois plus tard ici, je demandai à revoir Num. Une animatrice du centre me répondit qu'il était dans un centre d'internement pour enfant en attente de comparaître devant un juge.

— Qu'avait-il fait ?

— Il avait volé une motocyclette. Je suis allé le

voir. Il était heureux comme un roi dans son centre d'internement. Surtout, il venait d'apprendre pourquoi son père le battait. Son histoire est édifiante. Il me la raconta ainsi :

« Mae' [1] est venu me voir. On a parlé. Elle m'a raconté. Ma maman est bien ma maman mais mon papa n'est pas mon papa. Ma maman est allée avec lui juste avant ma naissance. Ma grand-mère n'est pas ma grand-mère non plus puisqu'elle est la mère de l'homme qui me battait. Il me battait parce que je ne suis pas son enfant, m'a dit Mae', pas parce que je n'étais pas gentil. Et ma grand-mère ne disait rien parce qu'elle ne voulait pas le mettre en colère. Je ne sais pas où est ma maman maintenant. Mae' dit qu'elle est sortie de prison. Si je savais où elle était, j'irais tout de suite près d'elle, car Mae' m'a dit qu'elle n'était plus avec l'homme qui me battait. Je crois qu'elle ne veut plus me voir. J'ai demandé à Mae' d'être ma maman, mais elle dit qu'elle est trop vieille, qu'elle ne peut pas. Elle m'a dit aussi qu'elle allait essayer de trouver une autre maman qui s'occupe de moi. En prison, je voudrais apprendre à écrire et à lire. Mae' dit que je devrais y arriver vite si je ne reprends pas la colle. Elle dit que je suis très intelligent et que je peux apprendre beaucoup de choses. Elle dit aussi qu'il faut que j'oublie mon père qui n'est pas mon papa, qu'il m'a fait trop de mal. Elle dit que je peux. J'ai eu quinze ans, juste avant d'aller en prison. Je veux apprendre à lire et à écrire. Et je voudrais une maison avec une maman qui s'occupe de moi et un papa qui ne me fasse pas de mal. Et puis une motocyclette qu'on me donnerait vraiment. »

— Histoire de brisure qui brise un enfant...

— Histoire de brisure d'un couple, histoire d'un enfant qui ne méritait rien de ce qui lui est arrivé, mais Num n'est pas brisé, à mon avis. Il est blessé, mais il veut vivre, alors que d'autres n'en ont même plus l'idée. Un enfant blessé, interné pour le vol maladroit d'une moto-

---

1. Mot signifiant Maman mais qui s'applique à toute personne prenant soin d'un enfant. Ici, Mae' désigne une assistante sociale.

cyclette, symbole et outil de liberté. Enfant que l'on aurait vite fait de rendre coupable de son vol d'abord, et de son histoire ensuite : chapardages, colle, prostitution, violences. Enfant blessé parce que ceux qui devaient l'aimer n'ont pas su lui donner l'amour dont il avait besoin pour grandir.

» Num est blessé mais il n'est pas brisé. Il agit mal mais il juge bien : il veut une maman qui s'occupe de lui et un papa qui ne le batte pas. Il veut écrire et lire parce que dans son centre d'internement il a eu honte de son ignorance. Et il veut une motocyclette, mais celle-là il ne veut pas la voler, il veut qu'on la lui donne. Avez-vous déjà rencontré autant de sagesse chez un enfant ?

— Ce doit être terriblement angoissant de s'occuper de ces enfants qui peuvent à tout moment s'enfuir et être les victimes d'un réseau de pédophilie ou succomber à une dose trop forte d'alcool et de colle ?

— La culture d'ici, vous savez, n'est pas la nôtre à bien des égards. La vie et la mort ne sont pas vécues sous le même registre qu'en Europe. La sérénité est un idéal alors que, chez nous, c'est l'efficacité qui est érigée en valeur absolue. Au risque de vous étonner, je n'ai que très rarement ressenti de l'anxiété parmi les animateurs de cette Maison. Soit ils n'en ressentent pas, soit ils la dissimulent dans un réflexe propre à leur culture.

» Vous constaterez vite qu'ici une des principales qualités est la réserve, la pudeur, la retenue. Ainsi, marquer de l'impatience est-il une des pires grossièretés qui soient, à peine dépassée sur l'échelle de gravité par le fait d'élever la voix. La manière de se comporter est très codifiée. Par exemple, si vous êtes un adulte, ne soyez jamais le premier à saluer un enfant ou un homme plus jeune que vous, vous le mettriez dans l'embarras, car vous lui signifieriez qu'il n'a pas su vous saluer avec suffisamment de rapidité.

— Je ne m'étais pas rendu compte que les hiérarchies étaient aussi marquées.

— Sans doute étiez-vous conquis comme tout nouveau visiteur par le sourire et la gentillesse des gens d'ici. Cela vous empêchait de percevoir des attitudes qui ne sont pas contradictoires mais sont plus compliquées que ne le laisse supposer ce fameux sourire... Le salut pratiqué dans cette région de l'Asie, les deux mains jointes à hauteur de la poitrine, du menton ou du nez, correspond à une subtile expression de différence de statut. Plus le salut des deux mains jointes se fait haut, plus vous recevez une marque de considération de la part de celui qui vous l'adresse. Au niveau de la poitrine signifie que la personne vous estime assez proche sur l'échelle sociale. À l'autre extrémité du spectre, les deux mains jointes à hauteur du front sont réservées au Bouddha. Si on salue un Occidental en joignant les mains au niveau du menton, qu'il se garde de répondre par un salut du même ordre, il doit simplement faire un petit hochement de tête !

» Ces attitudes profondément ancrées, et d'autres encore comme le respect à l'égard des personnes âgées, ou la solidarité obligée avec les parents quels que soient les fautes ou les crimes qu'ils ont pu commettre à votre encontre, manifestent que l'autorité n'est pas un problème ici, dans le sens où elle ne serait pas acceptée. Les enfants sont visiblement heureux de porter l'uniforme de tous les élèves, la chemise blanche et le short bleu ou la jupe de la même couleur. Ils n'ont aucun mal à se mettre en rangs, au contraire, car cela leur confère un sentiment d'appartenance dont ils ont besoin. Si les classes sont d'habitude joyeuses, on y travaille avec concentration : l'idée même d'un chahut y est impossible.

— Nos professeurs de collège rêveraient d'enseigner ici, Éminence, constatai-je après ce cours accéléré des mœurs du pays.

— Sans doute, si j'en crois ce que me racontent mes petits-neveux ! Savez-vous qu'ici la classe commence par les remerciements d'un enfant, au nom de ses camarades, au professeur pour sa présence et l'enseignement qu'il va leur dispenser ? Dans cette Maison, les éducateurs sont considérés comme des pères ou des frères aînés supplémentaires. Une très grande familiarité existe entre les enfants et le personnel du centre. Il suffit de voir l'un d'eux revenir le soir pour constater qu'un groupe d'enfants se précipite pour lui faire la fête, lui prendre la main, lui raconter toutes sortes d'histoires.

» La pédagogie de la Maison repose sur l'accueil et la mise à disposition d'un cadre de vie, très peu sur un enseignement formel ou un système de commandement. Ceci n'est guère étonnant puisque le but de la Maison est avant tout de fournir une sécurité à des enfants qui en ont été totalement privés dans les années où ils en avaient le plus besoin, celles de la petite enfance.

— Peut-on rattraper ces années perdues ?

— Les rattraper totalement, sûrement pas. Les faire entrer petit à petit dans un souvenir acceptable, oui. Et surtout montrer que la période d'insécurité, d'errance, de maltraitance est quelque chose d'anormal, que la normalité c'est une vie plus assurée où la confiance est possible.

» Le centre va assurer trois sécurités. Celle du logement qui, même simple à nos yeux d'Européens, représente un confort incroyable pour ces enfants dont certains vivaient entassés dans des masures branlantes, privées d'eau courante et parfois d'électricité. Sécurité de la nourriture ensuite : la plupart ne savaient pas avant d'arriver ici ce que c'était d'avoir un repas complet par jour. Il est rare qu'un nouvel enfant arrivant au centre ne présente pas la caractéristique d'une chevelure rousse clairsemée, signe assuré de malnutrition, le roux montrant qu'il manque de protéines. Sécurité et intégrité physiques aussi : les enfants savent qu'à la Maison ils ne sont ni battus, ni violés, ni vendus...

— Ceux qui sont venus vous accueillir tout à l'heure paraissaient heureux. Jamais je n'aurais imaginé, à les croiser ailleurs, qu'ils aient un si lourd passé.

— Tous n'ont pas été aussi martyrisés que Num. En général, quand les enfants ne sont pas trop atteints, quand ils ne sont pas dans l'accoutumance de la drogue, ce cadre de sécurité leur permet de recouvrer assez rapidement une joie de vivre, des capacités intellectuelles, la santé physique. Seuls, ceux qui, comme Num, ont été happés trop jeunes dans la rue ou y sont restés longtemps, posent des problèmes parfois insurmontables de retour à l'équilibre.

— J'imagine qu'il y a ici une armada de psychothérapeutes...

— Eh bien, vous imaginez mal. Pratiquement aucun des enfants d'ici n'est suivi par un psychothérapeute professionnel. Je m'en suis moi-même étonné auprès d'un éducateur lors de ma première visite. Ma question fit d'ailleurs naître chez mon interlocuteur une gêne qui ne s'expliqua pas par des mots, respectant ainsi la pudeur d'ici, mais dont je pus progressivement deviner les raisons. Elles sont d'ailleurs lourdes de conséquences pour le monde qui est le nôtre et proclame sa mondialisation galopante.

— Quel rapport entre la mondialisation et la psychothérapie des enfants des rues ici, Éminence ?

— Vous allez comprendre très vite. Les techniques de soin de type psychologique sont étrangères à la culture bouddhique. Pour les rares personnes qui les connaissent, ne serait-ce que vaguement, ce sont des techniques, voire des travers, propres à l'Occident. L'équilibre mental à la mode occidentale est différent de la sérénité et de la sagesse bouddhiques. Le premier repose sur un travail d'investigation intérieure avec comme objectif de trouver son propre chemin. Les secondes s'obtiennent par un acquiescement à un ordre global qui dépasse chacun mais hors duquel personne ne peut vivre durablement.

— Vous voulez dire que la psychothérapie est un travers occidental non transposable dans un univers bouddhique ?

— Je n'irai pas jusque-là. Je constate simplement que la démarche psychanalytique n'est pas en phase avec la culture bouddhique et sa représentation du bonheur. Cette différence culturelle que je constate ne suffit cependant pas à m'empêcher de penser que de nombreux enfants en détresse accueillis à la Maison relèvent d'un accompagnement psychologique durable.

— Alors, je ne vous comprends pas...

— J'ai le sentiment que les sociétés non occidentales n'avaient pas besoin jusqu'à aujourd'hui de cet arsenal thérapeutique, sans doute parce que leurs fonctionnements internes étaient suffisamment solides pour assurer une atmosphère d'équilibre. Ce sont les atteintes à ces fonctionnements traditionnels qui ont déstabilisé la société au point de créer de plus en plus de situations de déchirement. Car il ne faut pas se leurrer, ces nombreuses situations individuelles des enfants des rues sont le résultat de modifications sociétales avant d'être la juxtaposition de destins et de drames personnels.

— Qui est responsable de ces déstabilisations ?

— Sûrement en premier lieu ce que je nomme la pauvreté migrante. Il y a plus de cinquante ans, les gens étaient pauvres mais ils étaient pauvres là où ils étaient. Tandis qu'aujourd'hui, ils savent qu'ailleurs il y a plus d'argent, et ils se déplacent vers ces lieux sans aucune préparation, en laissant leurs enfants derrière eux, en séparant le couple. Ils arrivent dans les centres urbains où ils consentent à des métiers qu'ils n'auraient jamais acceptés là où ils habitaient, avec l'idée d'en tirer un profit rapide.

— Comme ces trente mille prostitués qui vivent dans cette ville de quatre cent mille habitants.

— La pauvreté, qui a toujours existé, était supportable tant que l'entourage la partageait et que les personnes ignoraient qu'ailleurs on pouvait vivre beaucoup mieux. Ces migrations intérieures vers des zones réputées plus favorisées créent de profonds déséquilibres. C'est encore plus vrai quand les modèles de prospérité, qui agissent comme des miroirs aux alouettes, sont ceux d'un Occident au pouvoir d'achat gigantesque.

— D'où l'influence désastreuse sur le pays de la guerre du Vietnam et de l'installation des bases et des centres de détente des militaires américains.

— Une guerre crée des victimes immédiates, et elle initialise une kyrielle de répercussions qui s'étalent sur des générations. Prenez l'exemple du Cambodge : il faudra cinquante ans pour espérer effacer les traces du génocide. Les enfants cambodgiens sont souvent les victimes de violence familiale car leurs pères ont eux-mêmes été les victimes ou les complices de la violence des Khmers rouges. Ces enfants risquent de répéter cette violence dont ils ont souffert, tant les traumatismes de l'enfance ont le pouvoir de déclencher des actions semblables à l'âge adulte.

— Nous en parlions lors de notre dernière rencontre à propos du Rwanda.

— Il en est de même pour la guerre en Irak. Jean Paul II avait totalement raison : on ne sait jamais quand s'arrête un processus de guerre. Il se prolonge longtemps de manière souterraine après qu'il a cessé officiellement.

» Nous avons progressé dans la compréhension des mécanismes de la nature, en constatant que telle catastrophe naturelle détériore l'équilibre du système écologique longtemps après sa survenue. Nous n'avons pas encore transposé cette sensibilité aux phénomènes de guerre ou de pauvreté. Nous ne mesurons pas combien eux aussi sont porteurs de conséquences à long terme. La presse se mobilise au moment des bombardements et des séismes, elle ne voit rien des cicatrices qui restent vives ou infectées des décennies plus tard.

— Je me suis toujours dit que la guerre du Vietnam aurait pourtant dû servir d'avertissement pour tous les autres conflits.

— Beaucoup le pensaient. Cependant, aucune analyse sérieuse n'a été conduite par les gouvernements à son propos. Ce conflit était pourtant un cas d'école. Si vous en faites le bilan, qu'obtenez-vous ? Un échec occidental face à un Orient méprisé. Des dizaines de milliers de victimes, françaises ou américaines, vietnamiennes, cambodgiennes, laotiennes. Des enfants qui, trente ans après, naissent encore avec des malformations du fait des produits défoliants répandus par les avions américains.

» Constatez les conséquences de cette guerre ici alors que le pays n'a pas été un théâtre d'opérations. Un dollar abondant et généreux, à la disposition de combattants au repos après qu'ils ont passé des mois à côtoyer la mort chaque jour dans un combat dont la légitimité leur apparaissait de plus en plus incertaine, a suffi à faire de cette ville, jusqu'ici simple et très petit village de pêcheurs, la métropole du sexe. Le tourisme sexuel est une conséquence directe de la guerre. Il devint une industrie resplendissante qui déstabilisa et continue de déstabiliser la société en proposant à ses couches les plus pauvres un argent qui ne cherchait qu'à se dépenser.

» Ce sont ces enfants des rues qui trente ans après paient les conséquences d'une guerre qui se voulait une croisade légitime pour empêcher une région de tomber dans le communisme ! Avouez qu'il y a de quoi ressentir de la rage face à de tels aveuglements.

— Qu'a à voir l'avenir de l'Église ou de la foi dans tout cela ?

— Beaucoup, et très directement. Restons cependant un moment encore si vous le voulez bien à l'impact direct de la déstabilisation de la société de ce pays sur la situation des enfants des rues ou sur celle des milliers de prostituées qui tentent d'échapper à la misère. Le phénomène des enfants des rues, en croissance continue, est le résultat de destructions sociétales dues à des influences extérieures.

» La pédophilie, je vous le disais, est moins visible aujourd'hui qu'il y a dix ans. Plus souterraine, elle est

targets

sous la totale emprise des mafias, ce qui rend sa prévention très difficile. Les travailleurs sociaux prennent des risques physiques à tenter de sauver des enfants. Il leur arrive d'être les cibles de menaces, voire de quelques balles perdues. Devenue moins visible, la pédophilie n'est pas comptabilisée. Il n'y a pas besoin de l'ajouter au nombre de prostitués et prostituées majeurs, visibles eux, pour se rendre compte que lorsqu'un dixième de la population d'une ville se prostitue, ce sont à la fois des soins individuels et des soins collectifs qu'il faut imaginer.

» Les soins individuels commencent par des actions de base : apprendre aux jeunes femmes à respecter leur propre vie. La première application pratique est de les convaincre d'exclure toute passe avec un homme refusant d'utiliser un préservatif.

— Pardon, Éminence, vous avez dit qu'il fallait apprendre à ces jeunes femmes à utiliser des préservatifs. N'est-ce pas en contradiction avec l'enseignement de l'Église ? N'est-ce pas surprenant d'entendre cela dans la bouche de l'un de ses cardinaux ?

Pour la première fois au cours de nos longs entretiens, je décelai une irritation nette dans le regard et dans la voix de mon cardinal qui me répondit avec sécheresse :

— Ah non, pas vous !

— Comment cela : pas moi, répondis-je, pas mécontent de cette petite revanche sur son attitude de l'avant-veille au soir qui m'avait valu de relire en entier les deux premières parties de notre livre sans y découvrir le moindre indice de ce qu'il m'avait promis.

— Oui, pas vous. Vous n'allez pas vous joindre à tous ces hypocrites qui font semblant de croire que la situation d'une prostituée de dix-huit ans qui crève de faim, face à un client bourré de bière et de dollars, est la même que celle d'un cadre supérieur occidental qui collectionne les conquêtes parmi ses secrétaires et les emmène dans une auberge discrète de la campagne avoisinante pour un après-midi polisson.

» Nous parlons ici d'une forme d'esclavage et de vie et de mort, d'un esclavage qui peut aboutir à la mort. Eh bien oui ! Sachez-le ! Ici nous nous battons pour que ces femmes utilisent le préservatif. Et pour une raison qui devrait faire honte à la moitié de l'humanité.

— La moitié de l'humanité, Éminence ? Cela fait beaucoup.

— La moitié, du moins la moitié de l'humanité adulte, les hommes. Ces jeunes femmes ont perdu tout respect envers elles-mêmes et n'attendent plus grand-chose de la vie. Du coup, elles ne sont pas prêtes à protéger la leur quand un client leur offre un supplément de deux ou trois dollars pour une passe sans préservatif. Car, voyez-vous, c'est cela la misère : la différence entre la vie et la mort tient à un préservatif et à un pourboire de deux dollars !

» Que les pères la vertu se rassurent, nous ne faisons pas qu'exhorter ces jeunes à utiliser le préservatif. Nous savons que quand elles obligent leur client à en utiliser, au besoin en refusant d'aller avec celui qui voudrait les contraindre à ne pas y recourir, elles sont en voie de guérison intérieure. C'est en effet le signe qu'elles commencent à tenir à nouveau à la vie, qu'elles quittent les rivages du désespoir où plus rien n'a d'importance. Nous savons à ce moment-là que les autres aides que nous essayons de leur apporter ont des chances d'être efficaces.

— Quelles aides, Éminence ?

— Nous leur offrons une formation à un métier. Cela implique un travail complexe qui commence par l'identification des niches d'emploi, continue par la formation elle-même, se poursuit par un accompagnement soutenu, et aboutit à l'emploi lui-même doté d'un salaire raisonnable. On se trouve là à la jointure entre le soin individuel qu'est la formation et le soin collectif qui consiste à se préoccuper du marché de l'emploi et de la croissance économique du pays.

» Pour vivre à peu près correctement ici, il faut moins de cent cinquante euros par mois : un tel salaire ne court pas les rues, alors qu'il ne représente pas plus de six ou huit clients pour une prostituée.

— Vous êtes en train de me dire que l'on ne peut pas sortir ces prostituées de leur condition sans changer le fonctionnement collectif du pays tout entier, voire du monde lui-même puisque les clients de ces jeunes femmes dans la misère viennent de loin pour satisfaire leurs besoins.

— C'est très exactement ce que je vous dis. Un Européen qui vient ici en mal d'aventures paie une jeune femme vingt à vingt-cinq euros pour passer la nuit avec elle, soit deux places de cinéma dans son pays d'origine. Vous avouerez que, pour lui, c'est une très petite dépense. Pour elle, c'est une somme qui va lui permettre de vivre pendant près d'une semaine. Vous mesurez la différence d'échelle !

» Tant qu'il y aura des Européens pour qui la nuit d'une prostituée coûte à peine plus cher que d'aller au cinéma, il y aura des prostituées ici pour se vendre. C'est la différence de pouvoir d'achat qui fait qu'il y a trente mille prostituées ici.

L'indignation de mon cardinal n'était pas feinte. Il avait toujours manifesté une humeur égale lors de nos entretiens précédents, quelle qu'ait été la gravité des sujets abordés. Ici, auprès de ces enfants malades ou errants, auprès de ces jeunes femmes qui jouaient leur vie ou leur mort sur le caprice d'un Occidental, il ne cachait pas ses sentiments. Sa vie était désormais ici, avec ces hommes et ces femmes blessés dont le visage s'éclairait malgré tout de sourires émouvants.

Nous vîmes la religieuse qui dirigeait la Maison se rapprocher de nous pour nous inviter au repas. Nous la suivîmes au grand réfectoire quasiment désert. La plupart des enfants restaient à l'école à cette heure-là. Ne déjeu-

naient ici en semaine que certains animateurs et les rares
enfants qu'un rhume tenait éloignés de leur classe.

Nous mangeâmes notre riz en silence. Comme dans
tous les pays où la faim guette ou a longtemps été la
règle, les repas sont des moments trop importants pour
qu'on les trouble par des bavardages.

Mercredi, maison des enfants des rues
L'effet papillon

— Vous étiez en train de me dire que la morale économique est aussi importante que la morale individuelle
avant que nous nous interrompions pour notre déjeuner.
S'il n'y avait pas d'inégalité économique aussi forte, il
n'y aurait pas autant de prostitution et de malheurs
individuels.

Mon cardinal s'était autorisé une sieste dans une des
chambres d'hôte de la maison des enfants des rues tandis
qu'un animateur me faisait visiter son établissement. Les
dortoirs simples et lumineux. Les terrains de sport. Les
cuisines modernes. La boutique d'artisanat remplie
d'objets fabriqués par les enfants. La salle d'ordinateurs.
J'avais eu droit à un tour complet, commenté avec fierté.
Et, en effet, une telle réalisation était digne d'admiration.

Nous étions à nouveau assis sous le bananier, et mon
cardinal me répondit :

— C'est exactement cela, me répondit-il. Les déséquilibres économiques ont une influence directe sur les
déséquilibres humains. Un autre phénomène explique ce
que je dis. Quand une chaîne d'hypermarchés à Paris sus-
pend ses commandes à un fournisseur de textile d'ici,
cela affecte directement la santé économique du pays et

contribue à détruire quelques emplois précaires. Celles qui perdent ainsi leur travail doivent aller chercher ailleurs des sources de survie qu'elles ne trouvent plus dans leur activité d'usine. Certaines de ces employées se laisseront attirer par ce que l'on leur a dit des riches étrangers qui viennent en vacances ici et sont prêts à payer très cher, à l'aune des salaires locaux, une nuit passée à leur hôtel. S'y ajoute l'espoir qui se réalise parfois d'une relation plus durable et plus sûre économiquement.

» Ne vous y trompez pas ! La chaîne de conséquence est directe entre la suspension des commandes de la chaîne d'hypermarchés et l'arrivée ici dans la Ville d'une jeune prostituée supplémentaire. Car la protection sociale est inexistante : vous ne savez jamais quand vous allez à votre travail d'usine le matin si l'après-midi vous ne serez pas jetée dehors, sans indemnité de licenciement bien sûr, et sans allocation de chômage.

» En d'autres termes, une mauvaise récolte de riz dans le nord, la suspension d'un contrat d'approvisionnement textile entre l'Europe et ici et, ultimement, un Occidental qui économise pour se payer le voyage jusqu'à ces bars que vous avez vus hier, sont les maillons d'un enchaînement rigoureux de causes et d'effets.

— Le fameux effet papillon...

— Oui, le battement d'aile d'un papillon en Australie peut provoquer un ouragan aux États-Unis, affirmait un savant américain dans les années 60. Cette affirmation réservée à l'origine à sa seule spécialité, la météorologie, n'a cessé de prendre un relief saisissant au cours des années.

— Comment cela ?

— L'histoire du monde, si on la contemple d'un peu haut dans ses tendances lourdes, apparaît comme une montée vers la globalisation des échanges, lente d'abord, puis rapide récemment. Les échanges commerciaux ont pris énormément d'importance ces dernières années mais la mondialisation ne se limite pas au commerce, elle s'exerce dans de nombreux autres domaines. Ces échanges marchands ont masqué d'autres globalisations qui se sont rappelées avec sauvagerie à notre attention.

— Que voulez-vous dire ?

— J'étais dans le bureau du Saint-Père à Castel Gandolfo en ce jour de septembre 2001 quand il apprit les attentats contre les Tours Jumelles de Manhattan et le ministère américain de la Défense à Washington. Je me souviendrai toujours de sa réflexion : « Vous verrez, c'est aujourd'hui que le monde va découvrir ce que c'est que d'être mondial. »

— Que voulait-il dire ?

— Que le monde était devenu un village, ce qui était clair pour les spécialistes, mais ne l'était pas pour le plus grand nombre. Le 11 septembre allait agir comme le révélateur du phénomène. Sur le plan économique, l'évidence s'était imposée depuis longtemps : le commerce n'a cessé de conquérir de nouveaux espaces. Les étapes significatives vers la mondialisation sont faciles à identifier : les foires de l'an mil, la route des épices, le pétrole, les délocalisations de fabrication, le commerce électronique.

» Sur le plan culturel, la tendance, quoique marquée, était plus incertaine. Adoption de l'anglo-saxon comme deuxième langue universelle, découverte des littératures et des expressions artistiques différentes, commercialisation de la culture… Pour autant, la culture, encore fortement dépendante de la religion dans certains pays, résiste à cette globalisation considérée ici ou là comme impérialiste, voire amorale.

— Vous voulez dire que les religions constituent des remparts à la mondialisation culturelle ?

— J'étais d'accord sur ce point avec le Saint-Père qui a toujours manifesté son attachement à ce que les nations vivent de leur héritage culturel en le protégeant

sinh chìm

pour éviter justement de sombrer dans un chaos culturel uniformisé.

» Donc commerce, puis culture. Ensuite, mondialisation dans d'autres compartiments, et les plus spectaculaires, de l'activité humaine. Dans le domaine des conflits, les luttes tribales ont été suivies par des conflits régionaux puis par des guerres entre nations pouvant se prolonger pendant cent ans, et enfin d'affrontements mondiaux à deux reprises au XXe siècle.

— Vous parliez des avions contre les tours de Manhattan, vous n'avez pas expliqué en quoi elles constituaient un révélateur. Que s'est-il passé, selon vous, aux Twin Towers le 11 septembre 2001 ?

— Nous le savons maintenant. Le Saint-Père le pressentit dès ce jour-là. Le conflit israélo-palestinien servait de prétexte à un Saoudien vivant en Afghanistan pour mobiliser un réseau international, composé en grande partie d'Égyptiens, en vue d'un attentat sur le sol nord-américain qui aboutit à ce que des Américains, des Indiens, des Espagnols, des Anglais et d'autres encore soient tués dans un gratte-ciel de Manhattan, sous l'effet du choc d'un avion de ligne fracassé sur ces immeubles géants. Terrible illustration du phénomène de la mondialisation quand on y songe. L'avion, outil et symbole des communications grande distance, des rencontres lointaines, devenait un outil de destruction massive.

— Les Tours Jumelles seraient-elles des Tours de Babel modernes ? Je me méfie un peu de ces comparaisons trop évidentes.

— L'analogie est tentante et n'a pas manqué d'être évoquée. D'une certaine façon, en effet, notre monde s'érige en une Tour de Babel qu'il semble ne pas savoir gérer. Il ne faut pas s'y tromper : en se globalisant, notre monde a créé un espace où tout circule beaucoup plus vite et plus facilement qu'auparavant, les biens, les idées, les virus, les livres, les aides et les haines. Rien ne peut plus être indifférent à quiconque : tout se télescope. Manhattan est une île que l'on pouvait croire protégée : il a fallu l'horreur pour constater le contraire.

— Et pourtant, les Tours Jumelles n'ont fait, si je puis dire, qu'un peu plus de trois mille morts. Très peu en comparaison des victimes des Khmers rouges, des guerres en Afrique, du conflit dans l'ancienne Yougoslavie, ou de la guerre d'Irak.

— Les morts ne devraient pas faire l'objet de statistiques, je vous l'ai déjà dit. Deux cent mille morts, ce sont deux cent mille fois une situation individuelle, deux cent mille fois le chagrin d'une épouse et de ses enfants, deux cent mille situations particulières de désespoir et de misère. Le palmarès des catastrophes m'a toujours paru indécent. À partir de combien de morts, l'événement mérite-t-il attention ? Le décès d'un proche a-t-il moins d'importance que les milliers de tués sur la route ? La mort de Poo sera-t-elle moins douloureuse pour nous que celle de nos parents ? Ces questions, chacun le sent, n'ont pas de sens.

— Alors, pourquoi tant d'émotion ce 11 septembre 2001 ?

— Pour la même raison que celle qui a expliqué l'émotion après le raz de marée dans l'océan Indien le lendemain de Noël 2005. Pour la même raison qui ne dépend pas du nombre des victimes : moins de quatre mille aux États-Unis, près de deux cent cinquante mille en Asie. Ces jours-là, le monde a découvert dans la stupéfaction, la douleur, l'indignation, la peur, l'incompréhension, bref selon toute une gamme de sentiments parfois contradictoires, qu'il ne peut plus se gérer comme auparavant en forteresses juxtaposées et étanches, chacune d'elles à l'abri des vagues qui frappent ses voisines.

— Nul n'est une île, disait un de nos écrivains français.

— Exactement, plus personne n'est une île. Et nos pays, nos cultures, nos religions qui, jadis, c'était hier, étaient des îlots où régnait un certain équilibre, pouvaient se croire à l'abri des soubresauts qui agitaient les autres contrées moins favorisées par les conditions climatiques ou l'Histoire. Aujourd'hui, une décision ou une absence de décision à un endroit déclenche une série d'effets qui se moquent des distances, des croyances, des couleurs, des langues et des niveaux économiques. Le monde se trouve ainsi devant une situation incontournable qui lui impose un choix. Il est devenu solidaire sans pouvoir s'y soustraire. Cette solidarité devra être dirigée vers le meilleur si on ne veut pas que le pire s'installe en maître.

— Vous savez, Éminence, lui dis-je alors, le terme solidarité est ambigu en français. Il désigne deux réalités, proches, cependant distinctes.

— Que voulez-vous dire ? me demanda-t-il alors.

— Le premier sens du mot est celui de la solidarité passive, de la solidarité imposée. C'est celle de l'effet papillon. Un événement sur lequel vous n'avez pas de prise vous atteint à des milliers de kilomètres. Le pompier de la ville de New York n'avait pas grand-chose à voir avec Ben Laden. Il est mort sous les décombres de la seconde Tour en portant secours aux victimes de la première, et a laissé deux jeunes enfants orphelins.

» Le second sens est celui de la solidarité active, la solidarité voulue. C'est celui de votre ami religieux avec les enfants malades, de ces animateurs sociaux avec les enfants des rues, des religieuses qui s'occupent des prostituées. C'est ce que vous faites en passant un temps, apparemment inutile, auprès de Poo qui va mourir.

— Vous avez raison, me répondit-il. Ce que vous appelez la solidarité active est la seule qui permette d'humaniser la solidarité passive, la solidarité imposée, cette solidarité imposée qui, nous en avons des exemples continuels, fabrique de la déshumanisation : pauvreté, guerres, haines, égoïsmes.

— On en est loin, semble-t-il, même si des élans de générosité surviennent régulièrement.

— On en est encore loin malgré des signes encourageants. Le problème le plus redoutable est que l'intention, même justement orientée, ne suffit pas pour s'assurer que cette mondialisation sera vivable car elle se traduit par un accroissement terrifiant de la complexité. Les paramètres deviennent tellement nombreux que les décisions, déjà compliquées dans des environnements limités, ont acquis aujourd'hui une dimension qui n'a rien à voir avec le passé et exigent de revoir une bonne part de nos processus. Nous sommes amenés à inventer de nouveaux moyens d'analyse aptes à décrypter ces situations nouvelles, à reconsidérer les cénacles où les décisions se prennent afin que les intérêts divergents soient entendus et que ne soient pas seulement pris en considération les intérêts des plus riches et des plus puissants. Nous serons obligés de faire naître un nouveau type de dirigeants dotés d'un charisme d'universalité.

— Vous dites que nous sommes au début de quelque chose de résolument nouveau et que nous ne disposons pas des moyens d'y faire face.

— Je me faisais à ce propos l'écho de la pensée de Jean Paul II tandis que nous analysions avec d'autres responsables au Vatican la signification de ces attentats du 11 septembre. Cette analyse confortait sa pensée déjà établie : le monde ne dispose pas des outils qui lui permettent d'orienter cette mondialisation dans un sens qui soit un progrès pour l'homme. Pour le Saint-Père, le 11 septembre n'était pas tant la manifestation du fameux choc de civilisations antagonistes, qui est cependant indéniable, mais d'abord et surtout la découverte effarée par les habitants du monde qu'ils doivent fabriquer une nouvelle civilisation s'ils ne veulent pas se détruire.

— Quelle est la place des religions dans cette fabrication d'une civilisation nouvelle, et plus spécialement celle des religions chrétiennes ?

— C'est en effet toute la question, mais finissons, si vous le voulez bien, l'histoire de ces enfants et de ces jeunes, et de la manière dont nous essayons de les ramener à une vie normale.

» Je vous ai dit qu'il y avait des actions individuelles et des actions collectives. Toutes ont pour but que ces enfants atteignent une autonomie, et, notamment, une prise d'autonomie à l'égard de leurs familles. Si beaucoup d'enfants des rues mendient et se prostituent pour se payer de la colle ou tout simplement se nourrir, ils le font aussi pour soutenir leur famille, parfois leurs parents, souvent un jeune frère ou une jeune sœur. Cette responsabilité à l'égard des parents et des frères et sœurs plus jeunes, voire de la famille élargie, constitue une valeur non discutable : il faut envoyer de l'argent à ceux qui sont restés dans la province d'origine.

— Belle solidarité.

— Oui, mais qui enferme ces enfants et ces jeunes gens dans des situations effrayantes. Se prostituer pour nourrir ses parents restés à la campagne est sans doute plus digne que de le faire par vice, mais demeure tout aussi destructeur. Cette loi de solidarité familiale prend des allures paradoxales quand on sait que les familles d'ici sont de plus en plus nombreuses à connaître les phénomènes occidentaux de décomposition et de recomposition. Il y a de plus en plus de familles séparées, de couples qui refusent de s'occuper des enfants d'un premier lit.

» Le modèle occidental de la famille éclatée s'est répandu ici, signe que la mondialisation n'est pas seulement marchande mais qu'elle affecte aussi les mœurs et les comportements affectifs. En revanche, si le lien affectif se détruit de plus en plus, il semble que, pour l'instant, le lien financier perdure. Tous les efforts des travailleurs sociaux pour alléger cette pression financière que les familles font peser sur les enfants semblent pour l'instant voués à l'échec. Seule une hausse du niveau de vie des régions les plus pauvres du pays pourra corriger cet enfermement.

— Vous soulignez ce que beaucoup d'Européens ne veulent pas voir. Ici comme ailleurs, c'est la pauvreté qui crée le terreau favorable à ces situations dramatiques. Et vous dites que l'action à l'égard des enfants des rues doit être double : psychologique et économique.

— J'introduirais volontiers une nuance dans votre affirmation. Ce n'est pas la pauvreté qui provoque ces déséquilibres, c'est la pauvreté plus la connaissance qu'ailleurs on peut être plus riche. Une pauvreté généralisée se vit plus facilement qu'une disparité. Il faut même aller plus loin dans le raisonnement : quand une pauvreté constate une richesse à portée de main, elle est prête à de nombreuses compromissions pour en recueillir les miettes.

Il est indéniable que l'apport occidental dans ces pays s'est traduit par la destruction des cadres traditionnels de vie. Un Occidental pauvre fait beaucoup moins de dégâts qu'un Occidental aux poches pleines qui achète le temps, le corps ou l'âme d'un pauvre. *damage*

— Oui, mais un Occidental aux poches pleines qui finance du développement, c'est utile, tout de même !

— Sans doute, sauf que c'est finalement assez rare. Certes, depuis l'arrivée ici des Américains dans les années 70 l'espérance de vie a augmenté et le pouvoir d'achat a crû, mais le prix est lourd : destruction de la stabilité familiale, tourisme sexuel, dépendance à l'égard de l'Occident, envahissement par la culture américaine...

— L'Occidental serait-il un envahisseur ? Ne serait-il qu'un envahisseur, Éminence ?

— Je crois en effet que l'Occidental s'est comporté comme un envahisseur. Les Espagnols ou les Portugais en Amérique du Sud, les Européens en Afrique, les Européens encore en Asie, suivis des Américains aux Philippines, au Vietnam, en Irak. Ils ont toujours usé de la force tout en habillant celle-ci du manteau plus digne de grands principes. Ils poursuivaient leurs intérêts, notamment commerciaux, en prenant garde de les enrober des bons sentiments de l'action civilisatrice. Comment s'étonner qu'ils aient toujours été perçus comme des envahisseurs même si la faiblesse des autochtones leur interdisait de manifester leurs sentiments de haine ou les empêchait de s'opposer à cet envahissement !

— C'est étrange pour moi, Éminence, de parler mondialisation, géopolitique, envahissement culturel ici, sur la pelouse de ce jardin, tandis que des enfants jouent à quelques pas, même si je sais que derrière leurs rires restent encore les traces de leurs pleurs, de leurs craintes, des violences qu'ils ont subies. Même si j'entends ce que vous me dites et si je suis assez disposé à penser comme vous : c'est l'Occident qui, en même temps qu'un certain progrès, a apporté dans ses fourgons les germes de la déstabilisation de ces sociétés.

— Attendez ! Je ne dis pas que l'Occident est responsable de tout. De nombreux conflits, tribaux ou nationaux, sont survenus dans l'Histoire sans que l'Occident y ait eu la moindre part. Nous savons, vous comme moi, que la volonté de puissance et la frustration habitent chaque homme et le poussent à la violence. Je dis seulement que, quand l'Occident est venu dans un pays en conquérant et en s'appuyant sur sa force, il a apporté un peu de bon et beaucoup de pernicieux.

Mon cardinal se tut. Il laissait son regard se promener sur la pelouse où nous étions assis, au centre de la cour bordée par les bâtiments où logeaient les enfants. Il se sentait bien à cet endroit, c'était évident. Détendu et, du coup, concentré sans effort. Dans son élément, c'est-à-dire arrivé enfin au lieu où il voulait être, tout en demeurant à portée du monde. Apaisé, mais pas détaché. La pensée vigoureuse et l'âme indulgente.

Il reprit la parole au bout d'un moment :

— La nuit tombe. Il serait peut-être temps de rentrer.

En nous voyant nous lever, deux douzaines d'enfants interrompirent leurs jeux pour se précipiter vers mon cardinal dont les poches, cette fois-ci, étaient vides de tout bonbon. Cela ne parut guère les affecter : ils lui firent la même fête qu'à l'arrivée, lui demandant de les bénir, et coururent le long de la voiture jusqu'au portail que nous franchîmes accompagnés de leurs derniers au revoir.

Nous rentrâmes au Village et à la maison des enfants malades. La nuit était tombée. Nous passâmes un peu de temps avec Poo dont l'état s'aggravait. Il se tenait en chien de fusil, à peine conscient, le regard voilé, sans un mot à l'adresse de l'infirmière avec laquelle il aurait pu parler. Nous dînâmes ensuite avec les enfants. Deux nouveaux pensionnaires étaient arrivés, décontenancés de se trouver dans cette grande salle, autour des tables qui ne manquaient pas de nourriture. Puis nous allâmes à l'oratoire pour prier. Je rejoignis ma chambre assez vite, mon cardinal restant seul.

Jeudi, maison des enfants aveugles
Principe de Poo, Principe de Constantin

Nous nous étions levés aussi tôt ce matin-là que les jours précédents mais nous prîmes plus rapidement notre petit déjeuner, et nous n'attendîmes pas le départ des enfants à l'école pour partir nous-mêmes vers la Ville. Mon cardinal était l'un des invités d'honneur de la Fête des Sports de la maison des enfants aveugles. Une quarantaine de minutes séparaient le Village de la Ville, et mon Éminence ne voulait surtout pas être en retard pour le début des compétitions.

Nous ne parlâmes pas beaucoup pendant le trajet. Mon conducteur se contenta de me dire que la maison était dirigée par une femme aveugle et qu'elle accueillait près de deux cents enfants. Il me fit une courte description de la vie des personnes handicapées dans le pays :

— Le handicap crée des situations dramatiques. Dans la philosophie bouddhique, la vie présente dépend de la qualité morale d'une vie antérieure. Si, dans une autre vie, vous vous êtes comporté dignement, vous vous réincarnerez la fois suivante dans une situation enviable, plus heureux, plus riche, en meilleure santé. En revanche, si vous vous êtes mal comporté, vous vous réincarnez dans une vie pauvre quand ce n'est pas dans la condition d'un animal, singe, chien ou autres...

— Et donc, anticipai-je, quand vous naissez avec un handicap, les gens en concluent que vos vies antérieures ont été indignes...

— Exactement. Souvent, quand un enfant avec un handicap vient au monde, ses parents ont tellement honte qu'ils cachent l'enfant à tout le voisinage. Certains enfants sont amenés dans des maisons comme celle où nous allons à l'âge de six ou sept ans sans être pratiquement sortis de la masure où ils vivaient, incapables de se débrouiller pour les gestes les plus prosaïques. Les éducateurs ici commencent à leur apprendre à se laver les dents, à faire leur lit, à descendre les escaliers, à se tenir en rang en posant la main sur l'épaule de l'enfant qui les précède... Vous verrez tout à l'heure ce dont ils sont capables au bout de quelques mois de présence ici.

Et en effet, je découvris, estomaqué, les différentes compétitions qui rassemblèrent les enfants et les adolescents. Plusieurs matchs d'une sorte de football sur un petit terrain avec quatre à cinq joueurs dans chaque équipe et un ballon sonore. Un volley-ball endiablé. Une course de natation dans un bassin où les couloirs de nage délimités permettaient à chaque concurrent de suivre sa ligne.

La matinée se termina par la remise des trophées. Tous les jeunes se rassemblèrent. Certains d'entre eux formaient un orchestre. Nous étions assis avec quelques adultes en face d'eux et, à l'appel de leur nom, chacun des lauréats montait sur un podium. L'un de nous se levait alors et lui remettait la médaille que son adresse avait méritée, tandis que tous les enfants applaudissaient frénétiquement.

La distribution des trophées terminée, nous fûmes invités à une courte collation, puis nous nous installâmes sur la terrasse ombragée qui servait de toit à la piscine, et nous reprîmes notre dialogue là où nous l'avions laissé la veille.

— Que vient faire un cardinal ici, Éminence ? Que vient-il faire dans un pays bouddhique où il est inconnu de tous ? Alors que justement, il est occidental et donc un représentant de cette puissance économique et de cet envahissement culturel qu'il déplore par ailleurs.

Et j'ajoutai :

— Je ne suis pas sûr que votre réponse d'hier soir suffise. Vous m'avez dit qu'à Poo qui mourrait votre présence apportait la certitude qu'il était redevenu important. Vous avez ajouté qu'être chrétien c'était apporter la tendresse de Dieu à ses enfants. Je serai assez facilement d'accord avec tout cela, mais je sens qu'il y a autre chose dans ce que vous me dites, une autre intention. Je me suis rendu compte assez tôt, lors de notre premier entretien à Rome, que votre projet n'était pas seulement d'écrire vos mémoires. Je soupçonne aujourd'hui une fois de plus que ma venue ici s'inscrit dans votre fameuse logique des poupées russes : un récit en appelle un autre, une considération conduit à une nouvelle perspective, mais il est clair que vous ne perdez pas de vue votre itinéraire. Nous avons dévissé déjà un certain nombre de ces poupées russes, Éminence. Sommes-nous à la dernière ?

— Qui sait ? Dévissons celle que nous avons devant les yeux. Nous verrons si elle en cache une autre.

— D'accord, Éminence. Puisqu'il en est ainsi, dévissons...

— Partons du moment présent et de votre remarque. Nous évoquons la mondialisation à un endroit où sont accueillis des enfants abandonnés. Rien que cela nous renseigne sur ce que je pense. D'un côté, ce phénomène complexe et lourdement médiatisé, la mondialisation. Et de l'autre, à des années-lumière conceptuelles, cet enfant qui ne fera jamais la une des journaux, qui a été battu par son beau-père, a sniffé de la colle à longueur de journée, a été violé par une demi-douzaine de pédophiles, est aujourd'hui interné et a joué à la maison des enfants des rues où nous étions hier avec des camarades de son âge comme s'il n'avait rien connu de ces horreurs. La distance entre ces deux histoires, celle du monde et celle de Num, est gigantesque à première vue.

— À première vue, Éminence, car bien entendu vous allez me dire qu'elle est très courte.

— Non, non, la distance entre ces deux histoires est gigantesque, mais entre les deux, dans cet espace apparemment infranchissable, se trouve l'Église.

— Oui, dis-je du ton interrogateur de celui qui ne comprend rien des paroles de son interlocuteur et croit utile de manifester qu'il lui prête son attention.

— La vocation de l'Église est très précisément aujourd'hui de combler cette distance entre Num et la mondialisation.

— Décidément, Éminence, vous adorez ce genre d'affirmation péremptoire qui établit un lien obscur entre des situations totalement étrangères. Vous m'avez déjà fait le coup des figues du Bouddha et de celles du pape Benoît, je ne sais plus combien, empoisonné pour avoir trop goûté ce fruit.

— XI, Benoît XI, pape de 1304 à 1309.

— Soit, Benoît XI. Vous m'avez également entraîné dans un slalom vertigineux entre différents conclaves et pontificats pour m'expliquer les raisons de l'élection rapide du cardinal Ratzinger comme deux-cent-soixante-treizième pape...

— Votre chiffre de deux-cent-soixante-treizième est sujet à caution. Tout dépend si on compte tel ou tel pape du schisme d'Avignon, mais passons...

— En effet, passons, Éminence, nous n'en sommes plus là, et nous risquerions d'ajouter un peu de confusion dans une discussion qui n'en est pas avare. Car, à jauger ma perplexité devant votre dernière affirmation, moi qui commence à vous connaître, je ne suis pas sûr que nos

sparing of

shortening

lecteurs comprennent facilement le genre de raccourci hermétique que vous semblez chérir.

— Alors, allons-y progressivement si vous le voulez. Commençons par considérer Num ou Poo, ou chacun de ces enfants et de ces jeunes dont nous parlons et que nous rencontrons depuis que vous êtes arrivé. Je vous propose de partir d'eux. J'ai essayé de vous faire partager ma conviction de chrétien à leur propos. Je suis là auprès d'eux pour leur rendre perceptible la tendresse que Dieu réserve à chacun de ses enfants. Et j'ai pris le risque d'affirmer que là était la première tâche des chrétiens et de l'Église, avant même de vouloir convertir.

» Je pose comme principe premier que nous autres chrétiens devons d'abord manifester Dieu avant de songer à convertir ou à convaincre de la justesse de notre foi. En d'autres termes, j'affirme un principe clair : la mission de l'Église est d'abord de rendre sensible l'amour de Dieu avant de l'expliciter dans un enseignement. Je ne dis pas que cet enseignement ne doit pas exister, j'établis seulement des priorités.

— C'est ce que nous pourrions appeler le Principe de Num et de Poo.

— Volontiers. Num et Poo vivent dans une société qui n'a jamais été chrétienne. Ils ont connu et connaissent comme un condensé de la détresse humaine. Ils nous enseignent que nous sommes appelés auprès d'eux pour être le regard de tendresse d'un Dieu qu'ils ne connaissent pas. Par commodité, et parce que Poo nous aura amenés à ce dialogue, nous allons appeler ce principe le Principe de Poo, même si nous n'oublions ni Num ni tous les autres.

» Tournons-nous maintenant du côté des sociétés occidentales. Ces sociétés anciennement chrétiennes se sont éloignées de l'Église. Elles ont une très petite connaissance de leur héritage religieux et l'idée même de Dieu leur devient étrangère. Je ne cherche plus à établir les causes de cette désertification religieuse, nous l'avons fait

Sav, exact

d'abondance lors de nos rencontres dans votre maison en Avignon. Je me contente de constater que, malgré un souvenir chrétien, ces sociétés occidentales ne sont plus chrétiennes. Hormis une vague mémoire de leurs origines, leur situation religieuse à l'égard du christianisme n'est pas très éloignée de celle des pays qui n'ont jamais été chrétiens. Du coup, je ne prends pas un grand risque en jugeant qu'elles ont le même besoin que les sociétés qui n'ont jamais été chrétiennes comme le pays où nous nous trouvons : elles ont besoin que leur soient redonnées des preuves de la tendresse de Dieu, ce que nous avons nommé le Principe de Poo. En d'autres termes, je crois que nous autres chrétiens avons la mission de manifester aux membres de ces sociétés occidentales la tendresse de Dieu avant même de pouvoir les enseigner, ou les ré-enseigner, si vous me permettez ce barbarisme.

— Je vous permets, Éminence, mais je m'interroge. Ce ré-enseignement, autre barbarisme, mais au point où nous en sommes… Ce ré-enseignement est-il voisin de ce que Jean Paul II appelait la Nouvelle Évangélisation ?

— Oui et non. L'aspect pratique et concret de la Nouvelle Évangélisation chère au Saint-Père n'a jamais été décrit ou organisé. Il exprimait autant un diagnostic sur une situation qu'une volonté de déclencher un dynamisme. Jean Paul II portait le même jugement que celui auquel nous sommes arrivés : la société occidentale n'est plus chrétienne. Il voulait l'évangéliser à nouveau, mais il donnait une très grande importance à une ré-évangélisation par l'enseignement, par le rappel des vérités chrétiennes. Alors que nous, dans notre échange, nous avançons l'idée que cette Nouvelle Évangélisation passe d'abord par le Principe de Poo, c'est-à-dire qu'elle sera peu efficace si elle ne commence pas par la volonté des chrétiens de rendre sensible autour d'eux la tendresse de Dieu.

— Pardonnez-moi de vous interrompre encore une fois. Je suis en train de me rendre compte que votre Principe de Poo constitue une bombe, Éminence. Une bombe parce que vous dites que l'enseignement passe après le témoignage et l'action. Les Églises, quelles qu'elles soient, ont toujours plus de facilité à enseigner et à décréter qu'à mobiliser leurs fidèles pour qu'ils rendent témoignage de cette tendresse de leur Dieu, comme vous l'appelez de vos vœux, comme cela s'exprime dans notre Principe de Poo. Vous-même, si vous me permettez, vous avez beaucoup enseigné et gouverné avant de venir ici pour apporter à ces jeunes, condensés de la misère humaine, comme vous les avez qualifiés, ce témoignage de la tendresse de Dieu.

— Vous voyez que ce que nous disons n'est pas si hermétique. Et vous comprenez que je m'inquiète quand je constate une sorte de retour dans notre Église d'un sacré mal situé qui fait la part belle à l'ordre, au cléricalisme, à certains durcissements, aux dépens de cette action qui rend palpable la tendresse de Dieu dans le monde. Je m'inquiète lorsque je vois tant de bonnes volontés s'égarer dans une politique de restauration qui croit pouvoir rétablir une société chrétienne par ordonnance, par repli sur ses chapelles, en critiquant le monde moderne, par un enseignement qui a recours à des vocabulaires devenus incompréhensibles. Je vais vous raconter une toute petite histoire…

— Toute petite, Éminence vraiment ?

— Je n'ai pas dit forcément courte, j'ai dit petite dans le sens d'une anecdote qui pourrait paraître insignifiante mais se révèle significative. Il s'agit d'une aventure dont fut victime le petit-fils d'une amie. Ce jeune homme devait venir suivre des études difficiles à Paris, loin du domicile familial, et ne savait où se loger jusqu'au moment où ses parents entendirent parler d'un foyer tenu par un mouvement charismatique. Outre le versement de frais de pension importants, l'hébergement des jeunes était soumis à l'acceptation de plusieurs exigences, et notamment la participation à des soirées de réflexion spirituelle et à plusieurs retraites dont une à cheval sur le 31 décembre.

— Une retraite la nuit de la Saint-Sylvestre ! ne pus-je m'empêcher de m'exclamer en pensant à la réaction de mes enfants si on leur avait fait une telle proposition. Il fallait vraiment que votre mouvement charismatique soit loin des réalités pour organiser une retraite au moment où les jeunes se retrouvent entre eux pour célébrer la nouvelle année.

— Comme vous dites... La famille signa son acceptation, paya la pension. Le jeune homme, réellement éprouvé par les quatre premiers mois de rudes études, demanda l'autorisation de rester en famille et avec ses amis pour le réveillon du nouvel an. Il s'entendit répondre par la direction de son foyer que s'il ne participait pas à la retraite il serait automatiquement exclu, se retrouvant sans logement pour poursuivre ses études.

— Il avait signé son engagement : il était tenu par lui.

— Arrêtez de vous faire l'avocat du diable, s'il vous plaît ! Vous avez parfaitement compris la signification de l'histoire. Elle est double. D'une part, un groupe d'Église s'appuie sur la vulnérabilité d'un jeune pour le contraindre à une de ses activités : tu fais cette retraite ou tu fais tes valises. En pleine année scolaire. D'autre part, ce groupe compte sur la coercition pour que des jeunes participent à une activité religieuse. Bel exemple de confiance en sa capacité à attirer les gens de bonne volonté. Cette histoire est révélatrice de ces attitudes que je redoute de voir fleurir ici ou là dans l'Église sous l'influence de personnes qui portent leur zèle dans de mauvaises directions.

» Où est la tendresse de Dieu dans une telle contrainte, un tel chantage ? Les enseignements, sûrement très justes, qui ont été donnés à cette retraite, ont-ils corrigé cette manipulation de la conscience ? Je crains que non.

— Le Principe de Poo aurait abouti dans cette histoire à laisser le jeune homme libre… Nous sommes d'accord : notre Principe établit des priorités différentes de celles des responsables de ce foyer.

— Ce genre de priorités autour desquelles il faut se déterminer car elles sont lourdes de conséquences. Je dis se déterminer, car il ne s'agit pas seulement d'une discussion de salon ou de colloque, mais de savoir si nous nous mettons à incarner Dieu dans le monde. Chaque fois qu'il y a conflit entre la charité, pour reprendre le mot de saint Paul, et l'enseignement de la foi, c'est la charité qui passe d'abord, car elle seule permettra que la foi soit découverte et que le cœur s'y convertisse.

— Éminence, je me répète, ce sont des bombes, votre Principe et votre priorité. Je ne suis pas sûr que vous en ayez conscience car vous en parlez avec un calme qui m'étonne. Je ne suis pas sûr, en particulier, que la hiérarchie de l'Église soit prête à vous suivre…

— Ne nous posons pas cette question pour l'instant, si vous le voulez bien. Respectons nos étapes. Nous sommes partis d'ici où nous nous trouvons avec Poo, Num et les autres. En leur nom, et d'une certaine manière grâce à eux, nous avons posé un principe organisateur. Abandonnons-les un moment, et tournons-nous vers le monde tel qu'il fonctionne aujourd'hui.

— Un monde qui a découvert qu'il était mondial, comme vous disiez.

— Comme disait le Saint-Père en fait. Que voyons-nous ? L'Église catholique, même si elle est présente un peu partout sur la terre, n'est pas vraiment mondiale. Elle est profondément occidentale. Cela a été sa force, c'est aujourd'hui une de ses faiblesses. Pourquoi ? Pas seulement parce qu'elle a toujours paru liée aux intérêts de l'Occident. Pas seulement parce qu'elle s'est terriblement affaiblie là où elle était si puissante : l'Occident justement. Surtout parce qu'elle n'a pas encore intégré une notion essentielle : les enjeux qui sont les siens dans le monde d'aujourd'hui n'ont plus grand-chose à voir avec ceux qu'elle a connus dans le passé.

— Doucement, Éminence, vous caracolez à nouveau. Revenons à votre affirmation selon laquelle l'Église n'est pas mondiale, même si elle est présente un peu partout sur la terre.

— C'est une évidence. L'Église fonctionne selon un modèle occidental même si elle a internationalisé ses responsables. Vous vous souvenez de la déclaration désabusée de mon ami le cardinal nigérian Arinze après le décès de Jean Paul II... *disappointed*

— Il disait que les cardinaux occidentaux n'étaient pas encore prêts à élire un pape africain... Or, comme ces cardinaux représentaient la moitié du collège électoral.

— Exactement. Cette simple déclaration montre l'étendue du chemin que nous avons à parcourir. Le monde est mondial mais l'Église n'est pas mondiale, elle est encore terriblement occidentale. Une observation plus précise révèle que le monde est mondial, fortement influencé par le modèle nord-américain, et que l'Église est occidentale, fortement influencée par le modèle européen et italien.

— Vous disiez, quand je vous ai interrompu, que les enjeux de l'Église aujourd'hui dans ce monde mondialisé n'ont pas grand-chose à voir avec les enjeux qu'elle a connus dans le passé. On pourrait vous rétorquer qu'elle a toujours la même mission, celle d'annoncer Jésus-Christ.

— Bien sûr, mais quand vous aurez dit cela, pardonnez-moi à mon tour, vous n'aurez pas dit grand-chose.

— Je vous pardonne, Éminence, seulement si vous m'expliquez en quoi j'ai proféré une banalité.

— L'Église a pour vocation d'annoncer la bonne nouvelle de l'amour de Dieu mais elle peut le faire de multiples façons. Elle peut, comme à ses débuts, susciter de petites communautés réunies autour de l'Évangile.

Elle peut, comme à une autre époque, viser le ralliement des gouvernants pour que ceux-ci enrôlent sous la bannière chrétienne leurs peuples selon ce que l'on nomme le Principe de Constantin. Elle peut monter dans les caravelles espagnoles et aborder les rives de l'Amérique dans la suite des conquistadores. Elle peut être Stanley autant qu'elle peut être Livingstone, comme nous l'évoquions chez vous il y a quelques mois. Elle peut créer un parti politique en Italie après la Seconde Guerre mondiale comme elle peut ordonner aux prêtres ouvriers de cesser leurs activités en France au même moment. Elle peut tout cela et elle sait justifier ses choix les uns après les autres. Son problème n'est pas là. Son problème est de faire ce qui est adapté aux conditions de son temps et de ne pas, par une fidélité mal située, vouloir prolonger, envers et contre tout, ce qui convenait à une époque et ne convient plus à une autre.

— J'aime votre évocation du Principe de Constantin après l'établissement du Principe de Poo. Comme si nous nous trouvions confrontés à un choix entre ces deux principes. Le Principe de Constantin de nature politique, principe compréhensible par les puissants. Le Principe de Poo, reposant sur la tendresse et la charité, compréhensible par les pauvres et les délaissés. Vous me l'avez déjà dit, vous redoutez que cette Église se replie sur des attitudes qui ne conviennent plus. En d'autres termes vous craignez qu'elle ne se replie sur le Principe de Constantin plutôt que sur celui de Poo, sur l'attitude de Stanley plutôt que sur celle de Livingstone, sur les choix de la moribonde Démocratie chrétienne en Italie plutôt que sur l'expérience difficile des prêtres ouvriers en France. Sur celui du foyer de jeunes étudiants à Paris plutôt que sur l'action de Mère Teresa dans les mouroirs de Calcutta… Et l'on pourrait en ajouter des kyrielles.

— Les exemples ne manquent pas. À vrai dire, je ne crains pas tellement que l'Église ne réitère les attitudes plus ou moins dignes de son passé. Je crains surtout qu'elle ne veuille retourner dans ce passé, même si c'est pour le vivre de manière plus digne !

» En parlant avec vous, je me rends compte que je redoute deux situations très précises. J'ai peur d'abord que trop de groupes dans l'Église, par incompréhension et peur du monde qui les entoure, se réfugient dans la crispation identitaire et s'enferment dans des comportements purs et durs, voire sectaires : tous les articles du credo, tous les alinéas du catéchisme avant toute chose, ne pas tendre la paume pour recevoir l'Eucharistie, montrer main blanche à l'entrée des églises...

— Patte blanche, Éminence...

— Oui, patte blanche. Autrement dit, ma première peur est que nous fassions de l'Église une assemblée parfaite pour un petit nombre d'élus, tandis que les autres, le reste, contaminé par le monde, seraient laissés à leurs errances. Ma seconde peur est que certains gouvernants de l'Église, qui ont une juste appréciation des défis qui se présentent, n'osent pas mobiliser les chrétiens pour faire face à ces défis, de peur de déstabiliser le corps ecclésial.

— Hommes de peu de foi, comme disait le Christ à ses contemporains.

— Oui, et il le répéta de nombreuses fois. Le premier danger que court notre Église est sa crainte. Crainte palpable de mes frères cardinaux devant la tâche de choisir un successeur à ce géant que fut Jean Paul II. Crainte du manque des prêtres qui pousse tel curé à tancer ses paroissiens parce que la paroisse n'a pas vu éclore de vocations depuis un certain temps, en oubliant, le cher homme, que beaucoup de vocations sacerdotales de ce qu'il appelle la belle époque étaient autant dues à un appel intime qu'au désir de promotion sociale.

Jeudi, maison des enfants aveugles
Préparer la relève

Une jeune femme nous avait interrompus, nous apportant avec gentillesse deux verres d'eau fraîche. Nous la remerciâmes tandis qu'elle s'inclinait, le buste droit, les deux mains jointes à hauteur de son menton, souriante.

Nous bûmes lentement, ce qui me permit de résumer silencieusement ce que nous venions de dire et de relancer notre conversation comme je l'entendais :

— Je repense à l'aventure de cet étudiant. Ce qui lui a été opposé n'est pas très loin finalement des pratiques qui contraignaient des habitants des pays colonisés au baptême s'ils voulaient bénéficier de certains soins.

— C'est exactement ce à quoi je voulais conduire votre réflexion. La crainte devant cet inconnu qu'est devenu notre monde pousse des groupes au sein de l'Église à remettre en usage des pratiques peu conformes à l'Évangile et qui se sont révélées inefficaces à l'aune de la conversion des cœurs.

» Comme vous l'avez souligné, ce qui était dit au jeune homme en question et à ses parents était simple : "Si tu veux un logement pour suivre tes études, nous te le proposons, contre finances bien entendu, mais seulement si tu viens à notre retraite du 1er janvier !"

— Quand vous vous tenez à côté de Poo qui va mourir, vous faites exactement l'inverse de ce groupe qui contraint le jeune étudiant à participer à une retraite au moment où il est normal pour un garçon de son âge de fêter la nouvelle année avec ses amis.

— Quand je suis au chevet de Poo, je pose un acte absolument contradictoire avec celui de ce foyer. Et j'ai l'audace de penser que cet acte est plus conforme à l'Évangile que le leur. Et je ne suis habité d'aucune crainte d'inefficacité puisque je ne recherche pas une conversion ou un enrôlement comme c'était l'intention des animateurs du foyer des étudiants. Je cherche simplement à être pour cet homme un signe de l'amour de Dieu.

— Éminence, ne nous sommes-nous pas égarés de notre chemin ? Nous étions du côté de la mondialisation et nous voilà déjà revenus du côté de Poo.

— Ne vous impatientez pas. Tenons pour acquis une prémisse : il y a des gens parmi nous qui, paniqués par la perte de l'influence de l'Église, tentent de restaurer des pratiques qui, selon eux, réussissaient dans le passé, ce qui reste encore à prouver. Ces gens semblent n'avoir rien appris de nos échecs et des évolutions du monde.

— Revenons à ce monde...

— Si l'Église ne parvient pas à réellement se mondialiser, elle risque de manquer un rendez-vous avec l'Histoire, un de ces rendez-vous que l'Histoire réserve de temps à autre mais qui ne sont jamais rattrapables si on les a laissés filer. L'Église a déjà laissé échapper les rendez-vous scientifique et démocratique et n'a pas fini de payer son manque d'à-propos. On peut souhaiter qu'elle ne manque pas celui d'un monde mondialisé.

— Comment se présente ce rendez-vous ?

— Dans un équilibre très subtil entre l'universalité et les particularités. D'un côté, une culture marchande semble vouloir s'imposer un peu partout. De l'autre, des cultures locales sont déstabilisées et agressées par cette culture marchande. La situation de ce pays nous en donne un exemple vivant : les séquelles de la guerre du Vietnam se nomment tourisme sexuel, destruction de la famille, étalage des biens de consommation hors de portée des salaires honnêtes.

» La question qui se pose est simple : y a-t-il une alternative à la mondialisation marchande, ou un contre-poids, qui ne s'oppose pas à la mondialisation globale mais la régule pour éviter qu'elle soit le succès des riches et le désespoir des pauvres ?

— Et que répondez-vous à votre propre question ?

— Je réponds que seul un corps réellement mon-dial peut équilibrer la mondialisation marchande si, tou-tefois, il respecte au moins deux conditions. La première est d'être perçu comme universel, ce qui signifie deux choses. D'abord être réellement mondial, ensuite ne pas paraître inféodé à une seule partie du monde ou à une idéologie, ou à des intérêts marchands. La seconde condi-tion est de se mettre au service des plus pauvres.

— Vous voudriez, Éminence, que l'Église joue ce rôle, qu'elle soit ce corps mondial capable de contreba-lancer la mondialisation marchande.

— Je crois à sa vocation d'être cela et de collaborer avec d'autres institutions qui œuvreraient dans ce sens. L'islam peut, lui aussi, contribuer à cette œuvre s'il sait se distinguer des extrémismes qui fleurissent à ses marges.

» Tout dans l'histoire et dans la vocation de l'Église la pousse à jouer ce rôle dont le monde a un besoin criant. L'Église se dit universelle, qu'elle le soit vraiment, et qu'elle ose laisser de côté certains vêtements occidentaux encombrants hérités du passé ! Son chef, le Christ, pro-clamait qu'Il n'était pas venu pour les bien-portants mais pour les malades. Qu'elle en fasse sa règle de comporte-ment unique afin que les figures lumineuses de personnes comme Mère Teresa, Jean Vanier ou Roger Schutz de Taizé ne soient pas des exceptions !

— Justement, Éminence, l'Église n'est pas absente de ces actions.

— Non, elle n'est pas absente, loin de là, mais elle n'est pas encore suffisamment présente. Savez-vous ce que j'ai le plus détesté quand j'ai été créé cardinal ?

— Non, Éminence...

— De me rappeler que le cardinal était, selon le langage commun, un prince de l'Église. Eh bien, je vous le dis, je ne suis pas à l'aise dans une Église où il y aurait des princes. Je suis à l'aise dans une Église où le plus pauvre a la meilleure place.

— L'Église universelle capable de contrebalancer la mondialisation marchande est une Église qui donne la première place aux pauvres ?

— Oui, c'est une Église qui accueille la faiblesse et ne fait pas usage de sa puissance.

— Eh bien, Éminence, vous allez être comblé ! Cette puissance, l'Église l'a largement perdue et continue de la voir diminuer.

— Oui, et c'est d'ailleurs la seule source de réconfort dans cet affaiblissement de la pratique religieuse chrétienne dans le monde. Nous nous découvrons faibles alors que nous étions puissants. Nous rejoignons progressivement la faiblesse de l'humanité alors que celle-ci nous rangeait dans le cercle de ceux qui étaient forts. Bref, forcés par les événements, nous apprenons enfin ce que l'Évangile nous enseignait depuis longtemps : Dieu naît dans une mangeoire, le petit et l'enfant ont la priorité, l'Église est construite sur celui qui a renié trois fois, Dieu est béni par son Fils pour avoir révélé son mystère aux simples et aux tout-petits et l'avoir caché aux sages et aux intelligents, le publicain trouve grâce aux yeux de Jésus tandis que le pharisien est ignoré, la brebis perdue a plus d'importance que les quatre-vingt-dix-neuf autres...

— Pardonnez-moi encore une fois, Éminence, mon rôle est de vous pousser à préciser votre pensée.

Seriez-vous en train de me dire que l'Église, pendant des siècles, n'a pas su vivre conformément à l'Évangile ?

— Il y a toujours eu des chrétiens, et en nombre, pour vivre chaque jour conformément à l'Évangile. Il y a eu également des périodes où l'Évangile a été vécu globalement par l'Église, même si tous les comportements n'étaient pas aussi fidèles qu'ils auraient pu l'être. Enfin, il y a eu des périodes où l'Église dans son ensemble, dans sa représentation, dans son comportement, dans ses dirigeants, ne vivait pas conformément à l'Évangile. C'est cette distance prise par l'Église et les chrétiens avec l'Évangile, j'en suis convaincu, qui a éloigné tant d'hommes et de femmes depuis des décennies, comme si une mémoire commune revivait les péchés collectifs de l'Église en oubliant tout ce qu'elle a fait de bien et de beau.

— Vous ne croyez pas que vous allez choquer beaucoup de personnes avec une telle affirmation ? lui demandai-je pour lui donner une occasion de nuancer son propos, occasion qu'il négligea superbement.

— Encore une fois, pourquoi croyez-vous que le François d'Assise, la Mère Teresa de Calcutta, le Jean Vanier de l'Arche, le Frère Roger de Taizé, ou votre Sœur Emmanuelle du Caire, ou encore votre Abbé Pierre qui, me dit-on, reste la personne publique la plus aimée des Français, et de nombreux autres, sont unanimement admirés ? Ne vous êtes-vous jamais demandé les raisons de cette unanimité ? Ne faites-vous pas le rapprochement entre cette unanimité et l'universalité ? Ces hommes et ces femmes sont universels parce qu'ils vivent à un niveau où il n'y a plus de différence entre les hommes, à un niveau de profondeur où les particularismes se gomment. Ces hommes et ces femmes vivent et ont incarné ce que nous avons appelé le Principe de Poo, repoussant loin d'eux le Principe de Constantin. Le Principe de Poo unifie tandis que le Principe de Constantin érige des frontières et les rend infranchissables.

— Je ne vois pas le rapport avec ce que vous venez de dire.

— Je vous ai dit tout à l'heure que le rendez-vous aujourd'hui entre l'Église et le monde se jouait dans un équilibre très subtil entre les particularismes et l'universalité. Regardez chacune de ces personnes que je viens d'évoquer et dont je dis qu'elles sont universelles. Chacune est une individualité particulière, dans une époque, un style, une histoire, avec des défauts, des excès, des faiblesses qui sont les leurs mais ne les empêchent pas d'être reçues par tous les hommes et toutes les femmes du monde comme des maîtres en humanité, et donc comme des expressions de l'universel.

Regardez-les même de plus près ! François et sa pauvreté, ses fleurs et ses animaux. Mère Teresa et ses mourants. Jean Vanier et les personnes avec un handicap. Frère Roger et les jeunes. Sœur Emmanuelle et les chiffonniers. L'Abbé Pierre et les sans-abri. Et je pourrai ajouter notre Père Andrea avec les enfants atteints par le VIH, ou la sœur Myriam qui, à deux kilomètres d'ici, accueille depuis quinze ans les jeunes prostituées. Pourquoi ces hommes et ces femmes sont-ils acceptés universellement ? Simplement parce qu'ils apportent la tendresse de Dieu, chacun et chacune, à l'endroit où ils se trouvent, et qu'ils le font pour les plus faibles, les plus démunis, les oubliés ou les méprisés. Simplement parce qu'ils vivent au plus près de l'Évangile…

— Vous voulez me convaincre que, si l'Église a perdu de son attrait auprès des peuples, c'est parce qu'elle n'a pas su vivre l'Évangile suffisamment clairement, et non pas parce que le monde serait devenu plus mauvais qu'il ne l'était dans les siècles passés. En revanche, ceux qui vivent visiblement cet Évangile attirent au contraire les foules et les convertissent en profondeur.

— C'est en effet exactement ce que je veux vous montrer. L'Évangile vécu est universel, il transcende les différences de culture, de langue, de milieu social, de religion...

— Doucement, lui demandai-je. Vous êtes en train de rassembler dans une même affirmation les deux éléments de notre réflexion. D'un côté, le Principe de Poo qui consiste à rendre palpable la tendresse de Dieu par une vie selon l'Évangile, et ce sont les François d'Assise, les Mères Teresa et les autres qui se rassemblent de ce côté. Et de l'autre la mondialisation du monde. Et vous me laissez entendre que, si l'Église est capable de faire naître en masse des gens comme François et Mère Teresa, elle sera capable de combler l'espace qui sépare votre Principe de Poo de la mondialisation déshumanisante.

— Je suis en train de vous dire que c'est le Principe de Poo qui doit contrebalancer le Principe de Constantin dans ce moment très particulier que vit le monde aujourd'hui : sa mondialisation portée à un degré extrême... Disons cela d'une autre manière. Ce monde mondialisé est en manque d'âme parce qu'il est d'abord marchand, parce qu'il est dirigé par les intérêts des plus puissants, parce qu'il déclenche un peu plus de misère chez la plupart des plus pauvres, parce qu'il est plus dur pour les faibles et plus facile pour les puissants comme jamais il ne le fut dans le passé.

» Il ne sert à rien de proclamer cette vérité si elle n'est pas accompagnée de l'expression pratique d'une alternative. Cette alternative est l'universalité, largement démontrée, de ceux qui vivent l'Évangile au plus près, même s'ils ne se réclament pas de cet Évangile. Je dis que, face à la mondialisation marchande, seule l'universalité des valeurs d'Évangile constitue une alternative possible.

— Vous parlez de l'Évangile, Éminence. De nombreuses autres personnes, qui ne sont pas chrétiennes, vivent ces mêmes valeurs et peuvent prétendre à cette même universalité, créatrice d'un supplément d'âme.

— C'est justement ce qui est merveilleux : nous avons découvert depuis longtemps, grâce à des hommes et des femmes exceptionnels, comme un Gandhi pour ne citer que lui, que les valeurs d'Évangile ne sont pas réservées aux chrétiens. Si l'Évangile dit ces valeurs, d'autres les disent aussi, preuve que nous sommes au niveau de l'universel. Simplement, moi, chrétien, j'exprime cet universel dans ma foi et je tente de mettre ces valeurs en pratique comme les manifestations de la tendresse de Dieu, à travers ma présence auprès de Poo par exemple.

— Cela ne vous ennuie pas que les chrétiens n'aient pas l'exclusivité des valeurs évangéliques ?

— Que me racontez-vous là ! Ce qui m'ennuie plutôt, c'est que des chrétiens réputés tels ne vivent pas ces valeurs évangéliques !

— Vous pourriez arguer d'une sorte d'exclusivité du salut.

— Que racontez-vous encore ! Ma foi m'enseigne que le salut a eu lieu par la mort et la résurrection du Christ. C'est un fait acquis pour moi, au nom de ma foi. Ce qui ne l'est pas c'est la réalisation pratique de ce salut dans le monde d'aujourd'hui, son efficacité dans la vie de tous les jours. Nous voyons que le monde manque de salut. Je veux dire qu'il connaît le malheur, les inégalités, les crimes... Et là, nous revenons à ce que nous disions : tous ceux qui travaillent au salut du monde jour après jour, sont les porteurs des valeurs universelles que rendent visibles les Gandhi, les François d'Assise, les Mère Teresa.

— Arrêtons-nous là, Éminence, si cela ne vous dérange pas. Vous m'amenez sur des chemins que je préférerais ne pas avoir à considérer. Nous devions faire un livre ensemble, et vous êtes en train de réveiller en moi, et peut-être en certains de vos lecteurs, quand ils tiendront ce livre entre leurs mains, vous êtes en train de réveiller ce que je pourrais nommer une conscience assoupie. closed off

» Quand vous me disiez en début de semaine qu'il me faudrait prendre parti, vous me preniez comme premier destinataire de votre conviction, et vous testiez sur moi l'efficacité de votre pensée. Vous vous demandiez si j'étais prêt à entrer dans votre Principe de Poo, si j'étais prêt à m'y rallier. Pas seulement sur le plan de la compréhension intellectuelle, mais aussi en pratique. Vous vous disiez que si, moi, j'acceptais de vous suivre sur ce chemin, vous aviez quelques chances que d'autres s'y engagent.

Je me tus un instant, plus déstabilisé que je ne le laissais paraître. Je me rendais compte de là où mon cardinal me conduisait, c'est-à-dire à reconnaître que la foi que je professais était moins dans les livres que j'écrivais que dans les simples actions auxquelles m'avait convié mon cardinal depuis mon arrivée ici : prier en silence au milieu des bars à bière de la Ville, passer du temps au chevet d'un homme épuisé en fin de vie, jouer avec des enfants martyrisés. Toutes sortes d'actes minuscules qui ne pesaient pas lourd dans le tumulte de notre terre et qui, selon mon cardinal, faisaient plus pour le monde que de nombreux discours et de multiples prises de position.

Je restai en silence un long moment. Mon cardinal respecta mon mutisme. Je finis par lui demander :

— Vous ne m'avez pas fait venir ici seulement parce que vous pensiez que c'était le seul endroit où je pouvais saisir votre réflexion sur l'Église et sur le monde, n'est-ce pas ?

— Non, en effet, me répondit-il sans plus d'explications, comme pour m'inviter à continuer.

— Vous m'avez fait venir pour que je vive quelque chose capable de me faire changer, Éminence.

Je me tus à nouveau, un peu estomaqué de découvrir une des raisons de ma présence ici. Je lui posai la question qui me venait irrésistiblement à l'esprit :

— Rassurez-moi, Éminence, vous n'êtes tout de même pas en train d'essayer de me convertir ?

— Comment cela vous convertir, cher ami ? Vous êtes chrétien depuis longtemps, vous êtes même écrivain chrétien. Comment pourrais-je vous convertir ?

— Éminence, s'il vous plaît, ne jouez pas avec moi...

— Vous avez raison, je tourne autour du pot, et pas derrière le pot comme je disais par erreur lors de notre première rencontre à Rome. Je vais vous répondre directement et franchement. Je n'ai pas à vous convertir, mais je crois que j'ai à vous montrer des choses et des gens que vous n'aviez sans doute pas eu l'occasion de voir auparavant. Je laisse ensuite à votre libre arbitre le soin d'en faire ce qu'il voudra.

— Libre arbitre, libre arbitre... Vous saviez parfaitement que l'on ne sort pas indemne des visites que vous m'organisez depuis une petite semaine et des récits que vous me rapportez. Quand un enfant aveugle de dix ans se précipite à votre cou et joue en tâtonnant avec votre montre pour la faire sonner, puis éclate de rire quand il y parvient. Quand un autre est assis dans un coin de cour et que vous découvrez qu'il ne voit pas et n'entend pas non plus ni ne parle, mais qu'il sent votre présence et vous accroche la main pour vous faire descendre à son niveau afin que vous restiez assis à côté de lui, main dans la main, seul lien possible. Quand vous me racontez l'histoire de Num qui a été battu, s'est prostitué à dix ans, a sniffé plus de colle qu'il ne pouvait en supporter et qu'il découvre que tout cela vient de ce qu'il n'est pas aimé de l'homme qui n'est pas son père. Quand vous me laissez, car vous m'avez laissé dès le premier jour, dans la cour où jouaient les enfants atteints du sida afin que je ne puisse me cacher derrière vous quand Khao, le crâne rasé, les yeux grands ouverts lui dévorant le visage, s'est approché de moi et a tendu la main pour que je lui donne un des bonbons dont vous aviez eu la prévoyance de me munir. Quand nous sommes restés avant-hier près de Poo, prostré et souffrant. Quand vous m'avez proposé nonchalamment de venir prier avec vous, ce que, comme écrivain chrétien comme vous le rappelez judicieusement, je n'allais pas refuser, et que vous m'avez amené pour ce faire au milieu de ce quartier où un tout petit peu d'argent permet à des riches d'exploiter une myriade de jeunes femmes pauvres. Quand vous me confrontez à tout cela, vous savez que mon libre arbitre, comme vous dites avec élégance une fois de plus, en prend un sacré coup. Comment voulez-vous que je sorte indemne de tout cela, Éminence ?

Il ne s'empressa pas de me répondre, préférant sans doute que je calme d'abord mon émotion. Jugeant que j'étais à nouveau prêt à l'entendre, il me dit :

— Indemne, c'est le terme que vous avez prononcé, n'est-ce pas ? Une fois de plus, vous avez trouvé le mot qui convient. J'ai pris le risque en effet que vous ne sortiez pas indemne de notre livre et de notre rencontre. J'ai pensé que vous pouviez, vous, vous très précisément, accepter de n'être pas indemne de tout ce que vous auriez vu et entendu. Je savais que l'on ne sort pas d'ici comme on y est entré. Et je pensais que vous accepteriez, vous, de ne pas en sortir comme vous y étiez entré. J'avais besoin de cela pour que notre livre ait un sens, pour que vous soyez capable, par votre écriture, de faire entendre à nos lecteurs le rire de l'enfant aveugle qui joue avec votre montre, de faire percevoir le silence de l'enfant sourd, muet et aveugle qui vous fait vous asseoir à côté de lui pour qu'il se sente moins seul, juste le court moment où vous consentez à être avec lui. Que vous soyez capable de décrire la joie et l'affection de ces jeunes aux joues creusées et aux yeux fiévreux...

» Oui, indemne, vous dites bien. Nous ne sortirons pas indemnes de ce monde. Notre Église ne sortira pas indemne de sa puissance passée. Le monde lui-même ne sortira pas indemne de son Histoire. Et c'est bien ainsi, car si tout le monde cherche à sortir indemne de sa vie et de sa propre histoire, si tout le monde cherche à se protéger, si tout le monde se met à l'abri, que deviendrons-nous ? Les peuples riches à l'abri de leur société consommatrice. L'Église à l'abri de sa théologie, de son bon droit, de ses tentatives de restauration. Nous-mêmes à l'abri du malheur de ceux que nous croisons, de leur peine, de leur demande d'un peu d'attention. Oui, que deviendrons-nous ?

Mon cardinal se tut une nouvelle fois, montrant que sa question n'appelait pas, une fois encore, de réponse. Il me vint cependant à l'esprit une phrase familière :

— Je crois, Éminence, que, « quand bien même nous parlerions les langues des hommes et des anges, si nous n'avons pas la charité, nous ne serions plus qu'airain qui sonne ou cymbale qui retentit [1] ».

— Saint Paul, me dit mon cardinal.

— Saint Paul, en effet, qui parlait beaucoup et qui écrivait aussi. Le premier écrivain chrétien.

— Avez-vous remarqué combien ce terme de charité est devenu péjoratif, alors que son sens originel est totalement différent de l'assistance un peu hautaine, faite par devoir et dans la condescendance, qu'il désigne maintenant ? Oui, nous ne serions que cymbale qui retentit, c'est-à-dire un bruit sans âme, un ouragan creux, si nous n'avions pas la charité, c'est-à-dire si l'amour de Dieu ne passait pas par nous pour atteindre ceux que nous croisons sur nos routes. Et pour cela, il faut accepter que le malheur nous atteigne, que les personnes nous bouleversent. Il faut accepter de ne pas être indemnes.

Le silence se fit entre nous. De mon côté, car j'étais troublé par nos dernières paroles, me demandant où tout cela pouvait me conduire. De son côté, par respect pour moi, j'imagine. Pour me laisser du temps…

Ce fut moi qui rompis le silence en le questionnant :

---

1. Citation de la Première Épitre de saint Paul aux Corinthiens.

— Vous êtes nombreux, Éminence ?

— Comment cela, nombreux ? me répondit-il, interloqué par ce coq-à-l'âne.

— Nombreux à penser que l'Église a absolument besoin de prendre un tournant si elle ne veut pas continuer à s'affaiblir. Nombreux dans la haute hiérarchie à penser qu'il est temps de prendre des décisions radicales. Nombreux à désirer vous opposer aux mouvements de restauration qui aboutiraient, selon vous, à transformer l'Église en une petite chapelle d'initiés vertueux.

— Nous entrons dans autre chose avec votre question, me répondit-il prudemment.

— C'est inévitable, Éminence, ne croyez-vous pas ? Si un cardinal écrit un livre, c'est soit parce qu'il n'a rien à dire, et cela arrive, soit parce qu'il poursuit une intention particulière. Je me suis demandé au tout début de notre rencontre si vous vouliez faire un livre pour ne rien dire. Je me suis rendu compte très vite que ce n'était pas le cas. J'ai découvert ensuite que vous saviez exactement où vous vouliez aller. Cela fait des heures et des heures d'entretien que vous me conduisez avec délicatesse, certes, par des chemins détournés, c'est évident, mais avec fermeté dans une direction précise. Nous arrivons au bout de ce chemin parcouru ensemble sous votre houlette. Je veux savoir ce que nous faisons maintenant.

— Des choses très simples, me semble-t-il, me répliqua-t-il avec une lueur d'amusement dans le regard. Nous avons encore un ou deux entretiens devant nous. Vous finissez ensuite le texte. Je le relis soigneusement. Vous le soumettez à deux ou trois éditeurs. Il est publié. Point final.

— Point final, Éminence ? Vraiment ? l'interrogeai-je, amusé à mon tour.

— Très bien, je vous offre les armes, me répondit-il, complice.

— Vous me les rendez, Éminence.

— Qu'est-ce que je vous rends ? Je ne vous comprends pas, ajouta-t-il, réellement surpris.

— Vous rendez les armes. Vous ne me les offrez pas. Je corrigeais votre expression maladroite.

— Ah, pardon. Je vous rends donc les armes, et je vous réponds avec autant de clarté qu'il est possible tant l'affaire est délicate.

— Je vous écoute, l'encourageai-je.

— Vous m'avez demandé si nous étions nombreux. Nombreux à partager les diagnostics et les inquiétudes exprimés dans nos entretiens. Je ne sais pas ce que vous entendez par nombreux. Je vous répondrai que nous sommes un certain nombre.

— Pas mal, Éminence, lui dis-je alors, gagné par une familiarité que je m'étais interdite jusque-là.

— Pas mal, quoi ?

— Judicieux usage du français, je veux dire. Passer de nombreux à un certain nombre révèle une sérieuse connaissance des nuances de notre langue et efface la maladresse des armes que vous m'offriez il y a deux minutes.

— Auriez-vous l'humeur facétieuse ? me demanda-t-il alors. Je croyais que nous abordions un moment délicat de notre livre.

— Vous avez raison, je vous rends les armes à mon tour. Je vous écoute sérieusement, cette fois-ci, m'engageai-je alors.

— Nous sommes un certain nombre de personnes un peu partout dans le monde qui avons appris à nous connaître et qui pensons que des questions doivent être posées et des réponses apportées. Nous jugeons que ces questions n'ont pas été vraiment posées dans l'atmosphère très particulière du dernier conclave et des dernières années de la vie du pape Jean Paul. Nous voulons que ces questions soient entendues.

— Un complot, Éminence ?

— Non, bien sûr que non, pas un complot. Il n'y a

pas de réseau secret, de consignes, de stratégies souterraines. Simplement des hommes et des femmes qui
s'appuient sur des analyses convergentes, qui sont
engagés dans des actions voisines, qui aiment se rencontrer et échanger leurs points de vue.

— Et ces gens, Éminence, que cherchent-ils ? Quel
est leur objectif ?

— Deux objectifs en fait. Ils veulent renouveler la
façon d'être chrétien. Renouveler n'est peut-être pas le
bon mot, j'y reviendrai tout à l'heure. Et ils veulent développer et faire partager une analyse solide de l'état de
l'Église et des options qui se présentent à elles.

— Ce que vous faites dans ce livre que nous allons
bientôt terminer.

— Ce que je fais dans ce livre que, grâce à vous,
nous allons bientôt terminer.

— Ce qui signifie, Éminence, que ce livre n'est
qu'une initiative parmi d'autres. Il n'est pas très risqué de
déduire de ce que vous me dites que de nombreuses
autres initiatives ont déjà surgi ou vont surgir de la part
de ces hommes et de ces femmes auxquels vous faisiez
allusion.

— Nombreuses initiatives, dites-vous, me
répondit-il, cette fois-ci avec un franc sourire. Je ne sais
pas. Un certain nombre en tout cas. Nous avons créé une
sorte de lien entre nous, un site internet où nous déposons
nos idées, donnons des nouvelles aux uns et aux autres [1].

— En d'autres termes, vous, quand je dis vous je
parle de vous-même et d'autres personnes, vous voulez

---

1. J'apprendrai plus tard que ce site, très actif, était visible à l'adresse
www.sarepta-org.net.

Sarepta, tel que rapporté par la Bible au premier Livre des Rois, était une ville
où habitait une veuve avec un enfant. Un passant lui demande de l'huile et du
pain. Elle lui répond qu'elle apportait cette huile et ce pain chez elle, pour un dernier repas avant que, ses provisions épuisées, elle n'ait plus d'autre issue que la
mort. Le passant, un prophète, lui dit de rentrer chez elle, de cuire les galettes, de
lui en apporter une, et lui promet qu'elle ne manquera jamais ni d'huile ni de pain
jusqu'à ce que la pluie fasse reverdir les champs et les arbres.

incarner une alternative à certains courants de pensée qui semblent avoir tellement le vent en poupe qu'ils pourraient être qualifiés de courants officiels.

— Non, non. Là, vous vous trompez. Il ne s'agit pas du tout de nous opposer à ce qui serait un courant officiel. Je suis officiel. Les cardinaux qui développent des analyses voisines des miennes sont officiels. Nous avons tenté de faire partager ces points de vue de façon tout à fait officielle lors des congrégations officielles de préparation du conclave officiel. Encore une fois, n'allez pas ranger nos initiatives au rayon des manœuvres souterraines.

— N'empêche, Éminence, avec tout le respect que je vous dois, vos analyses, vos diagnostics, votre expérience ici, tout ce que vous êtes devenu depuis quelques années dessinent une position qui semble assez différente de celle, officielle, pardonnez-moi de le souligner, du pape que vos frères cardinaux ont élu officiellement il y a moins d'un an.

— Restons un moment sur cette position officielle de Benoît. Voulez-vous que je vous dise ce qui va arriver à notre pape ?

— Seriez-vous doué de prophétie, Éminence ?

— Nullement, simplement de bon sens. Je vous ai dit lors de l'un de nos premiers entretiens que Benoît XVI était avant tout un théologien...

— Vous m'avez même dit, l'interrompis-je, qu'il allait agir d'abord en théologien et que cela risquait de le handicaper comme pape.

— En effet, c'est ce que j'ai dit ou à peu près. Eh bien, je vais vous dire maintenant ce qui va se passer. Benoît XVI est un homme de cœur et de grande intelligence. La conjonction de ces deux qualités va lui permettre d'élargir progressivement, mais considérablement, sa vue de l'Église.

— Progressivement, Éminence ?

— Au début, il va naturellement privilégier son

point de vue de théologien dans sa tâche de gouverner l'Église. Puis il va se rendre compte que le discours théologique est parfois difficile à entendre, y compris par les gens de bonne volonté. Il va se heurter à la difficulté que chaque prêtre ou évêque connaît dans son ministère.

— Quelle difficulté, Éminence ? demandai-je, de peur qu'il ne continue sans la préciser.

— Celle de concilier les deux impératifs qui s'imposent à tout pasteur et, à vrai dire, à tout chrétien. D'une part, l'expression des vérités de la foi. D'autre part, le respect du cheminement spirituel de chacun, qu'il soit chrétien, croyant ou incroyant. Un théologien privilégie d'instinct, de formation et d'habitude, l'expression de la vérité. Un prêtre ou un évêque attache la plus grande importance au respect du cheminement spirituel de ses interlocuteurs. Un pape doit être pasteur avant d'être théologien. C'est là que les deux qualités de Benoît XVI auxquelles je faisais allusion vont entrer en action.

— Comment cela ?

— Je pense qu'il se laissera aller au début à des déclarations un peu abruptes, justes dans un certain contexte, mais maladroites. Devant les réactions peinées ou choquées de ses interlocuteurs, ses qualités de cœur se mobiliseront et lui diront comment humaniser son discours. Il deviendra pasteur.

— Je vous interromps, Éminence, si vous le voulez bien. Cela ne vous gêne pas de dire que le pape pourrait être maladroit ?

— Pourquoi voulez-vous que cela me gêne ?

— Je ne sais pas, moi. C'est peu habituel d'entendre un cardinal dire que le pape pourrait commettre des maladresses.

— Et pourquoi n'en commettrait-il pas ? Vous n'en commettez pas, vous ? N'en ai-je pas commis, moi aussi, et plus souvent qu'à mon tour ? Nous sommes des hommes et, malgré notre bonne volonté, il nous arrive de commettre des erreurs. Le pape y compris. En revanche, quelque chose me gêne dans votre question qui révèle, même chez vous, l'incapacité des chrétiens à entretenir une relation normale avec la plus haute autorité de l'Église. Penser qu'un pape puisse avoir des défauts n'est pas sacrilège, mais réagir comme s'il ne pouvait en avoir me semble un peu idolâtre... Le pape est le pape. Il mérite notre respect autant pour le service qu'il remplit auprès de nous que pour ses qualités personnelles. Ce serait infantile, cependant, que de penser qu'il est parfait en tout, à l'abri de toute erreur, épargné par le doute, incapable de maladresse...

— D'accord, d'accord, l'interrompis-je, peu soucieux de voir dévier notre conversation vers des débats qui l'auraient obscurcie. Vous pensez que notre pape est susceptible de vous entendre, vous ou d'autres, et de mettre de l'eau dans son vin ?

— Il nous écoute déjà, même s'il ne nous entend pas encore vraiment. Un autre phénomène va d'ailleurs jouer.

— Lequel ?

— Nous allons nous enfoncer un peu plus dans la crise...

— Comment cela ?

— L'Occident connaît une crise du sentiment religieux absolument sans précédent. Nous l'avons dit et redit, je n'y reviens pas. Ce constat risque de masquer une réalité : cette crise, non seulement, n'est pas finie, elle va s'aggraver. La pratique va continuer de baisser, les sectes et les nouvelles croyances vont prospérer, les incompréhensions avec d'autres religions vont se renforcer. Un exemple statistique à l'appui de cette affirmation. Vous avez en France environ vingt mille prêtres aujourd'hui, et vous avez déjà un mal fou à assurer un service pastoral minimal. La moitié de ces prêtres est âgée de plus de soixante-dix ans. Dans dix ans, cette moitié sera soit totalement à la retraite soit décédée. En

1900, il y avait un prêtre pour sept cents habitants dans votre pays. Pour disposer de ce même ratio aujourd'hui, il faudrait pas loin de cent mille prêtres, soit dix fois plus qu'il n'y en aura dans dix ou quinze ans.

— Et donc ? interrogeai-je, un peu désorienté par ces statistiques en rafale.

— Et donc, on pourra moins que jamais espérer fonctionner comme on a fonctionné dans le passé. Il faudra bien inventer autre chose.

— En d'autres termes, une crise peut être niée au début. Elle est ensuite reconnue sans que les solutions audacieuses soient inventées. Elle atteint ensuite une telle intensité qu'il devient impossible de ne pas bouger. La crise, quand elle s'intensifie, devient une rude péda-gogue : la réalité finit par s'imposer au regard et à la compréhension de tous. C'est à ce moment, et seulement à ce moment-là, que l'on se résout à prendre les déci-sions nécessaires, à abandonner les positions iréniques, à se soumettre à l'inévitable. C'est cela votre pronostic ?

— Oui, me répondit-il. Dans les pays occidentaux, la pratique et le nombre de prêtres et de religieux et reli-gieuses vont diminuer d'ici vingt ans. Des congrégations religieuses entières vont disparaître. Dans cette même période, la crise qui a frappé les pays développés frap-pera les autres qui en sont encore indemnes. Il faudra qu'à ce moment nous acceptions cette réalité qu'un cer-tain nombre de personnes nient encore.

— Et ce que vous faites, c'est d'essayer de penser ce moment-là, n'est-ce pas ?

— Nous sommes un certain nombre à accepter de penser l'impensable : l'affaiblissement dramatique de nos structures ecclésiales. Et nous voulons nous y pré-parer, avertir, faire naître des germes de renouveau. Vous connaissez maintenant ma conviction : nous n'avons pas la possibilité de reconstruire les équilibres du passé. Rêver un retour au passé empêche un jugement sain sur notre situation actuelle et interdit les bonnes décisions.

Les solutions sont devant nous, à inventer, pas derrière nous, dans un passé plus ou moins fantasmé.

— Éminence, lui dis-je alors, me souvenant d'une incidente qu'il avait introduite un peu plus tôt. Vous avez dit que vous, et d'autres hommes et femmes, aviez deux objectifs. L'un était de penser avec justesse l'état réel de l'Église. L'autre consistait à renouveler la façon d'être chrétien. Vous disiez aussi que le mot renouveler n'était peut-être pas juste.

— Mener une juste analyse de l'Église ne suffit pas parce que l'Église n'est pas seulement un corps social, une organisation. Elle est d'abord un lieu où s'exprime une foi. Se contenter de penser le présent et l'avenir même si cette pensée est juste et complète sera sans effet si nous ne sommes pas capables de renouveler notre vie de foi.

— C'est là où intervient le Principe de Poo, n'est-ce pas ?

— Exactement, c'est là qu'intervient Poo qui ne se doute pas de l'importance qu'il acquiert ainsi. Je vous l'ai dit tous ces jours derniers sous une forme ou sous une autre, explicitement ou implicitement : être chrétien ne consiste pas seulement à croire mais aussi à incarner la présence de Dieu dans le monde. Si nous ne manifestons pas concrètement la présence de Dieu ici-bas, si nous ne nous posons pas comme continuateurs de l'action menée par son Fils il y a deux mille ans, nous disparaîtrons car nous ne servirons à rien.

Un long silence s'installa entre nous. Je réfléchissais intensément à ce que mon cardinal me livrait depuis une heure. La clé qu'il m'offrait ouvrait un champ de compréhension que je n'avais pas soupçonné. Au moins dix minutes se passèrent ainsi. Mon interlocuteur semblait détendu. Il attendait que je reprenne la parole. Il anticipait sans doute le commentaire que je devais finir par formuler. Car tout ce que nous avions dit depuis des mois aboutissait obligatoirement à ce commentaire. Plus qu'un commentaire à vrai dire. Une découverte, l'ouverture sur une entreprise très particulière.

Les différentes pièces de cette sorte de puzzle qu'avaient été nos conversations s'assemblaient d'elles-mêmes. Les détours et les petites histoires de mon cardinal, les anecdotes et les jugements s'installèrent avec logique pour former un tableau qui s'imposait sans effort. Le coup de chaussure du porteur sur une charnière de la gestatoria de Jean XXIII, les figues du pape Benoît, les querelles entre Philippe le Bel et les papes, les turpitudes de la famille Borgia, le génocide du Rwanda, les manœuvres au conclave qui avait élu Jean Paul II, la tentative d'assassinat à son endroit, toutes ces histoires n'avaient servi qu'à nous amener au point où nous étions à ce moment précis.

Je lui dis :

— Vous vous préparez, n'est-ce pas ?

— Nous nous préparons, me répondit-il sans hésitation, preuve de notre parfaite compréhension.

— Vous faites plus que vous préparer, ajoutai-je tout de suite. Vous préparez le moment où il deviendra inévitable de mettre en place autre chose.

— Oui, me répondit-il encore. Nous préparons ce qui va obligatoirement se passer dans vingt ou trente ans et que je ne verrai pas, bien sûr. À moins que nous ne nous trompions sur le délai et que cela ne survienne plus vite.

— Qu'est-ce qui va se passer obligatoirement ? Éminence, lui demandai-je, pour être sûr d'avoir compris.

Mon cardinal se tut un moment. Il voulait sans doute prendre le temps de formuler avec soin ce qu'il allait me dire. Puis il reprit la parole et me présenta en quelques phrases denses le résumé fascinant de sa pensée, de ses projets, de ses convictions.

— Allons-y, commença-t-il, c'est sans doute le bon moment. Nous avons suffisamment établi le socle de notre compréhension mutuelle. Rassemblons tout cela de manière intelligible.

» Il n'y a plus de chrétienté en Occident pour deux raisons. La première est que l'Église, malgré ses réalisations extraordinaires et sa bonne volonté, s'est décrédibilisée. La seconde est que le monde occidental, par son propre développement, a perdu bon nombre des raisons qui le poussaient, dans le passé, à croire. Vouloir reconstruire les équilibres de ce passé est impossible, naïf et même un peu maladif. Ceux qui s'y emploient gaspillent leurs énergies et augmentent la perte de crédibilité de l'Église et des chrétiens. En dehors de l'Occident, notre religion est encore vécue selon le modèle occidental de la belle époque. Ce modèle ne va pas tenir longtemps pour deux raisons. La première est le développement en cours de ces pays qui va produire les mêmes effets que ceux constatés en Occident précédemment. La seconde est que la mondialisation marchande véhicule une idéologie qui mine le sentiment religieux.

» Cette mondialisation marchande est créatrice de conflits exacerbés. Elle fabrique de l'injustice, de la misère. Elle provoque des déséquilibres, des traumatismes dont nous n'avons pas fini de mesurer les effets. Le monde ne possède pas les moyens de réguler cette mondialisation sauvage. Notre Église est la seule puissance spirituelle centralisée mondiale. Plutôt que de se tourner vers la restauration de son passé soi-disant glorieux, elle est appelée à jouer un rôle prépondérant pour tenter de proposer avec d'autres une alternative à la mondialisation marchande. Cette alternative consiste à humaniser une mondialisation qui déshumanise à tour de bras.

» L'Église, dans son ensemble, n'a pas encore pris conscience de son réel état ni de l'état du monde, ni du rôle qu'elle est appelée à jouer pour être fidèle à sa vocation. Elle gaspille beaucoup d'énergie dans des combats secondaires perdus d'avance.

» Nous sommes un certain nombre à vouloir lui faire

prendre conscience que sa fidélité lui commande des changements d'attitudes et d'objectifs. Nous nous sommes engagés dans une œuvre de longue haleine qui possède deux volets. Le premier est d'essayer d'accélérer cette prise de conscience de l'Église. Le second est de préparer le moment où la crise sera devenue telle qu'il sera impossible de nier la nécessité des changements. Nous voulons être prêts à ce moment-là. Prêts à proposer les alternatives, prêts à en démontrer la validité grâce aux expériences que nous aurons instituées un peu partout dans le monde.

» Ces expériences, minuscules, sont d'une très grande diversité. Elles ont cependant toutes un cœur commun : incarner une nouvelle manière d'être chrétien dans un monde déshumanisé. Et pour cela, créer des espaces où s'exprime concrètement la tendresse de Dieu pour le monde et ceux qui y vivent.

» Voici ce qu'un certain nombre d'entre nous est en train de faire, chacun où il est, chacun selon ses moyens. Nous nous connaissons, nous nous reconnaissons. Nous parlons, nous collaborons, nous essayons de convaincre. Nous agissons sous des formes multiples. Nous pesons autant que nous pouvons sur le déroulement des événements. Nous ne sommes pas très visibles, pas très repérables. Nous sommes plus du côté de la brise que de l'ouragan.

Mon cardinal se tut, cette fois-là définitivement. Il n'avait d'ailleurs pas besoin d'ajouter quoi que ce soit. Il avait tout dit.

De mon côté, je comprenais pourquoi, quelques jours auparavant, il m'avait demandé si j'approuvais ce qu'il faisait. Je comprenais aussi pourquoi il m'avait affirmé que je devrais prendre parti. Il ne testait pas sur moi la validité de ses analyses. Il était absolument convaincu de leur justesse. Il voulait seulement m'entraîner dans ce mouvement qu'il venait de me décrire.

Nous quittâmes la maison des enfants aveugles et, après une grosse demi-heure de route, rejoignîmes le Village et les enfants malades. Nous jouâmes un long moment avec eux, puis partageâmes leurs repas. Je me couchai tôt. Mon cardinal partit prier.

Vendredi, maison des enfants malades
Experts en déchristianisation

Le lendemain, dès 6 heures, la cour résonnait des rires des enfants dont certains s'apprêtaient à partir à l'école voisine. Nous avions décidé de nous retrouver sous un préau du centre un peu plus tard dans la matinée pour continuer notre conversation. J'avais besoin d'un peu de temps pour écouter à nouveau notre entretien de la veille. Il me semblait que certaines réflexions de mon interlocuteur avaient besoin d'être clarifiées.

Je commençai ainsi :

— Éminence, ce que nous nous sommes dit, ou plutôt ce que vous m'avez dit, m'a accompagné pendant une partie de la nuit. En écoutant certains passages de l'enregistrement, je me suis dit qu'il serait bon de résumer un des points de votre analyse.

— Lequel ?

— Vous dites que les valeurs de l'Évangile sont universelles. Cela sous-entend que l'Évangile est lui-même universel. Vous admettez en même temps que l'Église n'est pas la seule à en vivre et que parfois elle n'en vit pas assez. Ce qui empêche l'Église d'être universelle, selon vous, c'est qu'elle ne vit pas assez les valeurs évangéliques.

— Nous sommes d'accord.

— Si elle vivait mieux les valeurs évangéliques, elle aurait moins de mal à trouver une sorte d'unité avec les autres chrétiens d'abord et avec les autres croyants ensuite, et, enfin, pourquoi pas, avec l'ensemble des hommes et des femmes de bonne volonté.

— C'est en effet mon opinion. Les valeurs de l'Évangile, lorsqu'elles sont vécues, sont le seul ferment d'unité entre les personnes qui soit à notre disposition, le seul déclencheur d'universalité dans le monde. Alors que, de l'autre côté, la caractéristique de la mondialisation est d'avoir créé un monde unique et éclaté.

— Comment cela ?

— Un monde unique, qui succède à des mondes juxtaposés, c'est le sens même de la mondialisation, de la globalisation. Un monde unique où tout s'échange et circule à toute vitesse. Un monde éclaté dans le sens où il est le lieu de la concurrence effrénée, des conflits, des inégalités, des manipulations, des envahissements. Il n'y a pas pour l'instant de facteur d'unité à l'œuvre dans ce monde : il est devenu une vaste jungle.

» Un monde mondialisé sans âme se révèle beaucoup plus dangereux pour l'humanité qu'une juxtaposition de mondes séparés. Je ne vois rien d'autre que ce que nous avons appelé le Principe de Poo pour donner une âme à ce monde, pour lui fournir ce facteur d'unité dont il manque. Le monde mondialisé sera de plus en plus infernal pour l'homme s'il ne s'établit pas autour de valeurs universelles.

— D'où votre préoccupation : les chrétiens et l'Église ne doivent pas se tromper sur la nature des enjeux qui sont les leurs.

— Exactement. Ils ne doivent pas se préoccuper d'eux-mêmes, de leur influence, de leur puissance, de leur nombre, mais plutôt de ce qu'ils apportent au monde. J'évoquais rapidement hier la situation numérique de notre Église. Les grandes périodes d'expansion sont terminées. Nous sommes plutôt en déclin.

— Je croyais au contraire qu'il y avait une progression des baptisés dans le monde.

— Le nombre total croît légèrement, mais il diminue par rapport à la population mondiale. D'ailleurs cette très légère expansion concerne seulement le nombre des baptisés. On baptise toujours largement, on pratique de moins en moins. Quand on parle d'un milliard de catholiques, on parle d'un milliard de baptisés, pas d'un milliard de pratiquants. Depuis un siècle, c'est la démographie qui a permis aux catholiques d'être, décennie après décennie, plus nombreux, et pas du tout l'action missionnaire vers les milieux non chrétiens. C'est principalement une transmission de la foi dans le cadre familial qui a été responsable de la croissance du nombre des baptisés, contrairement à d'autres époques où c'étaient les conversions qui assuraient l'accroissement du nombre des chrétiens. Je pense à l'évangélisation de l'Europe au premier millénaire, à celle de l'Amérique du Sud à partir du XVIᵉ siècle, à celle de l'Afrique et des rares parties de l'Asie au moment de la colonisation.

— D'où la panique lorsque la démographie s'affaisse ou lorsque la transmission de la foi ne se fait plus au sein de la famille.

— Panique compréhensible chez beaucoup de mes frères évêques qui constatent ce double phénomène : diminution du nombre des enfants, et donc moins de baptêmes, arrêt de la transmission de la foi, et donc moins de pratique. Savez-vous que, dans certains pays que l'on disait chrétiens, on célèbre aujourd'hui un baptême pour trois enterrements ! Il n'y a pas besoin d'être statisticien pour en tirer la conclusion qui s'impose : le nombre des chrétiens dans de vastes parties du monde est appelé à baisser inexorablement.

— À cela s'ajoute la diminution du nombre de prêtres que vous évoquiez hier dans le cas de la France...

— Là aussi, vous avez deux manières de la considérer. La première consiste à se demander comment
l'Église va fonctionner dorénavant en Occident puisque
son mode d'organisation reposait sur une armature extrêmement solide constituée par des prêtres nombreux et
disponibles à plein temps. Ce mode d'organisation n'est
plus possible. La seconde manière de considérer cette
diminution du nombre des prêtres, c'est de se dire que la
baisse du nombre des pratiquants étant extrêmement
rapide, le problème le plus grave n'est pas à terme le
manque de prêtres, mais la baisse des pratiquants dans
certaines parties du monde, baisse due, je le répète, au
ralentissement démographique et à l'arrêt de la transmission de la foi.

— Vous y allez fort, Éminence. Vous semblez dire
que la baisse du nombre de prêtres n'est pas si grave.

— Oh, non, je n'y vais pas fort. Je suis même plutôt
modéré. Et je ne dis d'ailleurs pas que la diminution du
nombre de prêtres n'est pas grave, je dis seulement
qu'elle est moins grave que celle du nombre des pratiquants. En revanche, je sais ce qui vous fait réagir ainsi.
Vous vous faites l'écho d'un réflexe solidement ancré qui
consiste à penser que s'il n'y a plus de prêtres il n'y aura
plus d'Église. Réflexe solidement ancré parce que c'est
ainsi que nous avons fonctionné depuis des siècles : là où
était le prêtre, là était l'Église. Et celui-là faisait fonctionner celle-ci. D'une part l'Église n'a pas toujours
fonctionné comme cela, et d'autre part nous pouvons parfaitement et légitimement inventer d'autres manières de
nous comporter.

— Éminence, sait-on pourquoi cette transmission
de la foi ne se passe plus comme avant au sein des
familles chrétiennes ?

— On le sait, du moins on croit avoir assez bien
cerné le phénomène. Cela ne nous avance d'ailleurs pas
tellement car notre diagnostic ne nous a pas encore
permis de trouver le remède.

— Quel est le diagnostic ?

— Dès le début de son pontificat, Jean Paul II, effrayé par ce qui se passait en Europe de l'Ouest et qu'il n'avait pas constaté dans sa Pologne natale demeurée très fervente sous le joug stalinien, chargea un petit groupe de personnes, prêtres, évêques, parents, enseignants, d'apporter une réponse à la question que vous venez de poser : pourquoi la transmission de la foi ne se fait plus ?

» Je faisais partie de ce groupe d'étude, j'en assurais même l'animation. Le sujet était passionnant et essentiel. Je ne pus m'empêcher cependant de ressentir un peu d'inquiétude sur la manière dont les travaux débutèrent.

— Pourquoi ?

— Vous n'êtes sans doute pas familier de la manière dont travaillent ces groupes d'étude que nous créons au Vatican. Les experts qui en font partie sont choisis dans une catégorie de personnes très engagées dans l'Église, très respectueuses du magistère. Du coup, elles apportent une vision très catholique, si je puis dire, qui risque d'être un peu conventionnelle.

» Comme je constatai que mon inquiétude se révélait fondée et que notre groupe s'orientait vers une critique systématique de la société occidentale jugée responsable de cette interruption de la transmission des valeurs, je demandai au Saint-Père de pouvoir étoffer un peu le groupe afin que nous puissions entendre des voix extérieures plus indépendantes.

— Accepta-t-il ?

— Immédiatement. C'est vraiment une des qualités que j'ai le plus appréciée chez lui. Il ne redoutait rien, aucune confrontation d'idées, aucun avis divergent. Il était suffisamment fort intérieurement pour ne pas se sentir en danger quand des critiques sur ses positions survenaient. En revanche, il m'avertit que j'allais sérieusement compliquer le travail du groupe car le sujet était explosif.

— Se trompait-il ?

— Oh, non, il était même en dessous de la vérité ! Nous travaillâmes pendant dix-huit mois à raison d'une réunion tous les trimestres. De temps en temps, avec cet humour qui le caractérisait, le Saint-Père me demandait : « Alors, où en êtes-vous avec vos experts en déchristianisation ? » Et il riait de me voir lever les yeux au ciel, s'interdisant de m'asséner un « je vous l'avais bien dit... » justifié dont nous savions tous les deux qu'il n'avait pas suffi à nous empêcher de décider d'introduire dans notre étude un peu de pensée critique pour l'action de l'Église.

— Donc, c'était dur.

— C'était dur. Cependant, progressivement, quelques points émergèrent. Le premier concernait la société occidentale elle-même et ses évolutions. Le diagnostic était le suivant. Avec la révolution industrielle et les modes de vie qu'elle a engendrés, la société a fait de l'innovation une valeur clé tandis que les périodes précédentes étaient habitées par la certitude que la transmission entre les générations garantissait la pérennité de la société.

— La société moderne voulait découvrir toujours plus, tandis que les sociétés précédentes se fondaient sur l'apprentissage, la transmission.

— Exactement. Une société rurale, avant la mécanisation, et une société artisanale, avant l'industrialisation, fonctionnaient par la transmission de la compétence du père à ses fils, de la mère à ses filles. L'idéal était de faire aussi bien que ses parents. Une société technologique et de consommation est fondée sur l'innovation, le remplacement plus ou moins rapide des objets, l'amélioration perpétuelle des techniques. L'idéal est de faire mieux que la génération précédente. Les sociétés rurales et artisanales n'avaient aucun mal à transmettre leurs valeurs religieuses en même temps que leurs compétences, tandis que la société technologique répand l'idée que tout est sujet à modification et que l'invention doit s'exercer dans tous les registres de l'activité humaine.

— C'est le principe même de la transmission qui s'affaiblit dans les sociétés développées caractérisées par une innovation galopante ?

— Exactement. Là-dessus, nous n'avons pas grande influence. Reprocher à cette société d'innovation de ne plus permettre le même type de transmission que celle assurée par les sociétés antérieures revient pour une fiancée à regretter que son futur mari ait les yeux marron et pas bleus comme elle en rêvait : c'est dans ses gènes, et ni elle ni lui ne pourront changer cela. Elle devra s'en accommoder ou chercher un autre amoureux plus conforme à ses critères.

— L'Église doit donc s'accommoder d'une société occidentale qui ne met plus la transmission au centre de son fonctionnement ou réserver ses efforts aux autres sociétés qui ne sont pas encore atteintes par ce phénomène ?

— Cela signifie qu'elle doit se résigner à ce que son message ne passe plus par ce que nous appelions dans ce groupe les voies naturelles, c'est-à-dire par la naissance. On était chrétien parce que ses parents l'étaient. Aujourd'hui, ce n'est plus le cas. Votre remarque ouvre des perspectives que nous évoquions hier sans avoir pris le temps de les expliciter. Vous avez dit : l'Église doit s'accommoder d'une société occidentale qui ne met plus la transmission au centre de son fonctionnement. Le problème est que cela ne concerne pas que la société occidentale. Toute société qui entre dans l'ère technologique pénètre obligatoirement dans un système de valeurs orienté par l'innovation et qui rétrograde la transmission au dernier rang de ses réflexes.

— Ce qui veut dire que, si la technologie atteint de plus en plus les sociétés non occidentales, celles-ci connaîtront la même crise de transmission. C'est la raison pour laquelle vous me disiez hier que les personnes qui partagent votre projet sont certaines que la crise du sentiment religieux qui frappe l'Occident va toucher un jour ou l'autre les autres contrées. Je me reprochais ce matin de ne pas vous avoir poussé à justifier ce jugement.

— Les sociétés non occidentales connaîtront le même phénomène à moins qu'elles ne mettent en place des systèmes régulateurs, averties de ce qui s'est passé en Occident, mais je n'y crois guère.

— Que pensait Jean Paul II de ce premier diagnostic que vous lui avez transmis ?

— Il a tout de suite reconnu sa validité. Il pensait que d'autres facteurs pouvaient corriger le phénomène. Notamment, il jugeait que l'héritage culturel des nations ne pouvait pas être totalement éradiqué, que leurs racines pouvaient contrebalancer cette course en avant qui négligeait le passage d'une génération à l'autre des valeurs qui avaient contribué à leur épanouissement.

— D'où ses efforts pour que les racines chrétiennes de l'Europe soient inscrites en référence dans la constitution européenne.

— Oui, sans succès, comme chacun sait. Au moment du travail de rédaction de cette constitution, je le voyais moins souvent. Il était de plus en plus faible, et moi, j'avais quitté mes fonctions au Vatican pour m'installer ici. Nous eûmes tout de même un bref échange à ce propos lorsque je lui fis le compte-rendu de ma mission aux États-Unis.

— Que vous êtes-vous dit ?

— Il était profondément affecté par ce qu'il appelait cette défaite. Et il me demanda pourquoi l'Europe refusait cette référence à cette vérité historique indéniable : son origine est chrétienne.

— Que lui avez-vous répondu ?

— J'ai eu de la peine pour lui. Je lui répondis ce que je croyais être la vérité qu'il avait eu du mal à accepter vingt ans auparavant quand je lui avais présenté le compte-rendu du groupe de travail. Je lui dis que croire que les racines d'une collectivité peuvent contrebalancer les effets de sa course vers l'innovation est un espoir vain puisque justement cette course rejette hors de la mémoire collective le souvenir de ces racines. Et j'ajoutai en guise de consolation que même l'inscription dans le texte constitutionnel de cette référence aux origines chrétiennes de l'Europe n'aurait pas changé grand-chose à la réalité.

— Comment réagit-il ?

— Il me répondit seulement : « Alors, c'est ce qui se passe dans mon pays ? Les racines chrétiennes de la Pologne ont résisté au communisme stalinien, et semblent ne pas pouvoir résister à l'innovation technique et à la société de consommation. » Il faisait allusion bien sûr à la perte d'influence de l'Église en Pologne alors qu'elle avait été le point de ralliement de la lutte contre le pouvoir inféodé à Moscou.

— Éminence, vous avez évoqué plusieurs diagnostics posés par votre groupe d'étude.

— Le deuxième était plus difficile à accepter. Il était porté principalement par le second groupe d'experts, que nous appelions les experts extérieurs (sous-entendu à l'Église) que j'avais fait entrer après avoir constaté que les premiers, les experts intérieurs, étaient trop immergés dans la structure ecclésiale et manquaient de recul à son égard. C'est sur ce deuxième diagnostic que les empoignades furent les plus rudes. Ce second diagnostic mettait en cause l'attitude de l'Église.

— Comment ? demandai-je, curieux de savoir jusqu'où était allée cette mise en cause pour déclencher les empoignades que mon cardinal évoquait.

— En gros, ce diagnostic révélait que, pour avoir trop compté sur la transmission par les voies naturelles, essentiellement celles de la famille, et pour avoir trop privilégié une structure pyramidale dans l'Église, celle-ci n'avait pas su veiller à offrir un visage attrayant aux générations nouvelles.

— Attrayant, Éminence ? Que voulaient dire vos experts extérieurs ?

— Rien de très original. Par exemple, que l'on s'ennuyait souvent à la messe, que les gens ne se disaient pas bonjour, que la liturgie en latin était digne mais incompréhensible, que Dieu était plus souvent présenté comme un père fouettard que comme un Père de tendresse, que les prêtres, via le confessionnal, se mêlaient de ce qui ne les regardait pas, que la loi paraissait souvent l'emporter sur l'amour, que la foi semblait étouffée sous de multiples obligations, que l'enfer et le péché étaient brandis pour obtenir l'obéissance, que trop de curés étaient plus à l'aise avec les notables qu'avec les pauvres gens... Et j'en passe.

— Vieilles rengaines, commençai-je, avant de me faire interrompre avec vivacité.

— Oh non, ne les réduisez pas au statut de vieilles rengaines. Nos experts extérieurs essayaient au contraire de nous faire comprendre que ces défauts, déjà irritants pour des personnes habitées par la foi, faisaient fuir ceux qui n'avaient pas eu l'occasion d'une expérience spirituelle. L'un d'eux nous raconta qu'il avait mené une enquête pour un organisme d'études sociologiques allemand auprès des baptisés qui ne pratiquaient plus. Plusieurs questions étaient posées pour tenter de connaître les raisons de leur éloignement de l'Église. Seule une très faible minorité évoqua des causes en rapport avec le dogme, la théologie, la foi, bref l'existence de Dieu. La quasi-totalité des personnes évoqua l'attitude d'un prêtre, une vexation, des discours incompréhensibles, un manque de respect pour leur cheminement, un manque d'accueil...

» Ce que nous disaient nos experts extérieurs, et qu'avaient du mal à accepter nos experts de l'intérieur, revenait à ceci : quand la valeur de transmission disparaît, les défauts et les maladresses de l'institution et de ses représentants deviennent criants et agissent comme des épouvantails qui chassent les oiseaux apeurés.

— Y eut-il un troisième diagnostic ?

— Attendez, le deuxième n'était pas réduit à cela. Il comportait une question qui n'a cessé de m'obséder depuis et qui est toute simple. Un des experts extérieurs, irrité par la réticence des experts intérieurs à accepter son analyse, nous demanda : « Pouvez-vous répondre simplement, et sans avoir besoin de trop réfléchir, à cette question : "À quoi cela sert de pratiquer ?" »

— Un peu simplette, la question, Éminence, remarquai-je.

— C'est en effet, à peu de chose près, ce que les experts intérieurs répondirent. L'expert s'entêta : « Si la question est simplette, vous ne devriez pas avoir de mal à y répondre simplement. Je dirais même que vous avez tout intérêt à y répondre de façon efficace car c'est la question la plus fréquemment posée par les jeunes générations quand on les sonde sur leur attitude à l'égard de la religion. »

» Le silence se fit dans le groupe. Un silence si lourd qu'il devint vite insupportable pour certains de ses membres qui semblèrent s'ébrouer et prient la parole dans une certaine cacophonie. L'un déclara qu'être chrétien donnait un sens à sa vie, l'autre que sa foi le portait dans les épreuves…

— Toutes réponses justes, me semble-t-il, me surprenant à me solidariser vingt ans après avec ces experts intérieurs, comme les nommait mon cardinal.

— Réponses justes, mais inaudibles par un non-chrétien. Notre expert extérieur ne s'en contenta pas. Il reprit la parole en disant simplement : « Je ne vous ai pas demandé à quoi cela servait d'être chrétien, je vous ai demandé à quoi cela servait de pratiquer. » Un nouveau silence se fit dans le groupe jusqu'à ce que l'un des experts intérieurs finisse par répondre : « Le problème n'est pas là, ce n'est pas une question de servir à quelque chose, c'est célébrer avec d'autres, c'est écouter la parole de Dieu, c'est se nourrir de sa présence… »

— Là aussi, la réponse était juste, dis-je, me prenant au jeu du débat.

— Tout aussi juste, tout aussi inaudible, reprit mon cardinal. Elle ne suffit pas à faire taire notre expert extérieur qui reprit la parole : « Alors, demandez-vous pourquoi célébrer avec d'autres attire moins de personnes, pourquoi écouter la parole de Dieu ne fait plus église comble, pourquoi se nourrir de sa présence ne semble plus faire recette… »

— Que répondirent les experts intérieurs, Éminence ?

— Ils se turent, ce qui était normal puisque cette question résumait tout l'objet de ce groupe d'étude. Notre expert extérieur, constatant que personne ne désirait intervenir, reprit la parole en ces termes : « Les gens qui, dans les siècles passés, sont venus dans vos églises se divisaient en plusieurs catégories. Les uns y venaient pour rendre un culte à une divinité dont ils voulaient se concilier les faveurs. D'autres s'y rendaient pour partager et célébrer leur foi qui était vive. D'autres, parce que leurs parents y venaient et qu'il était normal de faire comme ses parents. Un certain nombre venait parce que c'était le signe d'appartenance à une certaine classe, disons, pour aller vite, la bourgeoisie. D'autres encore s'y rendaient parce qu'ils n'imaginaient même pas ne pas y aller. Tous ces gens ont rempli vos églises. Aujourd'hui ne vient plus qu'une seule de ces catégories, celle des gens qui viennent pour partager et célébrer une foi qui est vive. Tous les autres sont partis, et cela en fait beaucoup. »

— Où cela mène-t-il ? interrompis-je mon cardinal, trouvant l'intervention de l'expert extérieur plutôt banale.

— Ce fut en effet la question qui fusa lors de cette rencontre, me répondit mon cardinal. Notre expert extérieur ne se laissa pas démonter et répondit simplement : « Vous autres chrétiens, vous ne vous êtes jamais rendu compte que vos églises avaient été remplies anormalement, artificiellement. Et vous êtes tout surpris qu'elles se soient vidées aujourd'hui. Vous avez bénéficié dans le passé de conjonctions exceptionnelles qui ne se reproduiront pas de sitôt. Votre problème est d'abord de vous débarrasser d'un cadre d'analyse périmé avant de savoir ce que vous pouvez faire. »

— Que voulait-il dire ?

— Il l'expliqua assez simplement : « Si vous continuez à croire que tous vos pratiquants étaient des gens qui, comme l'a dit l'un d'entre vous tout à l'heure, venaient célébrer avec d'autres, écouter la parole de Dieu, se nourrir de sa présence, vous allez vous demander comment revenir à cet âge d'or. En revanche, si vous admettez que les églises étaient remplies par de nombreuses autres catégories de personnes, celles que j'ai citées tout à l'heure, celles qui rendaient un culte à une divinité dont elles voulaient se concilier les faveurs, celles qui venaient parce que leurs parents y étaient venus avant eux et qu'il était normal de faire comme ses parents, ces autres parce que c'était le signe d'appartenance à une certaine classe, celles enfin parce qu'elles n'imaginaient même pas de ne pas y aller, si vous acceptez de reconnaître cet état de fait, vous vous rendrez compte que cet âge d'or n'était pas si doré que cela, et vous ne vous demanderez plus comment y revenir, ce qui vous libérera pour imaginer des solutions adaptées au temps que nous vivons. »

— Éminence, dis-je, comprenant enfin où il voulait en venir, ce que disait votre expert extérieur c'est ce que vous me répétez inlassablement depuis des semaines : non seulement toute restauration de la situation des siècles précédents est impossible mais en plus elle repose sur l'illusion d'un âge d'or qui n'a jamais existé.

— C'est ce qu'il disait et que certains membres de notre groupe eurent du mal à accepter.

— Et vous-même, vous en pensiez quoi ?

— Je jugeais son analyse stimulante. Elle était

assez conforme avec ce que je connaissais moi-même des raisons de la perte de la pratique et en particulier des réactions des jeunes. Si on l'acceptait, elle entraînait une série d'autres diagnostics pour le moins désagréables.

— Lesquels ?

— L'un me vint tout de suite à l'esprit. À cette époque, je lui donnai la forme suivante : la société occidentale a été durant des siècles sous influence. Influence de l'Église, plus qu'influence directe de l'Évangile. Nous avons vu en effet combien les comportements chrétiens pouvaient s'éloigner de l'Évangile. Cette influence de l'Église a pu s'exercer en dépit de la distance établie dans les comportements avec l'Évangile, et ceci du fait d'un certain nombre de conditions qui ont duré très longtemps mais sont aujourd'hui arrivées à extinction.

» Ces conditions exceptionnelles, réellement extraordinaires dans le sens d'anormales et ne pouvant se reproduire à horizon perceptible, notre expert extérieur parlait de l'âge d'or, ayant disparu, nous nous retrouvons ayant perdu une bonne part des motifs de notre influence. La société occidentale n'est plus sous notre influence, et il y a fort à parier que les autres sociétés qui le sont encore suivront le même chemin. Du coup, je récuse la question de notre expert qui nous demandait à quoi cela servait d'être pratiquant, et je la remplace par une autre qui me semble plus juste : que nous reste-t-il comme originalité pour attirer, puisque notre influence globale disparaît décennie après décennie et puisque les conditions extraordinaires de son existence ne reviendront plus ?

— Et que répondez-vous, Éminence ?

— Je réponds simplement : il nous reste l'Évangile par lequel tout a commencé. Et j'ajoute : cela me suffit amplement.

— Qu'est-ce qui vous suffit amplement, Éminence ?

— L'Évangile. L'Évangile me suffit amplement, nous suffira amplement, pour attirer les hommes et les femmes de bonne volonté. À une condition : que nous le vivions le plus possible et que nous ne l'obscurcissions pas par des pratiques, des regrets, des nostalgies, des restaurations encore une fois qui lui feraient perdre de sa force d'attrait.

— Quand vous dites qu'il nous reste l'Évangile par qui tout a commencé, vous rejoignez ceux qui croient qu'il faut revenir aux pratiques de l'Église primitive ?

— Pas du tout ! Surtout pas, même ! Nous sommes dans un temps différent. Si je suis convaincu que la restauration des pratiques des siècles récents est illusoire, ce n'est certainement pas pour pousser à la restauration des pratiques des premiers siècles, encore plus anciennes. Je crois profondément à la valeur inestimable de la Tradition que nous évoquions chez vous il y a quelques mois. Je la considère comme un atout qu'il faut scruter, dont il nous faut nous imprégner afin de nous sentir libres d'inventer ce qui correspond aux conditions de notre époque.

— Pardonnez-moi, je ne vous comprends pas. Vous dites qu'il ne faut pas revenir en arrière, et vous brandissez pourtant le ralliement à la Tradition.

— Oh, c'est simple. Il y a deux manières de considérer la Tradition. Soit c'est une succession de strates de règlements qui se superposent pour vous enfermer dans une stricte observance de la lettre de leur rédaction. Soit, c'est l'histoire des découvertes qui se sont succédé, l'une permettant l'éclosion d'une autre, poussant à l'éclosion d'une autre. C'est alors une invitation à poursuivre cette découverte.

Mon cardinal se tut un instant avant de reprendre :

— Vous savez ce que c'est un fidèle pour moi ?

— Vous allez me le dire, Éminence…

— Ce n'est pas celui qui conserve, c'est celui qui invente dans la fidélité. Tout le monde connaît ce fameux passage de l'Évangile des talents…

— Tout le monde, Éminence, ce n'est pas sûr, si on

est d'accord avec la perte de la transmission de l'héritage chrétien chère à l'analyse que vous venez de dérouler.

— Vous avez raison. Même moi, je m'y laisse prendre. Je résume la parabole [1]. Un propriétaire part en voyage et donne des sommes d'argent, différentes, toutes trois considérables, à trois intendants avec mission de les garder jusqu'à son retour. Quand il revient de son voyage, il convoque les trois hommes. Les deux premiers lui rapportent le double de la somme confiée : ils l'ont fait fructifier. Le troisième rapporte une somme identique à celle qui lui avait été confiée : il a eu peur de prendre des risques, il l'a enterrée sans la développer. Savez-vous ce que dit le riche propriétaire aux deux premiers intendants ?

— Je le sais, Éminence, mais je vous laisse le dire vous-même.

— Il les appelle « bons et fidèles serviteurs », et celui qui n'a rien investi, n'a rien inventé, n'a rien fait fructifier, il le nomme « serviteur mauvais et paresseux ». La fidélité, j'en suis convaincu, ne consiste pas à se calfeutrer derrière la peur du risque et à ne rien oser. Elle ne consiste pas à rester immobile avec ce que l'on a reçu, la Tradition par exemple. Elle consiste à faire fructifier et, pour cela, à accepter de prendre quelques risques. J'ajouterai que, dans les situations nouvelles et instables comme les nôtres, il est encore plus justifié et obligé d'accepter ces risques au nom même de la fidélité.

— Ces situations instables et nouvelles sont caractérisées par le fait que, globalement, le nombre de catholiques allait diminuer, disiez-vous tout à l'heure.

— Je disais que le nombre de pratiquants allait continuer de diminuer, et que les grandes périodes d'expansion, de mission, de conversion étaient derrière nous. Cela a des conséquences très pratiques.

— Par exemple ?

---

1. Récit rapporté dans l'Évangile de Matthieu au chapitre 25.

— Une me vient spontanément à l'esprit. Vous savez peut-être les difficultés qui ont surgi entre catholiques et orthodoxes après la chute du mur de Berlin.

— Oui, après plusieurs décennies durant lesquelles les édifices religieux avaient été confisqués par l'État, le retour à leurs anciens propriétaires a donné lieu à des querelles entre les communautés catholiques et les communautés orthodoxes.

— Là n'était pas et n'est pas encore le plus important. Les orthodoxes ont une conception territoriale très forte de l'Église : ils estiment que dans les zones géographiques où eux, les orthodoxes, sont implantés historiquement, les catholiques doivent s'abstenir de tout prosélytisme. Ainsi quand, après mûre réflexion, nous avons décidé de créer des diocèses en Russie, cette initiative a été ressentie comme une agression par le patriarcat orthodoxe de Moscou.

— Je ne vois pas le rapport avec ce que nous disions tout à l'heure.

— Il est pourtant très direct. Cette réaction autant que notre initiative qui l'a suscitée appartiennent à des logiques de nombre, d'organisation, d'exclusivité. Prenons-les l'une après l'autre. Logique de nombre : nous voulons pouvoir répandre la foi et la pratique catholiques dans ces pays, nos frères orthodoxes estiment que nous risquons de nous développer à leurs dépens. Logique d'organisation : établir des diocèses, c'est mettre en place des structures territoriales ressenties comme des agressions, un peu comme si un pays étranger établissait une garnison sur le territoire d'un voisin. Logique d'exclusivité : nos frères orthodoxes pensent qu'un pays doit avoir des frontières religieuses autant qu'économiques, physiques ou politiques, alors que nous sommes, et depuis longtemps, entrés dans une logique de mondialisation qui pose les problèmes d'une tout autre manière. Ils s'appuient sur un principe que nous avons-nous-mêmes utilisé mais qui n'est plus en ligne avec les conditions du monde actuel, et que je vous rappelais dans une conversation antérieure : *cujus regio, ejus religio.*

— Autrement dit : telle la religion du prince, telle celle du pays.

— Vous comprenez dès lors pourquoi ce désaccord avec nos frères orthodoxes est révélateur des enjeux qui sont les nôtres. Nous réagissons encore selon des schémas qui ont fonctionné longtemps sans nous rendre compte qu'ils sont dépassés. Nous sommes dans une logique de nombre, alors que le nombre diminue inexorablement, dans une logique d'organisation alors que nos organisations passées sont rendues impossibles par la diminution des prêtres et la séparation entre l'Église et l'État, dans une logique d'exclusivité territoriale alors que la mondialisation fait éclater les frontières traditionnelles.

— Éminence, vous avez longuement évoqué la diminution relative du nombre des chrétiens dans le monde. Est-ce vrai pour toutes les confessions ? Je pense au cas des nouvelles Églises pentecôtistes ou évangéliques, réputées très actives.

— Elles sont en effet en expansion. Elles recrutent particulièrement chez des anciens catholiques ou dans les rangs des Églises protestantes plus classiques. Elles ne font pas monter le nombre de chrétiens, mais établissent une nouvelle répartition entre les confessions chrétiennes. Elles sont surtout en expansion dans le continent américain, et notamment en Amérique du Sud. Nos frères évêques là-bas s'inquiètent de la progression de ces Églises parmi leurs fidèles ou leurs anciens fidèles.

— Ces nouvelles Églises évangéliques progressent au détriment des autres confessions chrétiennes, et n'empêchent pas la diminution globale de celles-ci. En revanche, il semble que l'islam, lui, connaisse une réelle croissance.

— Le développement de l'islam est dû à des conversions et à une démographie favorable. Il connaît ce que nous avons connu il y a plusieurs siècles. D'une part la transmission à des enfants nombreux au sein de chaque famille, et d'autre part des conversions dans des milieux qui étaient peu touchés auparavant.

— C'est donc un danger pour les chrétiens ? Certains appellent à se mobiliser contre cette montée de l'islam.

— C'est un danger uniquement si vous parlez en termes de concurrence et de nombre. Un peu comme un chef d'entreprise se préoccuperait de voir que le chiffre d'affaires de son concurrent a dépassé le sien. C'est un danger aussi si l'islam se laisse aller à un fondamentalisme d'exclusion et de violence. Est-ce un danger si la pratique intense, caractéristique de cette religion, nous amène à nous poser des questions sur notre propre façon de pratiquer ? Est-ce un danger si la logique de défiance et d'exclusion cède le pas à une logique de reconnaissance mutuelle, de partage de valeurs, de coopération ? Pour ma part, je refuse de me laisser entraîner dans une affaire de choc des religions qui accompagnerait le fameux choc des civilisations.

— Vous vous y refusez, Éminence, mais le phénomène pourrait survenir. Par moments, on peut même penser que l'on n'en est pas très loin.

— Je m'y refuse, c'est certain. Par principe d'abord. Les gesticulations d'un Ben Laden qui justifie ses actions au nom de la fidélité au Coran sont pour moi aussi stupides que les prétentions d'un Bush à se faire le champion d'un axe du Bien contre un axe du Mal.

— Vous les mettez dans le même sac ?

— Non, je ne les mets pas dans le même sac, comme vous dites élégamment. Je me contente de mettre leurs deux déclarations dans ce même sac, un sac mal ficelé d'ailleurs, et qui se délite de partout. Faire des religions et de Dieu ou Allah les supplétifs involontaires de ses fantasmes de puissance me paraît enfantin.

» Et je m'y refuse au nom d'une analyse plus rationnelle qui nous ramène à la mondialisation. Quand les pays vivent à l'abri de leurs frontières, ils peuvent s'opposer à ce que des influences extérieures viennent perturber leurs pratiques et leurs principes. La mondialisation réduit progressivement cette marge de manœuvre qui servait les desseins des dirigeants politiques ou religieux et protégeaient leur autorité. Je suis enclin à penser que les phénomènes qui ont touché l'Occident dans le domaine religieux vont aussi toucher les autres parties du monde jusqu'ici épargnées. Tout indique que le taux de progression de la natalité diminue partout dans le monde, et que l'accroissement du nombre des fidèles des religions par les naissances va se ralentir, y compris dans les pays traditionnellement musulmans. De plus, il est probable que l'augmentation du pouvoir d'achat et les communications plus faciles vont agir sur les cultures, même les plus fermées, de la même manière qu'elles ont influencé notre évolution propre.

» Je suis enclin à penser que l'islam, après le christianisme, va connaître une évolution qui va lui poser les mêmes problèmes que ceux que nous avons rencontrés et que nous avons déjà évoqués longuement. Le désenchantement du monde pourrait bien s'exporter dans les pays majoritairement islamiques. Pour autant, cela ne se fera pas à un horizon rapproché, ce qui laissera un espace à des confrontations qui pourraient être agressives et douloureuses.

— Alors, que faire, Éminence ?

— Ma réponse va peut-être vous surprendre, quoique vous soyez familier maintenant des tours qu'empruntent mes raisonnements. Que faire ? Passer du temps avec Poo. Je crains qu'il ne soit proche de s'éteindre.

Dimanche, maison des enfants malades
La brise et l'ouragan

Nous quittâmes le préau et traversâmes la cour silencieuse. Nous entrâmes dans la salle où s'alignaient les lits des malades.

Poo mourut dans l'après-midi du lendemain, sans bruit. Depuis des jours il ne bougeait pratiquement plus. Un quart d'heure avant sa mort, il parvint à tendre le bras dans notre direction. Mon cardinal comprit : il lui prit la main avant qu'elle ne retombe sur le lit. C'est ainsi que mourut Poo qui avait été si présent, sans le savoir, dans nos discussions. Il mourut en tenant la main d'un cardinal de la Sainte Église catholique romaine, lui qui n'avait jamais entendu parler du Christ, lui qui croyait avoir échoué à purifier son karma puisque le sida l'avait réduit à n'être que honte et douleur.

Je fus surpris de voir mon cardinal pleurer. Je n'avais pas saisi qu'il avait aimé Poo et qu'il ne s'était pas contenté de faire acte de charité chrétienne à son endroit. Il l'avait aimé comme une personne et pas seulement comme une occasion d'exercer son ministère, comme un frère peut-être et pas uniquement par devoir de témoigner de l'amour de Dieu.

Nous ne parlâmes pas beaucoup ces jours-là, mon

cardinal et moi. Nous étions en deuil. Lui plus que moi, mais moi commençant à me mettre à l'unisson de ses façons de voir.

Nous refusâmes que le corps de Poo soit emmené à l'hôpital de la Ville et y soit incinéré dans l'anonymat. Les plus âgés des enfants du centre construisirent un bûcher sur un terrain isolé à quelque distance. Nous y installâmes le corps de Poo et restâmes là jusqu'au bout. La brise du soir emmena les cendres. Une brise légère.

Le lendemain, nous nous retrouvâmes, mon cardinal et moi, sans l'avoir prévu, à l'oratoire du centre. L'office du matin s'était déroulé comme à l'habitude, le petit déjeuner était fini depuis quelque temps, les enfants étaient partis à l'école. La lumière du tabernacle était éclairée.

J'hésitai à entamer une conversation nouvelle dans ce lieu de recueillement qu'est une chapelle. Je dissipai vite ce réflexe de mon enfance, et je lui demandai :

— Nous arrivons au bout, Éminence, n'est-ce pas ? Je veux dire au bout de nos entretiens.

— Il me semble, me répondit-il simplement. Et c'est un peu dommage, ne trouvez-vous pas ? Nous avons passé de bons moments ensemble.

— Oui, même si parfois, vous le savez, j'avais un peu de mal à suivre les détours de vos raisonnements. Très vite, cependant, je vous ai fait confiance, et, du coup, c'est devenu plus facile. J'ai cependant encore une ou deux questions à vous poser.

— Lesquelles, m'interrogea-t-il, détendu.

— La première à propos de ce que vous m'avez dit l'avant-veille de la mort de Poo. Vous avez fait allusion à des hommes et des femmes, des religieux, des évêques sans doute, quelques cardinaux aussi, avez-vous précisé, qui partageaient vos analyses et étaient persuadés que la crise du sentiment religieux dans le monde catholique allait s'aggraver. Vous avez ajouté que ces gens-là voulaient se préparer. Et préparer l'Église à ce moment où la crise serait telle que des décisions impensables aujourd'hui seraient finalement prises. Et vous avez commencé cette partie de notre conversation par une phrase un peu énigmatique que j'aimerais que vous éclairiez. Vous avez dit, je l'ai vérifié en écoutant notre enregistrement, vous avez dit très exactement : « Nous sommes un certain nombre à accepter de penser l'impensable. »

Je me tus pour le laisser réagir à sa manière. Je ne voulais pas orienter son commentaire par une question trop précise. Il réfléchit un instant et me dit :

— Commençons par la fin de cette phrase qui n'est pas si énigmatique que vous le dites. L'impensable. Je crois en effet qu'il y a des sujets, des réalités, des choix qui sont aujourd'hui impensables pour de nombreux chrétiens et responsables de l'Église. Impensables pour plusieurs raisons : ils sont trop douloureux à envisager, ils échappent trop à nos habitudes de penser, ils nous conduisent à des décisions inhabituelles.

— Par exemple ? interrogeai-je.

— Nous en avons évoqué plusieurs au cours de nos conversations. Je vais vous en donner quelques exemples qui révèlent des situations dramatiques ou appartiennent à la catégorie de simples problèmes d'organisation. Ils sont en tout cas tous révélateurs de ce qui nous attend. Les voici. L'échec de l'évangélisation en profondeur de certains pays à l'époque coloniale que suggère le génocide au Rwanda. La baisse accélérée de la pratique religieuse en Europe qui peut aboutir à la perte totale de la mémoire chrétienne du continent. L'obligation de marier en même temps plusieurs couples à l'église par manque de prêtres dans un pays comme le vôtre. La disparition des chrétiens de pays comme la Palestine ou le Liban, qui est déjà largement entamée. Les persécutions de chrétiens en Inde qui s'intensifieraient et aboutiraient à une Église clandestine dans ce sous-continent. La diminution des catholiques en Amérique latine au profit des nou-

forsee

velles confessions évangéliques. La disparition massive de congrégations religieuses dans tout l'Occident que la démographie laisse présager. L'impossibilité pour l'Église d'apparaître comme une réponse crédible au désenchantement du monde. Et de nombreux autres phénomènes encore.

— Vous connaissez, j'imagine, Éminence, ce livre d'un historien français [1] qui fit du bruit en son temps. Il s'intitulait : *Le christianisme va-t-il mourir ?*

— Bien sûr, me répondit-il. L'impensable que nous essayons de penser n'est pas tant une fin du christianisme à laquelle nous ne croyons pas, mais la fin d'une certaine forme de christianisme que trop de responsables refusent d'envisager.

— Pourquoi le refusent-ils ? Parce que c'est trop énorme ?

— C'est une des raisons. Il y en a d'autres qui sont liées. Je vous ai dit que l'un des risques des corps sociaux très structurés est le déni de la réalité. Je vous ai confié que l'Église n'est pas à l'abri de ce risque. Elle ne peut pas se résoudre à admettre qu'une part de son organisation et de ses habitudes est en train de disparaître inexorablement. Je me souviens d'une rencontre profondément émouvante avec la supérieure d'une congrégation religieuse il y a quelques années. Appelons-la Sœur Maria. Nous nous étions rencontrés chez des amis communs à Milan. Elle avait été élue à la tête de sa congrégation un an auparavant. Je m'enquérais de la manière dont elle voyait son rôle. Elle me répondit à peu près ceci : « J'ai été élue pour organiser la disparition de notre congrégation le moins douloureusement possible. Nous n'avons pas eu une novice depuis trente ans. La plus jeune a soixante ans, c'est moi. Depuis dix ans, nous fermons maison sur maison et passons beaucoup de temps à vendre nos bâtiments à des promoteurs immobiliers pour

---

1. Livre de Jean Delumeau, publié en 1977.

assurer des fins de vie décentes à nos sœurs âgées. Il y a dix ans quand une jeune femme s'est présentée à nous avec le désir de nous rejoindre, nous l'avons doucement guidée vers un autre institut, en lui expliquant qu'il n'y avait pas d'avenir chez nous : elle se serait trouvée seule avec des vieilles sœurs le reste de son existence. Nous savons que nous allons disparaître. Nous n'avons pratiquement plus d'apostolat sinon celui de la prière. »

— Poignant, commentai-je platement.

— Terrible. Elle ajouta ensuite : « Nous sommes confrontées à une réalité que nous devons accepter. Pendant très longtemps, nous nous sommes bercées d'espoir, celui d'un retournement. Nous nous disions que la crise était temporaire, que nous en sortirions. Nous nous sommes nourries d'illusion, et puis, à un moment, nous avons accepté ce que nous avions toujours refusé d'envisager : notre disparition. » Comme je lui exprimai ma sollicitude, elle me répondit avec vivacité : « Ce que nous vivons, monsieur le Cardinal, est vécu par beaucoup d'autres, et sera vécu par un plus grand nombre encore. Et savez-vous pourquoi ? Parce que notre Église s'est éloignée du monde, et que nous n'avons pas su réagir à temps. »

Mon cardinal se tut alors, sans doute encore dans le souvenir de cette rencontre. Je lui demandai :

— Cette religieuse a dû penser et organiser l'impensable : la fin de sa famille religieuse ?

— Oui, et nous nous lui devons, à elle et à d'autres, d'accepter de penser la fin d'un type d'organisation, d'expression, de présence de notre Église dans ce monde, pour inventer à temps une sorte de relève.

— Ceci éclaire ce que vous appelez penser l'impensable, commentai-je. Je voudrais que vous m'en disiez plus sur le début de la phrase que je vous rappelais. Vous disiez : « Nous sommes un certain nombre... » C'est quoi ce certain nombre ? Qui y a-t-il dans ce certain nombre ? Comment fonctionne-t-il ?

— Je comprends que cela vous intéresse, me répondit-il avec amusement. Vous avez l'idée d'un réseau constitué, un groupe de pression qui se réunirait en colloques discrets pour établir des stratégies brillantes, un vaste maillage de personnes d'influence répondant à des mots d'ordre élaborés dans le secret. Eh bien, je vais vous décevoir. Ce certain nombre ne fonctionne pas comme cela.

— Comment fonctionne-t-il alors ? demandai-je, vraiment désireux d'en savoir plus.

— Le premier élément qui me vient à l'esprit pour vous répondre est celui-ci : nous nous reconnaissons.

— C'est-à-dire ? rétorquai-je, surpris par le flou de la réponse.

— L'Église, ce n'est pas le Vatican, les conférences épiscopales, les nonces. C'est un ensemble incroyablement riche et divers d'initiatives et de convictions. Ce sont des gens qui vivent une pratique un peu banale même si elle peut être profonde, mais ce sont aussi des gens qui inventent sans arrêt des manières d'être chrétiens dans ce monde. Mus par leur conviction intérieure, ils veulent, là où ils sont, donner à leur foi qui est vive une expression concrète. L'Église, c'est avant tout un fourmillement d'initiatives et de réalisations, connues ou inconnues.

— Par exemple, l'interrogeai-je pour le forcer à être plus concret.

— Ce sont ces parents amis qui décident d'organiser une réflexion sur la façon de transmettre leur foi à leurs enfants. C'est ce prêtre qui ouvre une maison pour les enfants atteints du VIH en Asie. Ce sont des chrétiens au Bénin qui décident de fonder une coopérative pour financer les frais de scolarisation des enfants des rues de leur village. C'est Sant' Egidio à Rome qui mène une médiation entre le gouvernement et les rebelles du Mozambique. C'est cette sœur que je connais qui aide un groupe d'Indiens pauvres à créer une boulangerie communautaire dans les bidonvilles d'une ville d'Équateur. Ce sont les sœurs de Mère Teresa qui soignent les mourants à Calcutta. C'est cette femme française qui fonde un mouvement pour aider les familles où naît un enfant avec handicap... Une myriade de personnes, je le répète, connues ou inconnues.

— Vous dites que ces gens-là se reconnaissent. Qu'est-ce que cela signifie ?

— Tout simplement que, quand ils se rencontrent ou qu'ils entendent parler les uns des autres, ils savent d'instinct qu'ils sont engagés dans la même dynamique, qu'ils partagent les mêmes préoccupations, qu'ils sont habités des mêmes priorités.

— Et ces gens-là pensent l'impensable, pour reprendre votre expression ?

— Non, la plupart d'entre eux n'ont pas conscience des risques que court l'Église, mais, sans le savoir, ils préparent la relève que j'évoquais à l'instant.

Mon cardinal resta en silence un moment, puis reprit :

— Il faut que vous ayez conscience de quelque chose si vous voulez vraiment comprendre ce qui se passe aujourd'hui. La structure hiérarchique classique de l'Église est affaiblie, mais jamais peut-être les initiatives locales n'ont été aussi diverses et vigoureuses. L'enveloppe visible, extérieure, traditionnelle, est de plus en plus faible, mais ce qu'elle abrite, et parfois cache, est extrêmement vivant.

— En d'autres termes, les critères de réussite du passé pour parler de l'Église ne sont plus valables. Ils empêchent même de mesurer ce qui se passe réellement.

— Vous me comprenez parfaitement. Si vous parlez du nombre de prêtres, le diagnostic aboutit aux plus sombres prévisions. Si vous jugez la pratique, même conclusion. Si vous regardez la progression du nombre des baptisés par rapport à l'augmentation de la population mondiale, même diagnostic. Bref, si vous utilisez les outils de mesure de l'ancien système chrétien, vous concluez inévitablement, si vous ne vous réfugiez pas dans le déni, à un affaiblissement considérable qui va s'aggraver inévitablement.

— Vous dites que d'un autre côté, de nombreuses autres manières d'être chrétien surgissent et s'épanouissent.

— Exactement. Nous sommes aujourd'hui dans une situation de grand écart entre une Église visible, médiatisée, et une Église invisible, loin des projecteurs, qui invente sans cesse et crée petit à petit un nouveau tissu chrétien. Le problème est que ces deux Églises qui, théologiquement, n'en font qu'une, n'arrivent pas encore à entrer en résonance. L'une s'attache à des manières d'être qui s'épuisent. L'autre a très peu d'occasions d'être représentée dans les instances dirigeantes, très peu d'occasions de faire entendre sa voix, de montrer la justesse de ses intuitions.

— D'où cette constatation : vous êtes un certain nombre à vouloir que cette Église d'une myriade d'initiatives soit mieux entendue, ait plus d'occasions de faire connaître ses réalisations et sa compréhension du monde.

— Nous voulons montrer qu'il existe d'autres modèles de fonctionnement, d'autres façons d'être chrétien, d'autres expressions de foi. Nous voulons avertir ceux qui n'en ont pas conscience que des alternatives viables existent. Nous voulons rassurer ceux qui se crispent sur des modèles anciens en leur montrant que de nouvelles manières d'être chrétiens, tout aussi fidèles que celles du passé, sont à l'œuvre dans l'Église et dans le monde. Nous voulons, en les rassurant ainsi, leur redonner le goût d'entreprendre et de joindre leurs efforts à ceux qui sont déjà mobilisés dans ces directions. Car nous pensons que beaucoup de crispations de mouvements d'Église ou de membres de la hiérarchie viennent, je vous l'ai déjà dit, d'une peur de quitter des rivages connus, d'une peur que l'invention de nouveaux modèles ne soit une occasion d'infidélité. Nous tentons sans relâche de leur faire découvrir cette myriade d'initiatives pour les convaincre que l'on peut être fidèle en inventant d'autres manières de faire et d'être.

— Vaste entreprise, Éminence, remarquai-je en pensant à toutes les méfiances, les durcissements, les replis sur soi à l'œuvre dans de larges secteurs de l'Église.

— Vaste entreprise, vous dites bien, mais le temps travaille pour nous.

— Comment cela ?

— Je vous l'ai dit. Plus la crise des structures actuelles va s'amplifier, plus il y aura de la place pour cette myriade d'initiatives à laquelle je fais allusion. Et plus nous serons entendus car plus nombreux seront ceux qui se rendront compte qu'on ne peut plus continuer comme avant.

— Vous avez donc une véritable stratégie, reposant sur une analyse sérieuse de la situation actuelle.

— Nous le croyons en tout cas. Nous savons que le mouvement est en route même s'il se heurte à des résistances. Nous avons l'intime conviction d'être en train de proposer de nouveaux modèles d'être réellement chrétiens, fidèles au message du Christ, à l'aise dans l'Église, proposant une réponse adaptée à l'état actuel du monde mondialisé. Et nous savons, je le répète, que le temps travaille pour nous.

Je me rendis compte, en entendant ce commentaire en forme de profession de foi, que nous arrivions vraiment à la fin de nos entretiens.

L'oratoire était un lieu calme. Nous profitâmes un long moment du silence qu'il nous offrait. Une demi-heure au moins se passa doucement sans que l'un de nous éprouve le besoin de parler.

Mon cardinal le fit-il de manière délibérée ? Il me posa une simple question, semblable à celle que deux mille ans auparavant le Christ avait posée à ses disciples après leur avoir lavé les pieds la veille de sa mort [1] :

— Comprenez-vous maintenant ce que j'ai voulu vous dire ? Tout au long de ces rencontres à Rome, en Avignon et ici ?

Je ne répondis pas tout de suite. Mon cardinal respecta mon silence. Nous avions beaucoup parlé, c'était sûr. Et nous avions aimé le faire. Le silence qui s'installa entre nous pendant ces quelques minutes fut d'une étrange légèreté.

Puis je lui répondis :

— Il me semble...

Et employant malgré moi des paroles semblables à celles qui avaient suivi la question du Christ à ses disciples, je continuai :

— Vous lavez les pieds de ces enfants malades, de ces jeunes prostituées par misère, des ces adolescents handicapés, de Poo qui s'en allait. Et cela vous rend heureux.

Je me tus un instant, puis repris :

— Vous m'avez dit que la place de l'Église est d'être à genoux aux pieds du monde, et non pas sur un trône de puissance. Et vous avez affirmé que sa perte d'influence sur les sociétés lui donnait l'occasion de retrouver cette position qu'elle n'aurait pas dû quitter.

Nous restâmes un long moment silencieux, un de plus. Puis, je me tournai vers lui :

— Éminence ?

— Je vous écoute, me répondit-il.

— Que diriez-vous d'intituler notre livre La Brise et l'Ouragan ?

Il prit le temps de réfléchir, et m'interrogea :

— Pourquoi ce choix ? Nous pourrions aussi l'appeler Le Principe de Poo.

— Nous avons fait plusieurs fois allusion à ce texte

---

1. Question rapportée par l'Évangile de Jean au chapitre 13.

de la Bible lors de nos conversations. Vous l'avez cité la première fois pour expliquer que nous avions besoin de changer notre manière de penser.

Je me levai alors, me dirigeai vers le pupitre debout près du petit autel. Je pris la Bible qui s'y trouvait. Je l'ouvris au Premier Livre des Rois au chapitre 19. Le texte était en italien mais il m'était suffisamment familier pour que je ne sois pas retenu par l'obstacle de la langue. Et pour moi, plus que pour mon cardinal, à l'évidence plus familier que moi du texte, je le résumai par de très courtes bribes de phrases qui ne rendaient pas justice à sa poésie :

— Élie qui rêvait de pourfendre les ennemis de Yahvé. Élie, plein de zèle jaloux. Dieu le fit sortir de sa grotte où il s'abritait pour la nuit. L'ouragan se déchaîna. Les montagnes et les rochers se brisèrent. Survint un tremblement de terre. Aucune trace de Dieu dans ces manifestations de puissance terrifiantes. Pas plus que dans le feu qui s'ensuivit. Survint une brise légère. Là se trouvait Dieu. Élie n'en revint pas.

Je refermai le gros volume, et continuai, marquant ainsi mon adhésion à l'entreprise de mon cardinal :

— Dieu n'est pas toujours où nous pensons, Éminence, je suis d'accord avec vous. Chacun de nous a besoin de purifier son regard pour le distinguer. Notre Église, c'est-à-dire nous tous collectivement à travers les siècles, a parfois laissé croire qu'Il était dans l'ouragan, mais Il n'y était pas. Il n'est ni dans la fureur des ambitions, ni dans l'ouragan des condamnations, ni dans le feu des conquêtes, ni dans la tempête levée par les chevaux des croisés ou des conquistadors.

» Il était près de Poo quand vous étiez à son chevet, et cela ne faisait pas beaucoup de bruit, et cela n'était pas connu de beaucoup de personnes. Juste une brise légère, dans un coin malheureux d'Asie. La tendresse de Dieu comme une brise sur un corps qui n'en pouvait plus.

» Il était auprès de Num qui voulait qu'on lui donne

une maman et une motocyclette qu'il n'aurait pas volée. Il était auprès de ces enfants qui sniffaient de la colle dans les rues de la Capitale.

Je me tus. Un moment encore se passa avant que mon cardinal se lève, se rapproche de moi et, avant de sortir de l'oratoire, me dise avec un sourire :

— J'étais sûr que vous me comprendriez. J'étais sûr, quand j'ai pris contact avec vous il y a quelques mois pour faire ce livre, que vous sauriez m'aider. Merci. Revenez me voir.

Et il ajouta :

— Ce livre est à vous. Son titre aussi.

Et après un court silence :

— Je vous le confie.

Je lui dis alors :

— Cela ne sera pas très facile…

— Mais si, vous verrez, la brise fait moins de bruit, mais l'ouragan n'a qu'un temps.

Mon cardinal ne se trompait que sur un point. Il croyait que je déciderais le titre de notre livre. Il oubliait l'éditeur qui choisit quelque chose de plus direct : *Confession d'un cardinal*. Cela avait l'avantage de dire ce que c'était.

Ce volume a été composé par Facompo à Lisieux

Impression réalisée par
CPI BRODARD ET TAUPIN
La Flèche
en juin 2010

Imprimé en France
Dépôt légal : juin 2010
N° d'édition : 14 – N° d'impression : 58869